AMY LLOYD

RIO VERMELHO

Tradução: Carlos Szlak

COPYRIGHT © AMY LLOYD, 2018
COPYRIGHT © FARO EDITORIAL, 2018

First published as Red River by Century, an imprint of Comerstone. Cornerstone is part of the Penguin Random House group of companies.

Todos os direitos reservados.
Nenhuma parte deste livro pode ser reproduzida sob quaisquer meios existentes sem autorização por escrito do editor.

Diretor editorial **PEDRO ALMEIDA**
Preparação **TUCA FARIA**
Revisão **GABRIELA DE AVILA**
Imagem de capa **ARCANGEL IMAGES**
Imagem de quarta capa **COLIN THOMAS**
Diagramação **OSMANE GARCIA FILHO**

Dados Internacionais de Catalogação na Publicação (CIP)
(Câmara Brasileira do Livro, SP, Brasil)

Lloyd, Amy
 Rio Vermelho / Amy Lloyd ; tradução Carlos Szlak. — 1ª ed. — Barueri, SP : Faro Editorial, 2018.

 Título original: The innocent wife.
 ISBN 978-85-9581-014-3

 1. Ficção de suspense 2. Ficção inglesa I. Título.

17-11789   CDD-823

Índice para catálogo sistemático:
1. Ficção : Literatura inglesa 823

1ª edição brasileira: 2018
Direitos de edição em língua portuguesa, para o Brasil, adquiridos por **FARO EDITORIAL**

Alameda Madeira, 162 – Sala 1702
Alphaville – Barueri – SP – Brasil
CEP: 06454-010 – Tel.: +55 11 4196-6699
www.faroeditorial.com.br

Para Rhys.
Obrigada por me ajudar a me tornar
uma escritora e uma pessoa melhor.

Prólogo

O CORPO DA MENINA FOI ENCONTRADO 76 HORAS DEPOIS da comunicação de seu desaparecimento. As pontas dos dedos tinham sido removidas com um alicate de desencapar e cortar fios — uma tentativa deliberada de ocultar a prova do DNA, uma vez que fragmentos da pele do agressor teriam ficado sob as unhas da vítima, que o teria arranhado. O cadáver foi mudado de lugar pouco depois da morte. O local original do crime era seguro o suficiente para um ataque prolongado e violento, seguido pela mutilação. Holly Michaels foi jogada nas águas escuras de um córrego pantanoso, na região mais ao norte de Red River, na Flórida, a 15 quilômetros de sua casa.

Nas fotos da cena do crime, Holly aparece deitada de bruços. Isso tornou a tarefa mais suportável para Sam ao examiná-las pela primeira vez, sozinha, na sala de estar pouco iluminada de sua casa geminada, em Bristol, Inglaterra. De início, as fotos pareceram indecentes, não tanto por causa do sangue coagulado e emaranhado no cabelo loiro e fino, mas sim pela visão de Holly nua da cintura para baixo. Sam quis poder cobrir a menina para proteger sua dignidade.

Ao longo do tempo, Sam parou de evitar a visão de Holly. Quanto mais navegava pelos fóruns de discussão da internet e via as fotos repetidas vezes, menos tornava-se uma questão de corpo, pele pálida e cerosa e manchas escuras de sangue, e mais uma questão dos detalhes ao redor de Holly. Agora, Sam semicerrava os olhos e focava as beiras da imagem, no pedaço do terreno circundado com uma linha vermelha. Tinha uma pegada ali. No entanto, como os membros do fórum afirmaram, não havia moldes das pegadas fotografados ou mencionados nos arquivos do caso. As perguntas começaram: essa pegada foi omitida intencionalmente durante a investigação? Foi ignorada? Ou estamos considerando como prova a pegada de algum policial desastrado de Red River, que interferiu na cena do crime? As discussões iam até tarde da noite. Sam não sabia em que acreditar, a não ser nisso: o que quer que tivesse acontecido, deixou o *verdadeiro* assassino livre.

A obsessão de Sam começou 18 anos após o primeiro documentário.

— Sério, sei que não é o tipo de coisa que você curte, mas você vai adorar, é incrível, vai deixá-la muito furiosa — Mark, seu namorado, garantiu, com o rosto iluminado pelo brilho do monitor.

Sam estava sentada ao lado de Mark na cama, na casa que ele ainda dividia com os pais. À medida que a história se desenrolava na tela, todo o resto começou a desaparecer. No centro disso, o garoto, muito jovem para o terno que usava no tribunal, com os olhos azuis piscando, confusos, para a câmera, sozinho e amedrontado. Para Sam, doía observá-lo, belo, com uma expressão serena, mas triste, num espaço ameaçador, de iluminação intensa e extremidades severas: Dennis Danson, com apenas 18 anos, sozinho no corredor da morte.

Após o término do filme, Sam queria mais, queria respostas.

— Eu te disse — Mark afirmou. — Falei que você ia ficar furiosa.

Logo, Dennis passou a ocupar os devaneios de Sam e a persistir nas margens de seus sonhos, sempre longe demais para abordar ou segurar, com os dedos dele escapando dos dela.

Então, Sam ingressou nos grupos on-line. Os participantes eram entusiastas dedicadíssimos, que examinavam fotografias, depoimentos de testemunhas, transcrições dos tribunais, laudos de médicos-legistas e álibis. Discutiam detalhes minuciosos até Sam se sentir exausta, mas incapaz de parar, procurando pela verdade que poderia reparar todos os erros que levaram até aquele ponto.

Havia subgrupos que defendiam apaixonadamente suas teorias. Suspeitavam do padrasto de Holly ou dos agressores sexuais que viviam no estacionamento de trailers nos arredores da cidade. Faziam comparações com outros assassinatos não solucionados nos Estados Unidos, o que invocava imagens de um mal temporário, um caminhoneiro alimentado por fantasias sombrias, um homem que agia à noite e matava sozinho. Também havia os adeptos de teorias conspiratórias, que achavam que a polícia de Red River protegia um círculo de pedófilos locais, que tinham algum tipo de poder sobre ela.

Sam acreditava que era mais simples do que isso. Uma semana antes do assassinato, um homem de baixa estatura fora visto do lado de fora da escola de ensino fundamental. O homem parava as crianças que passavam por ele, perguntando-lhes a hora. Dizia que perdera o relógio e perguntava se elas o ajudariam a procurá-lo, com a promessa de uma recompensa. Uma mãe que fora buscar seus filhos se aproximou dele. Mais tarde, ela disse à polícia que achou que ele agia de modo estranho, com os olhos brilhando enquanto falava. Ele era desconhecido na comunidade relativamente pequena e sumiu de cena antes da chegada dos policiais. A presença do homem deixou os pais perturbados e os professores passaram a vigiar os portões da escola todas as manhãs e tardes com cuidado adicional. Com pouquíssimos elementos para continuar a investigação, a polícia arquivou o incidente e se esqueceu dele. Nenhum crime fora cometido e o homem não voltou à escola. Porém, na semana seguinte, o desaparecimento de Holly foi comunicado.

Nos fóruns de discussão, referiam-se a ele como O Baixinho. A polícia entrevistou as mães novamente e um retrato falado do homem foi publicado no jornal local e afixado pela cidade. Contudo, a busca não revelou nenhum suspeito e nenhuma pista. Por fim, a polícia abandonou sua linha de investigação e, talvez sob pressão para fazer uma prisão, concentrou-se em outros rumores.

Apesar disso, os fóruns continuaram apostando na teoria do homem de baixa estatura, comparando fotos de fichamento de agressores sexuais recém-capturados com o retrato falado da polícia. Sam leu as discussões de forma obsessiva e se maravilhou com as habilidades investigativas dos autores das postagens, com a maneira como conseguiam tanto identificar as pistas que a polícia não percebera como criar histórias que pareciam muito com a verdade ausente.

Existiam outros fóruns, a respeito de outros casos, com outras vítimas. Havia outros documentários, *podcasts* e programas de TV, mas *Construindo a verdade: O assassinato de Holly Michaels* era um filme que chamava a atenção de muita gente, que prendia as pessoas e não as soltava. Sam lia tudo que podia na internet, assinava petições para que novas provas fossem admitidas no tribunal (a pegada, a declaração de um membro da família acerca do álibi do padrasto) e encontrou os fóruns de discussão que agora pesquisava sem cessar. Todos eram movidos pelo desejo da verdade, de libertar o homem no centro do caso, vítima de um flagrante erro judiciário.

Os admiradores se ligavam a Dennis num nível profundo. Em parte, porque, após sua prisão, observaram, ao longo dos anos, sua mudança de um garoto problemático de 18 anos para o homem que se tornou na prisão. Havia algo quase sagrado a respeito de Dennis, manifesto em sua aparência no macacão branco radiante. Sereno como um monge, com as mãos e os pés presos com correntes em forma de I, como se estivesse em algum tipo de penitência. Apesar de nunca ter aceitado a sentença e sempre alegar inocência, ele era calmo. "Não quero pensar nisso em termos de luta", ele disse no fim do documentário. "A luta nos esgota, a luta acaba com a gente. Estou enfrentando isso. Vou chegar lá", concluiu. Depois que a imagem de Dennis desapareceu da tela, Sam teve vontade de vomitar. Subjugada pela impotência, sentiu o choque de toda a injustiça do mundo e chorou.

Para Sam, os participantes dos fóruns de discussão eram os únicos que entendiam. Todos experimentaram a mesma sensação de impotência na primeira vez em que assistiram a *Construindo a verdade*, anos antes, e a acolheram na comunidade. Alguns foram sarcásticos: "Ué, onde você esteve? Bem-vinda a 1993." Contudo, em geral, Sam se sentia em casa ali, e contribuiu como ela mesma, compartilhando seus pensamentos e seus sentimentos não só a respeito de Dennis, mas também de sua vida pessoal, no fórum denominado Discussão Geral. Foi a essas pessoas que ela recorreu quando voltou para casa e a encontrou sem nenhum vestígio de Mark, a não ser a escova de dente dele apoiada na dela, as duas entrelaçadas como os pescoços dos cisnes estampados no copo sobre a pia. Ele partira sem deixar nem ao menos um bilhete. Os amigos do fórum de discussão a acalmaram, enviaram-lhe mensagens com detalhes de seus dados no Skype, para o caso de ela precisar conversar, asseguraram-lhe que ele não merecia sua dor. Eles eram tudo o que ela tinha.

A maioria dos membros do grupo era constituída de americanos, mas havia britânicos, que às vezes organizavam encontros e eventos. No entanto, eram os americanos que conduziam as discussões e organizavam os protestos. Por duas vezes, a data de execução de Dennis foi marcada e os membros do grupo se reuniram do lado de fora do tribunal de Red River e da prisão de Altoona, protestando e dando entrevistas para a mídia para aumentar a conscientização sobre a causa. Eles dormiam em tendas, distribuíam folhetos informativos e colhiam assinaturas para petições até que outro grupo se formasse do outro lado da rua com placas que diziam "ASSASSINO" e "ONDE ESTÃO OS CORPOS?". Os grupos gritavam um para o outro e barreiras eram colocadas no meio-fio de cada lado da rua para separá-los. Os policiais ficavam no meio, olhando fixo para a frente com expressões neutras e indiferentes.

Quando a execução de Dennis foi adiada, a mídia publicou fotos do grupo chorando e se abraçando. Sam leu as postagens do blog e as discussões acerca dos protestos, e postou para os britânicos, no fórum privado deles, sobre como gostaria de poder fazer algo tão incrível, mas que era difícil, morando tão longe.

Um membro respondeu:

Na realidade, eles não fizeram nada. O sistema funciona assim. É só isso. Os condenados ficam no corredor da morte por 40 anos e nunca são executados. Então eles realmente fizeram algo para ajudar? Discutível.

Para Sam, parecia que os membros britânicos eram menos sérios que os americanos. Ela achava que a causa era apenas um passatempo para os britânicos. Em um encontro, eles visitaram o London Dungeon, uma atração turística de Londres, onde figuras de cera ensanguentadas se apresentam em agonia eterna, com instrumentos de tortura medievais enferrujados presos em seus pescoços e um coro de gritos reproduzido repetidas vezes pelos alto-falantes. Ante as risadas dos membros do grupo, Sam sentiu uma desconexão, como se eles estivessem mais interessados na morbidez do caso do que nos elementos humanos. Dennis não era uma pessoa real para eles, ela concluiu. Não partia o coração deles como partia o seu. Existia um cinismo britânico, uma falta de investimento emocional, que fazia Sam querer se distanciar deles. Ela se sentia melhor cercada por pessoas que sentiam a dor da maneira que ela sentia e precisavam fazer alguma coisa.

Os membros americanos eram os amigos mais próximos de Sam em anos. Em sua cama, ela ficava acordada para conversar com eles, com o laptop apoiado nos joelhos curvados. Muitos deles escreviam para Dennis e escaneavam as respostas. Sam ainda sentia um estranhamento com a familiaridade com que se comunicavam com ele. Ela precisou de meses para escrever uma carta e de mais algumas semanas para enviá-la.

29 de janeiro
Caro Dennis,

Meu nome é Samantha. Tenho 31 anos, moro na Inglaterra e sou professora. Sei que você é inocente. Parece esquisito escrever pra você. Nunca fiz isso antes, escrever uma carta pra alguém que não conheço pessoalmente. Sei que alguns devem te escrever o tempo todo dizendo as mesmas coisas, como, por exemplo: "Sua história mexeu muito comigo" e "Não consigo parar de pensar nela", mas sua história mexeu de verdade comigo e não consigo mesmo parar de pensar nela. Há muitas pessoas aqui fora, Dennis, todas trabalhando duro para provar que você é inocente. Eu gostaria de poder ajudar, mas simplesmente não sei o que posso fazer. Se houver algo de que você precise, me diga, mesmo se for algo pequeno; eu farei todo o possível.

Parece estranho saber tanto a seu respeito e você não saber nada sobre mim. Assim, vou lhe contar alguma coisa, pra que possamos ajustar isso um pouco. Moro sozinha. Minha avó morreu há três anos e me deixou sua casa. Assim, minha mãe me odeia ainda mais do que já odiava (como se isso fosse possível). Como você, sou um pouco a ovelha negra da minha família. Espero que isso não pareça algo ruim. Quero dizer, os outros não nos entendem porque somos diferentes deles, e não porque fizemos algo errado. Minha avó sempre me entendeu. Ela era mais do que uma mãe pra mim e ainda não me recuperei de sua perda. Talvez seja por isso que sua história me atingiu com tanta força. Separei-me recentemente (não foi uma separação tranquila), e odeio meu trabalho. Alguns dias, acordo cedo e não consigo me mexer. Fico deitada, com vontade de ficar naquele momento claro-escuro do dia para sempre. Acho que estou falando demais, mas é bom dizer isso pra alguém.

Vou entender se você não responder. Você deve receber muitas cartas, mas eu só queria que soubesse que há muitos de nós pensando em você. Estamos todos muito empolgados com o novo documentário: parece estúpido dizer, mas, assim que eu soube, senti um novo sopro de esperança, quase uma certeza de que dessa vez você vai conseguir seu novo julgamento. Está animado? (Desculpe se essa é uma pergunta idiota.) Espero ter notícias suas. Você sempre escreve cartas tão atenciosas para os outros (eles as postam on-line; as pessoas gostam mesmo de saber que você está indo bem, apesar de tudo). Se você quiser, eu gostaria de te escrever de novo.
Atenciosamente,
Samantha

Por precaução, para o caso de Dennis nunca responder, Sam não falou de sua carta para ninguém. E também não postou nada quando enfim recebeu uma resposta, porque não sabia se a carta de Dennis parecia diferente daquelas que ele enviava para todo o mundo porque essa era endereçada a ela, ou se era realmente diferente porque fora escrita para ela.

14 de abril
Cara Samantha,
Desculpe pela demora em te escrever. Você tem razão, recebo muitas cartas e preciso de algum tempo para ler o que me é enviado. Mas mesmo quando tenho tempo, não respondo a todo o mundo. Algo em sua carta chamou minha atenção. Lamento saber que você está sozinha. Também estou só.

Carrie me informa sobre o apoio on-line. É um grande conforto pra mim. É difícil entender, às vezes. Quando eu estava na escola, tínhamos um único computador. Digitávamos as coordenadas numa tela e isso fazia um robô se mover ao redor da sala de aula. Era muito lento. Parecia uma tartaruga. Certo dia, voltamos do recreio e o robô estava quebrado. A professora nem sequer perguntou quem tinha feito aquilo. Apenas disse meu nome imediatamente. Não fiz aquilo, mas todos acharam que fui eu.

Veja, isso é algo que você não sabia sobre mim. Não escrevi isso pra ninguém. É estranho que as pessoas saibam tanto a meu respeito. Acho que elas sabem mais de mim do que eu mesmo.

  Obrigado por sua oferta, mas não há nada que eu precise em termos financeiros. Carrie — continuo a mencioná-la, mas não tenho certeza se você sabe de quem estou falando; ela dirigiu o documentário e foi uma das produtoras, e continua sendo uma grande amiga — me visita e providencia tudo. Tenho sorte de poder contar com ela. Muitos presos não têm ninguém. Respondendo a sua pergunta: estou entusiasmado com a possibilidade da nova série documental, mas já tive esperanças antes e me decepcionei. Assim, tento manter a cabeça no lugar.

  Adoraria que você escrevesse de novo. Gosto do jeito como escreve. É muito amável. Recebo algumas mensagens estranhas. Tenho certeza de que você pode imaginar. Gostaria de saber mais a seu respeito. Por favor, escreva, se quiser. Indique-me alguns livros. É sempre útil. Você não precisa enviá-los. Eu posso consegui-los.

  Espero voltar a ter notícias suas em breve, Samantha.

  Sua carta iluminou o dia, que é normalmente sombrio.

  Cordialmente,

  Dennis

Sam releu a carta de Dennis. Ele revelou a ela algo que nunca contara a ninguém antes. Agora ela tinha um pedaço dele. Sam levava a carta a todos os lugares. Sempre que se sentia solitária, voltava a lê-la. À medida que a troca de mensagens continuava, ela se sentia cada vez menos solitária. Era como se apaixonar, Sam pensou. Mais do que alguma outra vez. Não precisava fingir estar muito ocupada para responder. Não precisava lutar para parecer distante. Não precisava se atormentar sobre a quantidade de beijos no fim de uma mensagem de texto. Tudo parecia natural.

  9 de outubro

  Caro Dennis,

  Agora me sinto animada toda vez que escuto a caixa de correio ou chego em casa e vejo um envelope no capacho. Isso é patético? Gosto muito de ler suas cartas. Porém, sei que você só está querendo ser gentil. Aquela foto minha não é grande coisa, mas foi a mais recente que encontrei e que não era totalmente horrível.

Muitos gostam de tirar fotos de si mesmos. São chamadas de selfies. Argh! Odeio. Não me acostumei com isso. Não que eu me achasse linda ou algo assim, mas meu ex definitivamente me deixou paranoica em relação a fotos. Havia coisas que nem sabia que eu odiava em mim até que ele as apontasse.

Estou resmungando de novo! Vou parar. Atrasaram a filmagem outra vez? Você deve estar muito frustrado. Quero que eles prossigam. Quanto antes, melhor. Sei que você é cauteloso, mas eu não preciso ser. Posso acreditar completamente por nós dois.

Os dias têm escurecido mais cedo aqui. É quando costumava ser mais difícil, estando sozinha, mas agora não me sinto mais tão só. Sei que você está aí e espero por suas cartas. É muito bom ter alguém com quem eu possa ser sincera. Quando estou ensinando, tenho de fingir essa força o tempo todo ou as crianças simplesmente ficam selvagens. É exaustivo. Não me dou nada bem com os outros professores. Todos estão comprometidos com as crianças e me olham como se houvesse algo errado comigo porque não sou como eles. Não posso lhes falar que escrevo pra você. Eles também não entenderiam isso. Outro dia, vi um deles lendo aquele livro sobre seu caso: 'Quando o rio fica vermelho', de Eileen Turner. Quase contei pra ele: "Eu conheço Dennis Danson! Trocamos correspondência toda semana!" Mas sei que isso acabaria virando fofoca.

Além do mais, há algo de bom no fato de as pessoas não saberem.

Com amor,

Samantha

25 de outubro

Samantha,

Seu ex é um idiota. Você é muito bonita. Se eu fosse seu namorado, não seria tão estúpido de desistir de você. Coloquei sua foto na parede. Você tem um sorriso lindo. Quando te olho, não consigo deixar de sorrir de volta.

Eu li 'Quando o rio fica vermelho'. Eileen ainda me escreve. Era estranho ler a meu respeito desse jeito. Não vi 'Construindo a verdade', mas, segundo Carrie, o documentário é abrangente, enquanto o livro de Eileen é mais sensacionalista. Algumas vezes eu não me reconheci. Isso me fez parecer um cara esquisito.

Sim, a questão da nova série é frustrante, mas Carrie me disse que é melhor assim. Há obstáculos legais a transpor antes de a filmagem começar e tive reuniões com meus novos advogados, que me dão alguma esperança de que um novo julgamento aconteça nos próximos 12 meses. Tudo se move muito devagar. Cada dia aqui é como uma semana. Hoje, não tive minha atividade de recreação externa por causa da chuva e minha cabeça está doendo de novo. Li suas cartas muitas vezes e, quando as leio, me sinto menos solitário, como se você estivesse aqui.

    Admito que esteja começando a gostar de você mais do que como amiga, Samantha. Não consigo evitar. Também não vejo a hora de receber suas mensagens. Toda semana eu as procuro no pacote que me entregam e, quando as encontro, meu coração bate mais rápido. Tenho quase certeza de que não deveria te dizer isso. Temo que eu só vá ser um fardo pra você, Samantha. Que o compromisso de escrever pra mim toda semana seja demasiado. Que nossa amizade a deixe mais solitária ou reservada. Mas sou muito egoísta pra parar. Você torna tudo mais suportável. Não posso te prometer nada. Você merece coisa melhor. Temo que você descubra isso em breve e me esqueça.

    Com amor,
    Dennis

13 de janeiro
Dennis,

    Não fale assim. Nunca. Eu te amo. Você é tudo o que eu quero. Não me importa que estejamos distantes agora. Estou feliz. Mas estive pensando e quero visitá-lo, se você quiser. Ainda tenho um monte de dinheiro que minha avó me deixou e não há muita coisa que me retenha aqui. Eu vinha economizando pra algo especial e não consigo pensar em nada que signifique mais pra mim. Tenho de parar de desperdiçar minha vida desejando as coisas. Chegou a hora de fazê-las de verdade.

    Sei que você vai dizer "não", mas não aceito isso. Sei o que é melhor pra mim. Tomei uma decisão. Posso ir pra aí já no próximo mês. Basta você dizer.

    Com todo o meu amor,
    Sua Samantha

24 de janeiro
Samantha,

A ideia de ver você aqui também me alegrou. Não consigo parar de me mexer. Ando de um lado pro outro. No pátio, corri em círculos e levantei poeira. Os guardas riram e todos disseram que você deve ser alguém muito especial. Ninguém nunca me viu desse jeito.

Espero que você não se importe, mas dei seu nome e endereço pra Carrie. Ela vai começar a filmar em Red River em abril e eu gostaria que vocês se encontrassem. Sei que ela pode tomar conta de você, mesmo que eu não possa.

Claro que vou amar você quando a vir. Temo que você se decepcione comigo. Eu mudei. Fiquei desleixado. Mas estou trabalhando nisso. Pra você. Estou mais velho. Acho que todos se esquecem disso. Alguns homens ainda escrevem pro rapaz de 18 anos que eu era. Cartas de amor. Tenho certeza de que você pode imaginar. E não quero que fique chocada ao me ver algemado. Temos de usar algemas quando deixamos nossas celas. Dizem que é por segurança, mas, bem, é humilhante.

Não quero forçá-la a nada. Venha quando se sentir pronta. Venha quando Carrie estiver aqui. Mas venha. Também preciso de você. Eu te amo.

Com todo o meu amor,
Seu Dennis

Assunto: Dennis!!!
Sam!

Quem te escreve é Carrie, amiga de Dennis. Ele me deu seu endereço, mas achei que era mais fácil localizá-la on-line. Belos nus! Brincadeira. Não encontrei nada estranho. De qualquer jeito, Dennis fala MUITO de você. Estou um tanto enjoada de ouvir seu nome! Honestamente, não vejo Dennis assim há anos. Com você e a nova série, ele é outro homem agora.

Dennis me disse que você está vindo pra cá pra visitá-lo e ele quer que EU seja sua guia! Ficarei honradíssima de entretê-la enquanto você estiver por aqui. Irei filmar na maioria dos dias, mas acho que você pode me acompanhar, se quiser. Vamos circular por Red River e gravar algumas entrevistas, seguindo algumas pistas que temos, testemunhas, esse tipo de coisa. Ouvi dizer que você é uma grande fã do documentário (obrigada!). Então talvez queira se envolver.

Avise-me.

Quem é amigo de Dennis é amigo meu também. Se você precisar de algum conselho a respeito de onde ficar, onde comer e o que evitar como se fosse uma praga, não se acanhe: consulte-me.

Até breve!

Carrie

Sam reservou os voos antes que mudasse de ideia. Quando viajou, ninguém pareceu notar sua partida.

ALTOONA

1

A PRISÃO ERA UMA IMENSA MONSTRUOSIDADE DE CON-
creto cinza, rodeada por uma cerca de metal encimada por espirais de arame farpado. No caminho, Sam passou por uma placa embutida numa grande pedra, que dizia "Departamento Correcional — Prisão de Altoona". Então, sob uma arcada ao estilo Disney, um letreiro com grandes letras maiúsculas de plástico anunciava: "PRISÃO DE ALTOONA". Algumas palmeiras espalhadas pelas margens do complexo faziam-no parecer ainda mais surreal, como um cenário cinematográfico.

    O ar quente e úmido cobriu-lhe a pele e embaçou as lentes de seus óculos escuros quando Sam abriu a porta do SUV alugado e vomitou no cascalho. Toda vez que ela deixava o revigorante interior climatizado do carro era como se afogar. O cabelo grudava na pele, os fios se enroscando ao redor do pescoço como tentáculos.

    Seu estômago estava quase vazio. Desde o voo que partira de Londres na véspera, tudo o que Sam comera fora uma barra de granola adquirida na máquina de venda automática do motel no meio da noite insone, quando o estômago roncou. O que aflorou agora foram pequenas quantidades de bile e café. Ela trazia balas de menta, que chacoalharam na latinha que segurava. Voltou a se mirar no espelho. *Talvez eu seja uma dessas pessoas que acham que são feias, mas, na realidade, são belas e não conseguem ver isso*, pensou. Recolocou o quebra-sol no lugar e disse a si mesma:

— Dismorfia corporal... Quem me dera... — Então, balançou a cabeça para se livrar do pessimismo.

Sam estacionou o veículo e caminhou até a entrada vigiada. Deteve-se e pensou em dar meia-volta. Nas últimas 24 horas, mudou de ideia um milhão de vezes. Nada daquilo parecera real até ela sentir o paredão de calor do lado de fora do aeroporto. *Foi um erro*, dissera a si mesma, *um erro terrível*. A troca de cartas foi uma espécie de loucura mútua. Apenas duas pessoas que desejavam muito algo melhor e que inventaram isso para si mesmas.

No interior da prisão, Sam entregou o crachá de visitante e o passaporte. Em seguida, colocou a bolsa na esteira da máquina de raios x e atravessou um detector de metais. Por algum tempo, tudo ficou reunido no outro lado. Então, um homem recolheu os pertences e, em troca, deu a ela um tíquete numerado. Uma policial a revistou e outra pregou uma etiqueta numerada em seu peito. Em seguida, ela foi encaminhada pelos corredores certos, com os guardas dizendo apenas uma ou duas palavras.

Sam alcançou um longo recinto verde-hortelã, muito quente, com um pequeno ventilador zumbindo num canto. Havia cadeiras de plástico verdes aparafusadas no chão, Sam se sentou na primeira que estava disponível. A sua frente, um vidro grosso, com orifícios ao nível da boca, uma pequena prateleira fazendo as vezes de mesa e divisórias de privacidade em cada lado. Os visitantes — em sua maioria mulheres —, não falavam entre si, nem se olhavam. Sam espreitou através do vidro e constatou que o lado oposto do recinto estava vazio, exceto por um guarda encostado na parede posterior, olhando seus sapatos.

Acima da porta, na extremidade direita, via-se uma lâmpada, protegida por uma gaiola. Por um instante, Sam quis saber o motivo e, então, caiu em si: a realidade do local em que se encontrava. Aquele era, sem dúvida, um lugar de violência. Os presos eram tão perigosos que as lâmpadas tinham de ser protegidas, as cadeiras precisavam ser aparafusadas, os vidros deviam ser à prova de bala.

Quando uma campainha tocou, a lâmpada vermelha acendeu. O guarda ergueu a cabeça. Nesse movimento, ele notou o olhar de Sam. Ela sorriu, mas ele não retribuiu o sorriso. Sam lembrou-se de um show do Take That em sua adolescência. Ela se inclinara na direção de uma amiga e elas se deram as mãos: *Estamos respirando o mesmo ar que Robbie!* A presença de Dennis, em algum lugar fora do alcance da visão, circulou pelo ar.

Os presidiários entraram, arrastando os pés, com os tornozelos e os pulsos algemados, como Dennis descrevera em uma das cartas. Sam sentiu um calafrio percorrer-lhe a espinha. Pensou em fugir e olhou para trás, mas a pesada porta de metal pela qual entrara fora trancada. Deu-se conta de que estava presa, que a única saída era superar aquilo. *Vai acabar logo*, ela pensou, tranquilizando-se, enquanto os homens entravam em fila.

E ali estava ele. Diferente dos outros, mais frágil de alguma maneira. *Dennis engordou*, Sam percebeu, o que a fez se sentir melhor por um instante. Então, ele virou a cabeça e ela viu seu perfil, incluindo todos os contornos e as maçãs do rosto. Dennis usava um par de óculos de armação dourada e lentes marrons. Assim, Sam não conseguiu distinguir os olhos dele por causa da maneira como as lentes refletiam a luz. Quando Dennis a viu, sorriu. Ela acenou de um jeito ridículo, com o pulso sem firmeza e sem dignidade.

Sam enfiou as mãos entre os joelhos. Os tornozelos de Dennis se achavam acorrentados, por isso ele só conseguia dar pequenos passos, como aqueles dados no escuro. Diante dela, por trás do vidro, ele parou e encolheu os ombros, em sinal de dúvida, dizendo:

— Humilhante.

— Desculpe.

— Pelo quê?

— Não ouvi o que você falou. — Sam afastou o cabelo do rosto.

— Eu disse que isso é humilhante — ele repetiu e se sentou, com as correntes tinindo contra a mesa a sua frente. — Correntes, como um cão num ferro-velho.

— Ah, não, não. Não posso acreditar que isso seja realmente...

— Eu sei.

Eles permaneceram sentados, em silêncio.

— Esquisito, não é? — Sam tentou recomeçar a conversa.

— O quê?

— Isso.

— Sim.

Sam olhou para Dennis e era como se ele fosse um estranho. Ela se sentiu inerte e vulnerável, querendo dar meia-volta e partir. Porém, a sensação passou, deixando a cabeça com um zumbido, como se ela tivesse sido estapeada. Ele sorriu. Então, Sam cobriu a boca, sorrindo de volta.

— Desculpe, mas eu não namorei muito...

— Na realidade, eu também não. — Sam tornou a sorrir, de modo compreensivo.

— Quando você chegou?

— Ontem. — Ela se lembrou da primeira lufada de ar da Flórida quando saiu do aeroporto. O momento em que tudo se tornou real demais.

— Fez boa viagem?

— Tudo bem. No avião, dão de comer o tempo todo, para impedir que você fique entediado.

— Igual aqui.

Toda a cordialidade e ternura das cartas tinham sumido. Sam se culpou.

— Quando você vai se encontrar com Carrie? — Dennis quis saber.

— Amanhã. — Sam se lembrou de como Carrie insistira para que ela se juntasse à equipe durante a filmagem da nova série documental. Temia achar que estava atrapalhando, mas quando Carrie lhe perguntou como ela passaria seu tempo livre ali, Sam não fora capaz de responder.

— Você vai gostar dela.

Sam experimentou uma pontada de ciúme e soube que tudo ainda estava ali, que ainda o amava.

— Ela parece muito legal. — Sam apertou os lábios num sorriso que não revelou seus dentes, que eram muito pequenos, ou sua gengiva, muito grande.

— E ela é mesmo. Sabe, não recebo muitas visitas. Carrie tenta vir, mas ela mora muito longe... — Dennis deixou a frase inacabada pairar entre eles.

Ficaram em silêncio por um momento.

Em seguida, as palavras escaparam da boca de Sam:

— É minha culpa. Sou tímida. Minha mente fica completamente em branco e não sei o que falar, porque tudo parece tão insignificante, sabe?

Sinto-me como uma idiota completa. Está muito quente aqui e ainda estou sentindo o *jet lag*. Não tem nada a ver com você. Desculpe.

Surpreso, Dennis olhou para ela.

— Você não é uma idiota, Samantha. E, sabe, eu te amo.

Foi como se algo se quebrasse dentro dela.

— Eu também te amo.

— Você tem algo aí. — Ele apontou para a bochecha direita dela.

Sam afastou uma mecha de cabelo do rosto e relaxou.

— Obrigada.

Nesse momento, tudo ficou um pouco mais fácil. Dennis falou com animação das visitas extras que recebera ultimamente, dos novos advogados com ternos feitos sob encomenda e estratégias feitas sob medida. Da nova série, *Um garoto de Red River*, e da Netflix, que lhe causava certa confusão. Do novo diretor, Jackson Anderson, eufórico após uma trilogia de sucessos, que tinha certeza absoluta da soltura de Dennis, como se fosse algo inevitável. Dennis também falou de Carrie: ele sabia que ela queria o melhor para o filme, mas, após todos aqueles anos, ele podia dizer que ela odiava desempenhar um papel secundário em relação a um homem. Carrie sempre esteve no comando, inquestionavelmente. Dennis riu.

— Ela está chateada, mas também sabe que Jackson tem mais condições de levar adiante o projeto. É uma questão de dinheiro. Carrie sabe disso. Mas vai continuar fazendo a maior parte do trabalho pesado.

Jackson trouxe um nível de publicidade maior para a nova série. Celebridades tuitaram seu apoio. Os fãs de Dennis fizeram *download* do primeiro documentário. O interesse cresceu exponencialmente. De repente, os fóruns de discussão foram invadidos por novos nomes. Angelina Jolie apareceu usando uma camiseta com uma foto de Dennis e a legenda #LibertemDennisDanson. Seu nome estava bombando no Twitter. Dennis tomou conhecimento da nova situação por causa do número de cartas que chegavam. A quantidade era muito maior do que em qualquer época. Ele não dava conta de lê-las.

— Estou começando a achar que é possível — Dennis afirmou.

— Que pode ser possível.

— Eu também. Todo o mundo sabe agora. Todos estão ao seu lado.

Sam se perguntou: como um juiz pode lutar contra todos? Tem de haver um novo julgamento.

Um zumbido fez-se ouvir e as pessoas ao redor dela se inclinaram para se despedir. Algumas mulheres quase encostaram os lábios contra o vidro sujo, sussurrando para os seus amados do outro lado. Os guardas viraram as cabeças.

— Preciso ir — Dennis afirmou.

— Eu sei.

— Semana que vem?

— Claro. Den, eu te amo.

— Eu também te amo, Samantha.

Quando Dennis saiu, Sam teve de conter as lágrimas, sentindo ao mesmo tempo o prazer da voz dele e a dor de vê-lo partir. Endireitou o vestido e permitiu que as pessoas passassem por ela, para que pudesse ficar no fim da fila de saída. Uma mulher atrás de Sam disse, tão perto de seu ouvido que ela sentiu a respiração em sua nuca:

— Você gosta de assassinos de crianças, hein?

— Como é? — Sam virou-se. Então, sorriu, certa de que entendera mal.

— Você tem uma queda por caras que matam garotinhas. Vi com quem você estava falando.

A desconhecida tinha cabelo ruivo cacheado, que parecia crocante por causa do laquê, e usava uma camiseta que deixava um ombro à mostra, expondo a alça do sutiã. Sam olhou ao redor em busca de um guarda, mas os guardas estavam ocupados em cada extremidade do recinto.

— Tenho família em Red River e todos sabem o que ele fez. Sabem *quem ele é*, sabem mais do que um filme pode contar pra você — a mulher falou tão baixinho que ninguém prestou atenção a elas.

— Não quero discutir com você, ok? Só quero ir embora — Sam afirmou com um tremor na voz que não conseguiu controlar.

— Ele te contou onde estão os corpos? Isso é tudo o que queremos saber. Aquelas meninas merecem descansar em paz. As *famílias* merecem descansar.

Elas eram as duas únicas visitantes no recinto agora.

— É isso? Você terminou? — Sam tentou se impor.

— Vamos, o tempo acabou. — O guarda pôs a mão na parte inferior das costas de Sam e a empurrou com delicadeza.

— Vadia — a mulher disse, finalmente.

O guarda tirou a mão das costas de Sam e segurou o pulso da mulher, sorrindo com malícia enquanto conduzia as duas para fora.

2

Trecho de *Quando o rio fica vermelho*, de Eileen Turner

A família Danson morava nos arredores do município, onde os últimos vestígios de civilização davam lugar a hectares de terra inadequados ao desenvolvimento. Era o tipo de solo que sugava a si mesmo após tempestades, brejos que levavam ao litoral de mangue e raízes emaranhadas na água tão escura que era impossível ver algo sob a superfície. A família vivia a quase três quilômetros da cidade, seguindo por uma estrada de terra batida que se tornava intransitável após períodos de chuva pesada. Nessas ocasiões, o menino Dennis tinha de caminhar cerca de um quilômetro e meio por dia para pegar o ônibus escolar, muitas vezes alcançando-o ensopado e sujo de lama.

Mesmo pelos padrões de Red River, Dennis era considerado pobre e sua desatenção foi identificada desde cedo por seus professores. Embora inteligente, costumava aparecer na aula aparentando cansaço, com as roupas sujas ou sem os livros escolares. O conselho tutelar foi chamado e inspecionou a casa da família. Os assistentes sociais a descreveram como "imprópria para habitação humana"[*] e Dennis foi enviado para viver com uma família adotiva, enquanto seus pais ganharam um tempo para limpar e reformar a propriedade. Seu pai, Lionel Danson, foi aconselhado a iniciar um programa de 12 passos para o tratamento de

---

[*] Extraído das anotações do assistente social, 1981.

alcoolismo, e sua mãe, Kim, foi medicada contra a depressão. Seis meses depois, Dennis voltou sob a supervisão de um assistente social, que passou a visitar a casa duas vezes por semana para inspeção. Após alguns meses, as visitas diminuíram de frequência. O assistente social designado para os Danson admitiu que acreditou que a família estava superando os problemas e decidiu que ligações telefônicas seriam suficientes para verificar o progresso*, como se fosse muito trabalhoso dirigir-se até lá duas vezes por semana.

Não demorou muito para que a casa voltasse a seu antigo estado de imundície e seu pai retomasse seu habitual padrão de alcoolismo. Até então, a reviravolta deu a impressão de ter provocado uma mudança no comportamento de Dennis: antes quieto e tímido, o garoto começou a agir impulsivamente na aula, tornou-se propenso a explosões súbitas de violência, ficando de pé de repente e virando a carteira escolar ou gritando no meio de uma prova, como se achasse o silêncio e a quietude da sala de aula insuportável. Os professores que antes queriam protegê-lo, que achavam atraente a timidez de olhos azuis e cabelo loiro, agora o afastavam, suspendendo-o e enviando-o para ficar no corredor ou na antessala do escritório do diretor, enquanto se concentravam nas crianças que podiam ser ajudadas.

Era uma existência isolada. Durante o ensino fundamental, Dennis chegava sozinho, passava os dias separado de seus colegas de classe e voltava para casa também sozinho. Quando entrou no ensino médio, tornou-se mais intrigante para seus colegas, menos um pária e mais um solitário incompreendido. Dennis era popular entre as garotas, embora não namorasse muito, e começou a jogar como *running back* no time de futebol americano. O time da Red River High School tinha jogadores razoáveis, mas carentes de recursos e desprovidos de dedicação real. O treinador testemunhou pela defesa no julgamento de Dennis, descrevendo-o como "um lobo solitário", mas "um bom garoto"**, que só precisava de um pouco de disciplina em sua vida. Bush, o treinador, foi uma

---

* Declaração do assistente social durante a investigação de suas atividades, 1991.
** Extraído das transcrições judiciais, maio de 1993.

testemunha importante. Era um homem respeitado pela comunidade, que confirmou que Dennis estava com ele na escola entre 4 e 5 horas da tarde no dia do desaparecimento de Holly. A menina foi vista pela última vez andando de bicicleta longe de sua casa, às 4h30 da tarde, aproximadamente. O que significava que Dennis não podia tê-la capturado ou, no mínimo, a cronologia teria posto sua culpa em dúvida razoável. No entanto, quando solicitado a fornecer a lista de chamada daquele treino, o treinador não pôde fazê-lo, embora tivesse registro de todos os outros treinos que remontavam a um ano atrás. Assim, a acusação convocou outro jogador, que não conseguiu se lembrar da presença de Dennis no treino daquele dia.

Alguns garotos se lembraram da presença de Dennis, mas outros acharam que ele fora embora cedo. Disseram que ele costumava fazer isso, quando não saía com eles após os treinos ou jogos. Dennis era popular, mas não estabeleceu amizades íntimas com os demais jogadores. Em vez disso, passava a maior parte do tempo com outros desajustados da escola, em especial Howard Harries, filho do oficial de polícia Eric Harries, e Lindsay Durst. Era algo que seu time e seus colegas de classe não conseguiam entender: por que ele ainda se sentia tão ligado a esses "fracassados"? No entanto, isso, o psicólogo da defesa argumentou, era um sintoma clássico de abuso.

— [Dennis] temia se expor e ficar vulnerável a seus colegas [...] permitindo que eles percebessem o que era sua vida familiar.*

Dennis não era capaz de fugir da sensação de que era um fracassado, mesmo que, externamente, não fosse percebido como tal.

A vida doméstica ia ficando cada vez mais difícil. Dennis encontrou sua mãe inconsciente duas vezes após overdoses. Seu pai era um bêbado violento. Quando ele estava longe de casa, Dennis podia relaxar. Mas quando voltava, batia no filho por infrações mínimas. Uma vez, Dennis lembra, ele estava comendo na sala de tv, sentado no chão, de pernas cruzadas, quando seu pai apareceu atrás dele e o esmurrou na parte posterior da cabeça. Dennis cuspiu a comida no chão e, ao se virar para

---

* Transcrições judiciais.

perguntar o que estava acontecendo, seu pai o golpeou na boca, chutou seu estômago, tirou o cinto e o açoitou três vezes.

— Você estava mastigando muito alto — seu pai disse, ofegante, e recolocando o cinto no lugar.*

Para ganhar algum dinheiro, Dennis arrumou emprego num asilo, para fazer a limpeza dos quartos e lavar as roupas. Ao longo do tempo, os residentes começaram a gostar de sua companhia. Dennis era divertido e rápido, diziam. Nunca tratava ninguém com superioridade. Sempre escutava. Ajudava a organizar o lazer e os eventos, servia comida e conversava com os idosos que não recebiam muitas visitas. Alguns residentes lhe mostraram suas lembranças: fotos, medalhas e casacos de pele. Também lhe mostraram joias. Ao limpar os quartos, ele notava caixas de sapatos sob as camas, pertencentes aos idosos que não confiavam nos bancos. No começo, Dennis tirou apenas algumas centenas de dólares aqui e ali, o suficiente para adquirir uma passagem de avião, pagar um mês de aluguel em Nova Iorque ou Los Angeles e comprar comida. Em seguida, subtraiu algumas joias, que levou a uma casa de penhores, onde recebeu uma quantia decepcionante de dinheiro. Então, uma filha visitou sua mãe no asilo e quis pegar um broche antigo emprestado para um casamento. A polícia procurou o broche nas casas de penhor locais. O dono de uma delas revelou imediatamente que fora Dennis Danson quem penhorara a joia.

— Eu agi sem pensar. Precisava ir embora. Sabe, na época, achei que não existiam vítimas de verdade. Aquelas coisas estavam ali, esperando que os velhos morressem e suas famílias de merda vendessem tudo. — Dennis suspirou. — Se soubesse que tudo o que fiz na vida seria analisado desse jeito um dia, como se tudo fosse usado como prova para decidir se eu era um monstro ou não, teria vivido de maneira diferente.

---

* *Construindo a verdade*, Flórida: Carrie Atwood e Patrick Garrity, 1993. VHS.

3

— E ENTÃO? — CARRIE PERGUNTOU A SAM, COM OS OLHOS pregados na estrada adiante. — Como foi seu primeiro encontro?

Sam deu risada. Ela mal parara de sorrir desde sua visita da véspera. Dormiu bem pela primeira vez em dias. Quando Carrie veio buscá-la no motel para a viagem a Red River, esperou-a do lado de fora, ansiosa para falar a respeito de tudo.

— Foi bom... Deu certo. — Sam tentou não perguntar a Carrie se Dennis comentara algo, com seu instinto de parecer indiferente ainda forte, mesmo depois de viajar pelo mundo só para encontrá-lo.

— Só isso? Não vou te contar o que ele disse até você me dar um pouco mais do que isso.

— Tudo bem... No começo, foi estranho, e achei que era minha culpa. Na verdade, me senti um pouco... sufocada, eu acho. Mas Dennis foi muito amável.

— Muito?

— Completamente — Sam confirmou, entendendo-se com facilidade com Carrie.

Carrie Atwood era pequena, com cabelo castanho abundante que chegava até pouco acima do queixo e se erguia loucamente quando ela passava a mão por ele.

— E, você sabe, ele é bonito e tudo o mais, sem dúvida — Sam completou.

— Sem dúvida.

— Fiquei tão desapontada quando tive de ir embora! Era como se tivéssemos apenas começado a nos conhecer além dos limites das cartas. — Sam não mencionou a mulher e o confronto.

Houve um silêncio.

— E? — Carrie a provocou.

— Pare com isso! Ah, meu Deus! — Sam exclamou, acanhada.

O que ela sentiu por Dennis pareceu muito diferente da última vez em que começou algo novo, naquela pisada na bola durante a festa de Natal do escritório, com Mark lhe dizendo baixinho: "Não estou atrás de nada sério. De nenhum compromisso. Tudo bem?" E Sam disse que sim, claro; afinal, o que mais ela poderia dizer? As mãos dele já estavam por baixo de sua roupa, após meses de desejo e olhares tímidos que culminaram naquilo. Mark deslizou os dedos dentro dela, laboriosos, cedo demais, e o corpo de Sam ficou rígido e frio por causa do esforço para não chorar. "Você está bem?" E ela disse que sim, porque foi obrigada. Tudo bem ser fodida mesmo sem querer. Tudo bem ser um prêmio de consolação. Tudo bem e foda-se.

— Bem, Dennis achou você um tesão — Carrie revelou.

— Ele disse isso?

— Ele disse exatamente isso: "Samantha é um puta tesão."

— Sério?!

— E adorou seu sotaque. Ele ficou chateado com o fato de o encontro de vocês ter durado tão pouco, mas está ansioso por revê-la na próxima semana. É tão incrível que nem sei como lidar com isso. Meu pequeno Dennis, finalmente namorando.

Sam memorizou as palavras de Dennis, tentando ouvir a maneira como ele dissera aquilo. Ela só escutou por alto o relato de Carrie sobre sua primeira visita a Dennis e o quão assustador foi entrar na prisão pela primeira vez. Carrie falou das ameaças de morte e das mensagens de ódio que recebeu. Também revelou que não conseguiu obter nenhum financiamento para a realização do primeiro documentário e, assim, ela e Patrick, o outro produtor, tiveram de trabalhar à noite para produzi-lo.

— Sinto-me envergonhada ao ouvir isso.

— Foi algo totalmente egoísta, Sam. Era uma história que precisava ser contada e, assim, produzimos o filme. Sempre me preocupei com Dennis, desde que Patrick me falou do caso. É claro que todos acham que estou apaixonada por Dennis. — Carrie fez um esgar de aborrecimento. — Caso contrário uma mulher não faria um documentário acerca de um rapaz, certo? O fato de eu ser gay não parece importar. Percebo isso o tempo todo. Era apenas o caso, que parecia tão injusto, envolvendo um garoto que obviamente não fez nada. Não consegui tirar o caso de minha cabeça.

Sam pensou no quão próximos eles eram e em como Dennis falava sobre Carrie.

— Mas é tão devastador. Nem consigo acreditar que estou aqui e tudo que faço é uma visita. É como se fossem férias muito estranhas.

— É algo imenso o que você está fazendo, Sam! Antes de você, Dennis começava mesmo a desistir. É incrível que você tenha vindo. Não se menospreze. Você é uma mulher forte.

Sam enrubesceu.

— Argh, detesto essa ideia! *Mulher forte*. Afinal, o que isso quer dizer? Se um homem forte é um cara capaz de rebocar uma jamanta usando os testículos, uma mulher forte é... — Carrie estalava os dedos em busca do que queria dizer.

— Uma mãe que exige uma nova sinalização de trânsito depois que seu filho é atropelado por um playboy.

— Certo!

— Talvez isso seja menos estúpido.

— Bem, sim, quando dito em voz alta. Mas você sabe o que quero dizer, Sam. Não dê ouvidos ao que os idiotas sempre falam. Quero dizer, você é corajosa. É o que eu quero dizer.

Sam abriu a boca para protestar, mas se lembrou de quando Mark lhe disse que ela nunca aceitava um elogio e isso o irritava: item número 13 da lista de motivos pelos quais ele não podia amá-la. Ela se virou para Carrie e disse:

— Obrigada.

As casas em Red River não eram uniformes como as que Sam vira quando o avião se achava prestes a pousar, com piscinas em formato de cuba rim usada em cirurgias e telhados de terracota. Era como se fossem todas construídas uma de cada vez, por pessoas que acabaram ali por acaso. As ruas eram largas, e as casas, espalhadas. Havia sofás jogados fora e cachorros acorrentados que latiam quando estranhos passavam. A sede da prefeitura era simples e pintada de branco e a rua principal tinha uma loja de conveniência, uma loja de ferragens e um restaurante de *fast food*. A maioria dos estabelecimentos estava fechada, com tábuas de madeira aparafusadas nas janelas.

Elas se dirigiram para uma área mais bonita de Red River, onde as vias públicas eram sombreadas por grandes árvores, e as casas, pintadas em diferentes tons pastel, com sofás de dois lugares nas varandas e grandes e resplandecentes SUVs do lado de fora.

Carrie encostou perto de uma casa amarelo-clara, menor do que as demais, com a pintura começando a descascar em torno das janelas brancas. Na caixa de correio estava escrito "Harries, 142". De acordo com Carrie, o oficial de polícia Eric Harries recusara todos os pedidos de entrevista durante a realização do primeiro documentário, em 1993. Há alguns dias, porém, Harries entrara em contato com Patrick quando foi divulgado que Jackson Anderson vinha produzindo uma nova série documental sobre o caso.

— A sedução da celebridade. — Carrie rolou os olhos, exprimindo impaciência. — Claro que ele nos impôs algumas restrições sérias.

Carrie explicou que, se a produção contatasse Howard, seu filho, para uma entrevista, Harries faria de tudo para impedir o lançamento da série.

— Harries não é dedicado ou talentoso o suficiente para conseguir isso, mas ainda detém muita influência nesta cidade — Carrie informou.

— Respeito entre ladrões. Ninguém entende isso melhor do que os policiais.

A entrevista era fundamental, pois o oficial de polícia Harries foi o primeiro policial a interrogar Dennis após a descoberta do corpo de Holly. Ao ser indagado do motivo pelo qual procurou Dennis, ele declarou: "Pode chamar de palpite. Intuição policial."

— A cara de pau do sujeito... — Carrie, do carro, olhava para a casa. — Tenho perguntas importantes sobre a história dele.

Elas desembarcaram e Carrie descarregou o equipamento do porta-malas na calçada. Ela tinha uma câmera, que pôs no ombro. Em seguida, encostou o olho no visor e esquadrinhou a rua, com Sam abaixando a cabeça instintivamente, como se o olhar de Carrie fosse um projétil. Carrie segurava a câmera por meio de uma alça da parte superior e a apoiava a partir da parte inferior, arrastando-a ao redor num semicírculo. Ela conectou um par de fones de ouvido, que pendurou em torno do pescoço, e deu um passo para trás, inclinando um quadril para um lado.

— Então, como estou? Jack quer que eu fique sob o foco da câmera, como se fizesse parte da história. Não sei. Sinto como se estivesse participando daquele maldito programa *Catfish*.

No interior da residência, o resto da equipe já tinha se organizado e ajustava a iluminação, movendo uma persiana para cima e para baixo, enquanto o oficial de polícia Harries, sentado numa poltrona, procurava abrir o botão superior da camisa. Sam percebeu que ele olhou para Carrie quando ela entrou, mas logo voltou a desviar o olhar.

Um homem grandalhão e desengonçado surgiu da cozinha, abaixando um pouco a cabeça sob a porta, e se apresentou como Patrick, o sócio de Carrie. Juntos, eles pesquisaram e filmaram o primeiro documentário, formando uma pequena equipe quando a história cresceu. Para Sam, Patrick pareceu um tanto tímido, com um aperto de mão frouxo e úmido. Ele falou sem encará-la, fazendo algumas perguntas:

— Como foi o seu voo? — Mas ele não pareceu se envolver com as respostas de Sam. — Ótimo, ótimo. Com licença.

Quando Sam se virou para falar com Carrie, ela já tinha se afastado. Então, Sam, encabulada, permaneceu junto a uma parede da sala, esperando que alguém se aproximasse dela.

Havia cinco pessoas que Sam não conhecia, todas ocupadas com o trabalho. Um rapaz quase deixou cair um microfone *boom* sobre sua cabeça e pediu desculpas. Ansiosa, ela observava a equipe e começou a se sentir perturbada com a autoconsciência de estar no lugar errado. De repente, pareceu absurdo que ela estivesse ali.

— Você pode se sentar — Harries falou para ela de seu lugar.

— Não, obrigada. — Sam deu de ombros.

— Você parece um pouco corada. Que tal uma bebida? — Ele fez menção de se levantar, mas Sam, com um gesto, pediu a Harries que permanecesse sentado. Ela precisava de uma bebida, mas não oferecida por ele. — Bem, se você precisar de alguma coisa...

Com repulsa, Sam notou o nariz inchado e vermelho por causa de anos de excesso de bebida, os poros abertos e o corte de uma lâmina de barbear encrostado com sangue enegrecido na bochecha, perto do bigode. A testa de Harries já estava ensopada de suor e a fivela do cinto afundava na barriga, que brilhava esbranquiçada pelas aberturas da camisa.

O oficial de polícia Harries pigarreou.

— Ouvi um sotaque britânico? O que você acha do clima? Muito quente para você? — ele perguntou.

Sam sorriu educadamente, com os lábios fechados.

— Você se mudou pra cá ou veio só pra isso? — ele prosseguiu.

— Apenas uma visita.

— Então por que te trouxeram aqui? Você deve ser muito boa no que quer que faça pra te trazerem de tão longe.

Sam se atreveu a responder, sentindo o frêmito da confrontação:

— Bem, na verdade, sou amiga de Dennis. Se bem que estou mais pra namorada.

O sorriso de Harries desapareceu e ele se aprumou na poltrona.

— Não há assassinos na Inglaterra que você possa namorar?

Sam se virou e se afastou, saindo para o paredão de calor do lado de fora. De repente, teve a impressão de que todos na casa pensavam a mesma coisa. Isso a deixou enjoada, como se ela estivesse girando. Sam precisou fechar os olhos, contar suas respirações e se lembrar de quem era, o que fazia e o motivo.

Sam, parada na sombra, tentava se recuperar, quando Carrie apareceu e lhe entregou uma garrafa de água, que suava por causa do gelo derretido do isopor no porta-malas. Sam segurou-a contra a nuca e explicou para Carrie o que tinha acontecido.

— Esse cara é o fim da picada. — Carrie meneou a cabeça. — Não se preocupe, vamos dar um jeito nele. Harries disse que não poderíamos falar com Howard, mas não disse que não poderíamos falar a respeito dele.

Em seguida, Carrie convenceu Sam a voltar para dentro. Sam ficou no fundo da sala, o mais longe possível de Harries, observando-o tomar goles de alguma bebida de um copo fosco e enxugar os lábios molhados com o dorso da mão.

Meia hora depois, Carrie sentou-se diante de Harries, com um iPad equilibrado sobre os joelhos, junto com algumas anotações, que Harries pediu para ver antes de começarem. Sam viu os olhos dele se moverem sobre as páginas, sorrindo para si mesmo de vez em quando.

— Feliz? — Carrie perguntou quando ele devolveu os papéis.

Harries assentiu. Carrie gesticulou que estava pronta. Patrick pediu silêncio e fez uma contagem regressiva. Carrie começou:

— Você pode nos falar acerca de seu relacionamento pessoal com Dennis? Sobre a amizade dele com Howard, seu filho?

— Eu não tinha nenhum tipo de relacionamento pessoal com Dennis, mas ele costumava estar sempre por perto. Começou quando ele tinha... 7 anos, acho. Howie sempre foi um garoto atencioso e via Dennis como um menino carente. Então, brincava com ele no quintal. Dennis sempre vinha aqui comer toda a nossa comida. Eu costumava perguntar a ele: "Seus pais nunca te dão de comer?" Bem, acho que não davam, porque Dennis estava sempre com fome, sujo e roubando coisas. Embora Howie nunca dissesse que era ele, eu sabia que era. Dez mangos aqui, um pacote de biscoitos ali. Nada muito grande. No início, a gente ignorava.

— Você nunca falou com Dennis a esse respeito? Ou visitou a casa dele pra ver se o garoto estava sendo cuidado de modo adequado?

— Todos nós sabíamos o que acontecia naquela casa. Não era segredo. Mas não dava pra fazer muita coisa. E se eu fosse até lá e advertisse seus pais? Na certa eles o impediriam de procurar Howie e meu filho não me perdoaria. Aqueles garotos eram inseparáveis. Eu me preocupei desde o início, mas...

— Quais eram as suas preocupações?

— Howie era muito impressionável. Ele sempre corria atrás dos outros meninos de sua idade. Nunca era convidado para as festas ou para jogar bola no verão. Assim, desconfiei quando um garoto como Dennis passou a procurá-lo. Achei-o muito inteligente. O moleque apertou minha mão como se fosse um adulto, quando o conheci. Howie começou a falar palavrões e eu sabia que tinha aprendido com Dennis. Os brinquedos começaram a aparecer quebrados, enterrados no lixo. Howie fraturou o pulso depois de uma proeza estúpida. Ele saltou de uma ponte no rio. Eu tinha certeza de quem o levara a fazer aquilo. Vi meu filho mudando. Mas como você pode tirar o único amigo de seu filho? Assim, fiz vistas grossas pra certas coisas. Abri exceções. Tive uma conversa em particular com Dennis. Disse-lhe: "Não quero uma má influência perto de meu filho.

Você vai precisar melhorar sua conduta ou não poderá aparecer aqui todo santo dia. Entendeu?"

— Funcionou?

— Algumas semanas depois, vandalizaram meu carro. A pintura foi riscada com uma chave. Perguntei para o Dennis se ele sabia de algo. Ele negou que tivesse feito aquilo, mas sempre desconfiei do menino. Esse foi meu erro: deixei muitas coisas acontecerem, vendo meu Howard ser arrastado para a delinquência.

Carrie sentou-se mais para a frente, franzindo a testa, em sinal de reprovação.

— Alguns enxergam isso de maneira inversa. Os professores afirmam que Dennis se comportava melhor antes de conhecer Howard. Alguns moradores dizem que Howard sempre foi uma criança problemática; desde que sua mãe foi embora, ele ficou, abre aspas, *fora de controle*, fecha aspas.

Harries rosnou:

— Bem, quem disse isso tem algum interesse pessoal a defender. Howie reagiu mal à partida de sua mãe. Que filho não reagiria? Ele se tornou um pouco grosseiro. Passou a ter ataques de raiva. Teve certa dificuldade de aprendizado. Simplesmente, sentiu-se frustrado. É tudo.

— No ensino médio, Howard fornecia drogas. Isso também foi causado pela frustração?

— Era Dennis quem lidava com drogas.

— Howard lhe disse isso?

— Não, não era necessário dizer. Era óbvio. Onde Howie conseguiria... Olhe, meu filho não era o garoto mais brilhante. Ele estava protegendo alguém. Howie gostava de agradar. Ele só queria ter amigos. Howie não seria capaz de organizar algo assim sozinho.

— Mas ele jurou que não era Dennis, mesmo com a ameaça de expulsão da escola.

— Como eu disse: ele quis proteger o amigo.

— Então você ficou chateado com Dennis?

— Não.

— Nem mesmo depois que seu filho foi expulso e enviado para o reformatório por nove meses?

— Não.

— Há quem diga que você começou a pegar no pé de Dennis depois disso. Que foi você quem bateu na porta dele assim que o corpo de Holly foi encontrado, embora não existisse nenhum motivo pra relacioná-lo ao crime.

Harries tomou fôlego. Ele ainda estava calmo e controlado.

— Tínhamos de investigar todos da área com antecedentes de má-conduta sexual.

— Certo, a acusação de atentado ao pudor que *você* promoveu. O que todos reconheceram como uma brincadeira e que você insistiu que era um desvio sexual.

— Não insisti em nada. Dennis se exibiu na frente das adolescentes.

— Ele foi jogado nu pra fora de um carro em movimento após o jogo de futebol e teve de correr de volta para o ginásio de esportes. A mesma brincadeira era feita em todas as temporadas.

— Eu não sabia disso. Só sei o que é denunciado. Algumas das garotas estavam muito transtornadas. Tivemos de fazer o nosso trabalho.

Sam cerrou os punhos, estalando uma articulação. O rapaz do microfone *boom* virou-se e lhe lançou um olhar. Para Sam, naquele momento, Harries parecia o próprio vilão. Seus lábios tinham a forma de um quase sorriso, sugerindo que ele não acreditava em nada do que dizia e queria que os outros soubessem disso. Suas mãos estavam apoiadas nas coxas, as pontas dos dedos tamborilando enquanto ele falava.

— E o exibicionista de verdade? — Carrie, que analisava suas anotações, tornou a encarar Harries. — Um homem foi acusado de exibir a genitália para um grupo de garotas num campo de treinamento de animadoras de torcida no sábado anterior ao assassinato. Ao serem interrogadas, as jovens descreveram o homem como alguém de baixa estatura, de cabelo escuro e um pouco pálido. Então, um retratista da polícia desenhou isto... — Ela estendeu o iPad. O desenho parecia inegavelmente semelhante ao Baixinho, que fora visto em frente a escola de Holly na semana anterior a seu desaparecimento. — Mas, meses depois, você falou de novo com as garotas e mostrou a elas imagens de Dennis. Perguntou se ele era o homem que elas tinham visto. Você voltou a interrogá-las, mesmo depois de elas terem dito "não". Então, você pressionou muito e, finalmente, uma delas disse que *talvez* pudesse ter sido ele.

— Achávamos que tínhamos provas irrefutáveis de que Dennis era o nosso homem.

— Mas esse desenho não tem nada a ver com Dennis!

— Não dá para conseguir descrições exatas de pessoas em estado de choque. E quando estamos lidando com crianças...

— O que o fez achar que Dennis assassinou Holly Michaels?

— Tínhamos uma testemunha que o ouviu confessar sem rodeios. Tínhamos fibras que correspondiam com as de um carpete encontrado na casa dele...

— Essas fibras, de acordo com nosso perito forense, estão presentes em cerca de 7 de cada 10 domicílios americanos. Eu não chamaria isso de prova *irrefutável*.

— Quando associamos isso com a declaração da testemunha...

— Uma fantasista. Uma mulher que, mais tarde, confessou que inventou toda a história.

— E por que ela fez isso? — Harries elevou a voz. — Foi a pressão que ela sofreu por parte de vocês. A mídia liberal que a perseguiu ano após ano. Então, a coitada lhe disse que mentiu só pra que você a deixasse em paz. — Foi a primeira vez que ele pareceu perturbado. Harries cruzou e descruzou as pernas e se aprumou na poltrona.

— Ela nos procurou, cheia de culpa, infeliz. Disse que tentou entrar em contato com a polícia e com o tribunal para anular o seu depoimento.

De olhos fechados, Harries suspirou.

— Tudo o que posso dizer é que, como testemunha confiável, sua história foi verificada. Dennis tinha antecedentes criminais. Anteriormente, meus colegas policiais haviam suspeitado do envolvimento de Dennis no desaparecimento de Lauren Rhodes.

— Mas ele nunca foi interrogado a respeito.

— Não, não oficialmente.

— Por que Dennis foi considerado suspeito no caso de Lauren Rhodes?

— Dennis e Lauren se conheciam e tinham saído algumas vezes antes do desaparecimento dela.

— Muitos meses antes do desaparecimento.

— Qualquer ex-namorado é sempre considerado suspeito nesses casos.

— O que ele tinha de diferente dos outros ex-namorados?

— Na noite seguinte à comunicação do desaparecimento de Lauren, toda a cidade se reuniu pra procurá-la. Todos vieram. Dennis também apareceu, sorridente, fazendo brincadeiras. Estava escuro como breu e ele nem trouxe uma lanterna.

— E isso o deixou desconfiado? — Carrie inclinou a cabeça para a frente.

Com uma expressão impassível, Harries respirou fundo e prosseguiu:

— Meus colegas é que ficaram desconfiados. Acharam que Dennis não estava ali para procurá-la, mas para observar os outros que procuravam por ela. Como se ele estivesse tripudiando.

— Mas você não achou isso?

— É difícil dizer. Eu não me encontrava presente e não testemunhei esse comportamento. Estava com a família Rhodes. Seguimos todas as pistas, mas não estivemos à altura do caso. Um possível fugitivo. Não sei. São os casos não resolvidos que nos perseguem.

Houve silêncio por um instante. Sam sentiu que eles tinham sido manipulados, que Harries estava ganhando tempo.

Carrie percebeu logo a jogada.

— Voltemos ao caso de Holly Michaels: O pelo.

— O pelo?

— O pelo encontrado no corpo de Holly, descrito no laudo pericial como "curto, castanho escuro/preto, provavelmente da cabeça", não pertencente à vítima. E, pelo visto, não pertencente a Dennis.

— Sim, sem dúvida foi uma das primeiras coisas que enviamos para exame adicional. Infelizmente, como você sabe, o pelo foi perdido em trânsito.

— A prova mais importante simplesmente desapareceu?! — Carrie fez ar de espanto e balançou a cabeça.

— Não estou defendendo meu departamento. Foi um erro crasso. Poderia ter nos poupado meses de trabalho se tivéssemos uma correspondência daquela prova. Alguns policiais sofreram processos disciplinares, outros tiveram suas carreiras prejudicadas. Foi preciso que nos reorganizássemos e nos concentrássemos no que tínhamos à mão.

— Dennis é claro. Loiro. O pelo encontrado não parecia corresponder a um pelo dele. Você não concorda?

— Precisaríamos ter examinado, para ter certeza. Porém, depois do resto das provas e da acusação bem-sucedida contra Dennis, eu diria que, se tivéssemos essa prova hoje, é bem provável que descobríssemos que havia uma correspondência.

A voz de Carrie era firme e controlada, atravessando a sala e mudando a correlação de forças: Harries estava, sem dúvida, menos confiante.

— Mas não havia nenhuma prova do DNA de Dennis. Nada. O sangue na camiseta da menina não era dela, nem de Dennis.

— Discutimos a possibilidade de um cúmplice.

— Não havia nenhum DNA dele, nada para sugerir dois assassinos e nada para sugerir que Dennis estava presente na cena do crime.

— A prova...

— Não havia nenhuma prova. Seu departamento perdeu o pelo. Você manipulou as testemunhas até que dissessem o que você precisava ouvir delas. Você criou uma história sem pé nem cabeça e incriminou um adolescente porque se ressentia da amizade dele com seu filho.

— Escute-me, senhorita, talvez eu tenha me ressentido, mas... — O oficial de polícia Harries olhou para a câmera e completou: — ... nunca deixaria isso afetar meu julgamento como agente da lei.

4

Trecho de *Quando o rio fica vermelho*, de Eileen Turner

As drogas eram uma indústria em Red River. Os corredores da escola viviam cheios de negócios e trocas ilícitas. Os alunos podiam comprar qualquer coisa, desde baseados até remédios controlados, no caminho para a aula de ginástica. James Lucas se lembra da "epidemia" de drogas durante seu tempo como diretor da escola:

— Revistávamos armários rotineiramente. Primeiro, fazíamos um anúncio pelos alto-falantes, pedindo para que todos os alunos permanecessem na sala de aula até o aviso do término da revista. Todos os armários dos alunos eram abertos e revistados, sem exceções*.

Não era incomum a descoberta de um estoque de narcóticos durante essas revistas, mas, em certa ocasião, o nome do acusado foi uma surpresa. Howard, filho do respeitado oficial de polícia Eric Harries, escondia uma pequena fortuna de substâncias controladas. Em particular, o diretor Lucas recorda, algumas centenas de pílulas de cor azul-clara.

— Talvez algum tipo de Valium falsificado —, ele especula.

O oficial de polícia Harries sempre negou a responsabilidade do filho**, e se negou a ser entrevistado para este livro, mas Howard fez uma declaração ao diretor Lucas, em que assumiu total responsabilidade e admitiu a venda das pílulas aos colegas. Harries tentou resolver a questão em particular, mas, devido ao alto valor comercial da descoberta, ela resultou na expulsão de Howard da escola e numa pena de seis meses num reformatório. Depois disso, Howard foi educado em casa e, segundo algumas fontes, o oficial de polícia Harries desenvolveu uma profunda desconfiança em relação a Dennis Danson, o único amigo de Howard, a quem considerava responsável pela prisão de seu filho.

As pílulas de cor azul-clara ficaram famosas dentro e fora da escola. Especulou-se amplamente que foram as pílulas que levaram ao desaparecimento da primeira garota, Donna Knox. Ela foi vista pela última vez numa festa em que estava presente a maioria de suas colegas de classe. As amigas disseram que Donna bebeu alguns drinques — seu habitual, uma mistura de Jack Daniel's com Diet Coke —, mas não em excesso. Segundo a lembrança de uma testemunha, Donna engoliu duas pílulas por volta das nove da noite, "de cor azul-clara,

---

* Entrevista por telefone, junho de 1996.
** Fontes anônimas próximas do assunto, junho de 1996.

redondas; eu não sabia exatamente o que eram"*. Às 21h45, Donna aparentou embriaguez. De forma incomum, de acordo com suas amigas. Seu comportamento ficou muito estranho. Tornou-se beligerante e recusou todas as ofertas das amigas de levá-la para casa. As amigas a deixaram partir da festa enfurecidas, esperando seu retorno meia hora depois, arrependida e constrangida.

Mas Donna nunca voltou. Seu namorado e sua melhor amiga foram embora uma hora depois, dirigindo devagar ao longo do caminho que a levaria para casa, mas não a encontraram. Estacionaram diante da residência de Donna, olharam para a janela de seu quarto sem luz e supuseram que ela devia estar dormindo. Na manhã seguinte, ligaram e falaram com sua mãe, que, apreensiva, disse-lhes que ela não voltara para casa na noite anterior. Sem querer denunciar Donna, contaram a sua mãe que ela saíra da festa cedo acompanhada de uma amiga. Tranquilizaram-na, afirmando que Donna ligaria assim que acordasse, que na certa ela ainda estava dormindo.

No fim do dia, a senhora Knox comunicou o desaparecimento da filha:

— Não sabia que eu deveria ter medo. Sentia tanta raiva que nem pensei em ter medo**.

Dois dias depois do desaparecimento, o suéter de Donna foi encontrado a uma curta distância da margem do rio, a três quilômetros do caminho que a levaria para casa.

A busca se concentrou na água. Os mergulhadores da polícia não encontraram o corpo, mas os aguaceiros de março provocavam fortes correntes e havia a chance de o cadáver ser arrastado para o mar. A polícia não suspeitou de crime. Todas as evidências pareciam sugerir que Donna estava muito bêbada para seguir pelas estradas na escuridão, perdeu-se e perambulou pelo matagal cheio de plantas enredadas. Talvez tenha entrado na água de bom grado, dispensado o suéter e pulado para nadar, e acabou sendo sugada por uma correnteza poderosa do rio.

---

* Declaração obtida na Red River High School, testemunha anônima, março de 1990.
** Entrevista com a senhora Knox, *Channel One News*, abril de 1990.

Ou talvez tivesse caído e o suéter ficara preso nos galhos. De qualquer maneira, a polícia não estava procurando ninguém em relação ao desaparecimento de Donna.

As pílulas azuis foram discutidas muitas vezes, sobretudo pelo extenso artigo "As garotas de Red River", publicado no *The Red River Tribune*, em 1992, pouco antes da prisão de Dennis Danson. O artigo pergunta:

"Por que essa linha de investigação não foi seguida? Na ocasião, mostrou-se pouco ou nenhum interesse nessa evidência, mesmo com as preocupações existentes acerca do nível de uso de drogas na escola."

E muitos concordam que é uma omissão estranha, uma que assegurou que Howard Harries não fosse interrogado por conta do desaparecimento da garota.

Mais tarde foi a vez de Lauren Rhodes desaparecer. Em seguida, Jenelle Tyler, Kelly Fuller, Sarah West. Desaparecidas, sem corpos, sem sangue. Como se nunca tivessem existido.

Finalmente, o corpo de Holly Michaels foi encontrado. Suspeitaram de tios, padrastos e homens solitários. Imaginaram um monstro; um psicopata que tinha os ossos das garotas enterrados sob cimento em seu porão, que guardava as pulseiras delas penduradas num prego em seu armário. Precisavam descobrir.

Alguém estava brincando com eles. Alguém estava levando suas garotas.

5

SAM COMEÇAVA A IDENTIFICAR CERTAS COISAS QUE DENNIS dizia ou fazia com o rosto enquanto falava, as pequenas inflexões que ela nunca esperou que ele tivesse, como a maneira como soprava o cabelo para longe dos olhos ao falar, fazendo pequenas pausas e continuando como se nunca tivesse parado. O modo como ele dizia seu nome inteiro — "Eu também senti sua falta, Samantha" — e dava de ombros quando fingia que algo não era importante, ainda que ela dissesse que era.

— Ouvi dizer que Johnny Depp está envolvido. — Dennis deu de ombros. — Acho que ele quer vir me visitar em breve ou algo assim.

Os dois achataram os dedos contra os orifícios no vidro, com a pele ficando branca, e acariciaram a fração dela que ficou exposta. Mesmo isso era elétrico. Sam partiu se sentindo embriagada e pôs o ar-condicionado no máximo ao dirigir de volta para o hotel. Não estar com Dennis era angustiante, mas estar lá e não ser tocada era pior. Eles conversaram sobre advogados, a investigação, os *outdoors* que Sam vira no caminho para a prisão, oferecendo uma recompensa de 20 mil dólares por novas informações. Até agora, a oferta apenas propiciara murmúrios de insanos, fantasistas e videntes espalhando histórias inconvincentes. Porém, havia um ressurgimento da esperança.

— Só quero estar com você — Dennis afirmou, ambos se inclinando e ficando mais próximos, com as respirações contra a janela.

— Logo. — Sam procurava os olhos dele por trás das lentes.

Um guarda pediu para que os dois se inclinassem para trás.

— Você sabe mais do que eu, Samantha. Qual é o clima lá fora?

— A seu respeito? É sempre muito positivo. Quero dizer, na internet. Diria que é 95% positivo, com exceção de Red River...

— Red River não importa. E nos outros lugares?

— O clima é positivo. Todos nós queremos você fora da prisão, Dennis. Com certeza, podemos conseguir isso.

Sam planejara ficar apenas algumas semanas, mas, antes do fim do feriado da Páscoa, ela descobriu que não estava pronta para partir. Assim, ligou para a escola e disse que ainda não iria voltar, porque tinha problemas pessoais a resolver. Quando responderam com gentileza e sensibilidade, Sam se sentiu ainda pior, tomada pela culpa.

Os dias longe de Carrie e sua equipe eram solitários. Sam se refugiava no quarto do hotel, assistindo Netflix e consumindo *fast food*, que comprava em *drive-ins* e chegava fria, posta em caixas de papelão e sacos de papel sobre a colcha da cama. No entanto, quando Carrie chegava para buscá-la para entrevistas, Sam deixava seu quarto com relutância. No dia de uma nova filmagem em Red River, ela se queixou de dor de cabeça, mas Carrie apontou um dedo para o assento de passageiro.

— Pare de se queixar e entre no carro. Prometi a Dennis que cuidaria de você. Olhe para você, já está aqui há dois meses e parece um frango cru. Já saiu alguma vez sem mim?

Sam mirou-se no espelho retrovisor lateral.

— Bem...

— Saia! Faça um passeio de aerobarco nos Everglades, vá até o Seaworld! Estou brincando. Você já assistiu a *Blackfish*?

Contudo, Sam não estava lá para visitar o Seaworld ou passear de aerobarco — e sim por causa de Dennis. Todo o resto parecia mera perda de tempo. Naquele momento, Sam reconheceu isso, o isolamento, a tendência a se concentrar totalmente no relacionamento e deixar todo o resto em segundo plano. Se estivesse fazendo terapia, chamariam isso de padrão, ela pensou. Com compaixão, lhe diriam que era um vício. Pensou em Dennis, em sua cela de dois metros por três, comendo com uma bandeja apoiada nos joelhos e a TV fazendo um ruído constante no fundo. Parecia muito com seu quarto de hotel.

Elas pararam para tomar um café gelado. Lentamente, Carrie tirou Sam de sua compenetração, fazendo-a até sorrir. Em vez de se dirigirem à cidade, percorreram as margens do Red River, cobertas de matas isoladas. Passaram apenas por uma casa. Era uma construção em ruínas, com a estrutura negra por causa de um incêndio.

Com a piora das condições da estrada, o SUV derrapava na lama. Elas pararam no que pareceu ser o meio do nada, perto de um furgão branco, que Carrie reconheceu com base na entrevista com o oficial de polícia Harries, e outro veículo que podia ter sido abandonado. Por causa da chuva do dia anterior, o chão se encontrava escorregadio e elas caminharam sobre galhos caídos. As sapatilhas de Sam foram arrancadas de seus pés e a lama cobriu suas panturrilhas.

— Droga, eu devia ter te avisado. — Carrie recuperou a sapatilha e a recolocou no pé de Sam. — Jackson quer algum material que mostre a Red River real. O caráter do lugar, por assim dizer.

Elas escutaram o barulho da equipe através das árvores e viram a lateral de um trailer coberto de plantas trepadeiras e com as janelas tão sujas que era impossível enxergar seu interior.

Atrás do trailer, o terreno cedeu numa cavidade tão profunda que Sam só conseguia ver uma escuridão que parecia tragá-la. Os restos de uma casa oscilavam na beira, com as tábuas quebradas e os fios pendurados como entranhas espalhadas. Ed, o dono da casa, permanecia tenso e desconfortável enquanto um microfone era preso em sua camisa. Sam teve de dar alguns passos para trás do buraco. A atração exercida por ele era como uma respiração profunda, como se Sam pudesse se aproximar e se atirar nele. Esse pensamento fez seus ossos doerem.

— Bem, aconteceu assim — Ed começou, obedecendo a um comando. — Certa noite, minha mulher me disse que ia dormir cedo e eu lhe dei um beijo de boa noite. Ela foi para o quarto, que não ficava muito longe dali. — Apontou para a beira do buraco, com as vigas ainda pairando sobre o abismo. — Eu tinha bebido um pouco naquela noite. Então, quando a casa meio que balançou, achei que fosse efeito da cerveja. Era suave, não como um terremoto, mas algo semelhante a pouco antes de a gente desmaiar. Como se o mundo inteiro estivesse oscilando suavemente debaixo de mim. Em seguida, houve um barulho, sobrenatural, como um grunhido. Meio como canos antigos. Aí foi tudo de uma vez. Todo o lado esquerdo da casa sumiu, sugado em segundos. Nem ouvi minha mulher gritar. Saí e me deparei com os escombros. Tentei encontrá-la, mas o terreno continuava engolindo tudo, como se estivesse com fome. A água jorrava ao meu redor, com pequenas poças de lama borbulhando, como um peido numa banheira. Eu não sabia o que fazer. O telefone não funcionava. Não há sinal aqui.

Ed chacoalhou a cabeça e prosseguiu:

— Tive de pegar o carro pra buscar ajuda. Nunca a encontramos. Ela simplesmente sumiu, engolida pelo solo enquanto dormia. Pergunto-me: ela se afogou? Foi como se afogar? Ou seu nariz e sua boca ficaram cheios de lama? Você pode imaginar isso? Enterrada viva em lama úmida e fedida. Nem pude sepultá-la. Ela tem uma placa no chão, na capela, mas ela não está lá. Está aqui. Eu não podia deixá-la assim. Queriam que eu fosse embora. O município considerou este lugar inabitável. Assim, consegui um trailer e o coloquei ali. O buraco está ficando maior. Tenho fotos.

E Ed exibiu algumas fotografias que mostravam como o buraco vinha se expandindo ao longo do tempo, com a casa ficando cada vez menor, em comparação.

— Sempre que há uma grande tempestade, ele aumenta. Toda aquela água. Quando volta a secar totalmente, a pressão muda e... — Ele fez um barulho de sucção. — Algumas noites posso ouvir a casa rachando e rangendo. Em minha opinião, o pior que pode acontecer é eu também ser sugado, e isso não é tão ruim. Dizem que é perigoso, mas não mais do que qualquer outro lugar aqui em Red River. Toda a cidade está construída sobre pedra mole.

Sam procurou relaxar.

Tudo latejou quando Ed levou o nervoso operador de câmera até a beira do buraco e se inclinou sobre ele de forma precária.

— Venha. Não vai morder você.

— Ficar aqui ajuda em seu luto? — Patrick, o sócio de Carrie, perguntou.

— Sim, acho que sim. Sinto saudade de minha mulher. Converso com ela todos os dias.

— Ela já te respondeu?

— Sim, claro, agora mesmo está dizendo: "Por que você deixa esses idiotas virem aqui e te desrespeitarem em sua própria casa?" — Ed disse com a voz estridente e torceu o canto da boca, aborrecido. — Que tipo de pergunta é essa, hein? Sei que você está procurando gente estranha, pra fazer nossa cidade parecer um espetáculo bizarro.

— Sinto muito — Carrie interveio. — Acho que Pat quis dizer isso de forma metafórica. Você tem razão. Estamos procurando mostrar o quão expressiva e diversificada é a população de Red River, mas nossos motivos são honestos. Não pretendemos fazer isso parecer um espetáculo bizarro.

— Sei... — Ed murmurou, arqueando as sobrancelhas. — Não sou idiota. Vi o filme. De fato, Dennis costumava vir aqui pra fazer algum trabalho para nós.

Carrie pareceu surpresa.

— Sério? Você pode nos falar disso?

— Ele vinha cuidar do nosso quintal. Pagávamos pelo serviço, é claro. Certa tarde, eu lhe trazia um copo de água, pronto para lhe dizer para ir embora por causa da proximidade da noite, e o encontrei totalmente absorvido por algo. Chamei-o duas vezes, mas ele não levantou os olhos. Quando me aproximei, Dennis estava debruçado sobre um balde de metal, com o rosto iluminado pelo fogo. Ele tinha posto uma cobra lá dentro, que estava se contorcendo e queimando. De vez em quando, Dennis a cutucava com um galho. Despejei água no balde e lhe perguntei que diabos era aquilo. Dennis parecia alguém que acabara de acordar de um cochilo. Ele disse que estava se livrando da cobra para mim. "Agora ela vai morrer mais devagar, Ed." Pedi para Dennis ir para casa. Entreguei-lhe 20 dólares e ele não voltou. Para falar a verdade, eu não me sentia muito à vontade perto do garoto, sobretudo depois disso. Não sei se ele matou aquela menina. Não sei. Mas havia algo errado com ele.

Sam sentou-se no carro desejando muito ter ficado no hotel. Os mosquitos picavam seus braços e suas pernas e alguns ficaram presos em seu suor enquanto ela esperava por Carrie. Todo o lugar a deixou desconfortável. Continuava pensando na cobra e no que isso poderia significar.

— É uma cobra — Carrie disse quando Sam perguntou. — Não é como se ele tivesse colocado gatinhos num forno de micro-ondas. Garotos são brutos. Meu irmão pôs seu peixinho na geladeira e, agora, ele é um vegano total. Não deve ter sido tão ruim quanto Ed afirma.

Carrie e Patrick tiveram uma discussão em voz baixa após a entrevista com Ed. Sam escutara a conversa sentada no assento do passageiro, com a porta aberta, balançando as pernas no ar:

— Não podemos usar nada disso, Carrie. Queimar cobras? O que você acha?

— Tudo bem, Patrick. Conseguimos um bom material sobre o buraco. É tudo o que Jackson queria. Sem dúvida, o cara é um contador de histórias. Mas quem sabe o quanto disso é mesmo verdade?

Os dois continuaram conversando, mas, por fim, Carrie se acomodou atrás do volante, tensa e talvez até mesmo aborrecida.

Voltaram para o centro de Red River, em silêncio. Os pensamentos de Carrie estavam claramente em outro lugar. Sam não sabia o que dizer. Assim, permaneceu calada. As residências que passavam pelas janelas começaram a parecer mais pobres. Então, eles chegaram a uma rua com casas com janelas cobertas com tábuas, com mais móveis nos quintais do que poderia haver dentro delas, latas de lixo transbordantes e uma cacofonia de latidos.

Sam conhecia Lindsay Durst do documentário *Construindo a verdade*, embora sua participação no filme não tivesse durado mais que alguns minutos. Lindsay se tornou uma testemunha importante para a defesa. Na noite em que Holly foi assassinada, ela encontrou Dennis após o treino de futebol americano, eles deram um passeio de carro e ficaram juntos até depois da meia-noite, antes de ela deixá-lo perto da casa dele. Porém, num interrogatório muito rigoroso, a acusação a retratou como mentirosa, alguém que diria qualquer coisa para ajudar um garoto por quem estava obcecada. Lindsay vivia passeando de carro com Dennis, alguns disseram, esperando por ele depois da escola, matando aulas para levá-lo a algum lugar. "E Dennis nem era tão legal com ela...", uma garota afirmou em *Construindo a verdade*, fora do tribunal, com o cabelo soprado pelo vento cobrindo o brilho de seus lábios, enquanto ela desviava o olhar da câmera de propósito. "Pra ser sincera, era algo meio desesperado, sabe?"

Naquele momento, Lindsay, do lado de fora de sua casa, usava uma camiseta com a inscrição "Libertem Dennis Danson" amarrada em um nó nas costas, expondo um pedaço da pele bronzeada na base da coluna. Sam notou um rasgo sob a nádega esquerda do jeans de Lindsay e como ela enganchava os polegares nos passadores do cinto e projetava um quadril para o lado enquanto falava.

Como Lindsay revelou, ela sempre morara naquela casa. A jovem os levou para os fundos e mostrou onde Dennis entalhara seu nome num mourão da cerca. Patrick e Carrie gravaram algumas cenas externas, pedindo para que Lindsay assumisse uma expressão séria, o que a fez rir.

— Desculpe, não consigo! Ah, meu Deus, deixe-me tentar de novo — ela disse várias vezes.

Sam se perguntou por que os membros da equipe pareciam achar aquilo tão engraçadinho.

Atrás das residências havia um lago de água escura, com árvores nas margens pairando, indolentes, no calor. Lindsay caminhou até a beira de uma doca, que parecia podre e escorregadia por causa do limo verde.

— Costumávamos descer até a água aqui, um monte de gente, e relaxar. Ficávamos nos desafiando: "Nade até aquele poste e volte", porque há jacarés ali. Alguns rapazes caminhavam à beira da doca, mas nunca entravam na água. Eu preferia a companhia dos meninos, sabe? Nunca me dei bem com as meninas. Eram muito chatas. Aí, certo dia, Dennis ficou de pé e disse: "Vou entrar na água." Debochamos dele, mas ele tirou a camisa e os sapatos, baixou a cueca, correu e saltou. Eu gritava "Volte aqui!", mas Dennis nadou até o poste e, ao chegar lá, parou e acenou. Quando nadou de volta, os garotos foram até a beira da doca para tirá-lo da água. Eu nunca vira nada parecido. Às vezes, ele era bem louco. Sempre fazia coisas que ninguém mais tinha coragem de fazer. Foi assim que acabou se metendo em encrencas: desafios, correr pelado e essas coisas. Éramos próximos *de verdade*. Ainda nos falamos. Eu o visito quando posso. Sinto saudade dele. Sei que Dennis não matou aquela menina. Os policiais só perseguem pessoas como ele e eu.

Sam se deu conta de que até então achava que ela era a única mulher que visitava Dennis, além de Carrie. Ele jamais mencionou Lindsay. Eles trocaram cartas, onde se expuseram, e o tempo todo Dennis tinha outra pessoa, alguém de quem nunca falou, uma mulher secreta.

— Olhem, olhem bem ali! — Lindsay apontou para a água. — Do outro lado. Estão vendo?

Todos avançaram um pouco, com as câmeras dirigidas para o lugar que ela indicou. Sam olhou também, embora relutante, e não viu nada. Então, as coisas escuras que ela achou que fossem detritos mergulharam lentamente sob a escuridão. Todos gritaram.

— Está cheio de jacarés ali. Vocês viram? Dennis sempre teve muita coragem.

Todos permaneceram algum tempo concentrados nas águas, com cada ondulação causando um acesso de excitação. Por fim, a atenção voltou para Lindsay.

— Você pode nos falar do julgamento? — Carrie perguntou.

— O que você quer saber?

— Por que não acreditaram em seu testemunho, que afirma que Dennis estava com você naquele dia?

— Ah, isso! — Lindsay balançou o cabelo. — Tentaram fazer parecer que eu era uma *fã*, que só queria um namorado. Convocaram um pessoal da escola que garantiu que eu estava obcecada por ele! O que *não era* verdade. Nós nunca namoramos. Quero dizer, fizemos *coisas*, mas era mais como uma amizade colorida, sabe?

Sam se manteve perto da água enquanto Carrie e Patrick arrumavam os equipamentos. A coisa toda estava arruinada, ela concluiu. Até então, tinha sido perfeito. Quase. Até Lindsay. No entanto, o veneno se infiltrava, como sempre. A paranoia e a dor. Ela e Mark discutiam durante horas e, então, ela saía enfurecida, esperando que ele a seguisse, mas Mark nunca fez isso. Porque ela não tinha importância. Talvez ainda não tivesse.

Um pássaro branco inclinou o bico na água e Sam o olhou fixamente, esperando que mandíbulas, na margem do lago, o agarrassem. Ela queria e não queria ver isso. Porém, o pássaro voou para longe e Sam se afastou, aliviada e decepcionada. Como fora idiota por imaginar que era especial!

— Tenho a impressão de que Lindsay te incomodou — Carrie comentou mais tarde, quando voltavam para o motel.

— Eu não sabia que Dennis recebia a visita de outra mulher.

— Talvez ela tenha exagerado, Sam. Há algo muito esquisito em Lindsay.

— Como assim?

— Ouça o que eu digo: Nunca confie em uma mulher que não gosta de mulheres.

6

Trecho de *Quando o rio fica vermelho*, de Eileen Turner

Certa tarde, no fim do verão de 1992, o policial Harries bateu na porta da casa dos Danson. Do sofá, a mãe de Dennis pediu para o filho atender.

Normalmente, ele revelou tempos depois, não estaria em casa. De fato, Dennis passou pouco tempo em sua residência naquele verão. Ele ficava na casa de amigos até que os pais deles se enchiam e começavam a, silenciosamente, arrumar as coisas a seu redor enquanto ele acordava e se livrar dos lençóis que tinham emprestado a ele. Naquele dia, Dennis estava em casa só para jogar suas roupas na máquina de lavar e pegar algumas coisas para levar de volta à casa de Lindsay*.

A polícia abordou Dennis pela primeira vez por ocasião da procura por Lauren. Dennis lembra:

— Eles fizeram perguntas como se estivessem tentando dizer algo, mas não consegui descobrir o que era.

Assim, quando ele viu o oficial de polícia atrás da porta de tela rasgada, imediatamente ficou tenso. Mas quando Dennis reconheceu o oficial de polícia Harries, imaginou que o assunto seria algo insignificante, como o arrombamento no empório de que ouvira falar.

— O oficial de polícia Harries sempre tentava jogar a culpa em mim — Dennis contou durante uma entrevista. — Na cabeça dele, eu levei Howard para o mau caminho. Como se eu fosse responsável por tudo de ruim que ele sempre fazia.

Dennis abriu a porta.

— Sim, oficial?

— Quem é? — sua mãe gritou de dentro da residência.

— É o oficial de polícia Harries — Dennis respondeu.

— Um policial?

— Só estou aqui pra fazer algumas perguntas ao seu filho, senhora — Harries disse. Ele afirma que, nesse momento, sugeriu que um dos pais ou um tutor estivesse presente para tomar conhecimento do que perguntaria a Dennis**, embora insistisse que se trava apenas de um encontro informal***. O documentário *Construindo a verdade* questionaria os motivos aqui: por que um oficial de polícia iria até lá

---

* Entrevista, Prisão de Altoona, 1996.
** Conversas imprecisamente registradas nas anotações de Harries, 1992.
*** *Red River Tribune*, 1993.

só para fazer algumas perguntas informais a um rapaz de 17 anos sobre um assassinato que ocorrera cinco meses atrás? "Intuição de homem da lei", Harries respondeu. Outro oficial informaria que Harries pareceu mais interessado em interrogar Dennis, por quem nutria uma desconfiança pessoal e "intensa", em vez de seguir outras pistas no início do processo*.

— O que o senhor quer? — Dennis perguntou, parecendo irritadiço.

O garoto ficou bloqueando a entrada e, assim, Harries não conseguia ver a bagunça atrás de Dennis, envergonhado com as condições em que sua família vivia.

— Não quer me deixar entrar?
— Não muito. Tenho de sair. O que o senhor quer?
— Onde você estava em 10 de abril? — Harries perguntou, e notou que Dennis sorriu.
— Como posso me lembrar de onde estava em 10 de abril?!
— Quer dizer que você está afirmando que não consegue lembrar?
— Não sei... Que dia era?
— Sexta-feira, 10 de abril.
— Uma sexta-feira? Na escola.
— Depois da escola. No final da tarde. Ao anoitecer.
— Talvez no treino. Não sei. Realmente não sei.
— Alguém pode ajudá-lo a se lembrar do lugar onde você estava? Você tem testemunhas?
— Acabei de dizer: não lembro. Então como saberia com quem eu estava?

Mais tarde, Dennis admitiu que perdeu a paciência. Harries tinha um jeito malicioso de sorrir quando lhe fazia perguntas:

— Eu sabia que estava caindo na armadilha dele, mas não soube como evitar — Dennis reconheceu.**

---

* Fonte anônima, 1996.
** Entrevista, Prisão de Altoona, 1996.

Nada mais aconteceu por duas semanas, o que fez com que Dennis pensasse que talvez fossem deixá-lo em paz e para que a sensação de estar sendo observado sumisse. Foi quando o oficial de polícia Harries chegou à escola e bateu na porta da sala de aula. Ele e a professora tiveram uma conversa em voz baixa enquanto os alunos observavam em silêncio. Mas Dennis simplesmente sabia. Ele ficou de pé antes mesmo de chamarem seu nome*. Harries o conduziu para fora da escola pelo pulso. Dennis ficou confuso, inseguro de seus direitos, sem saber se estava sendo preso.

Na delegacia, Dennis não pediu um advogado, porque acreditava que não fizera nada de errado. Mesmo após seis horas de interrogatório, ele não solicitou um e não pensou em chamar seus pais. Ao responder às perguntas ("Não sei... Não lembro... Não tenho certeza..."), percorreu os meses em sua mente. Pensou sobre as coisas que podiam ter a ver com aquilo. Teria sido o incêndio que ele provocara nos fundos da loja de ferragens? Ou o arrombamento do ginásio de esportes? Mas aquilo parecia muito sério para algo assim. Havia dois detetives na sala com ele. Nas primeiras cinco horas, eles fizeram anotações, mas às 8h30 da noite começaram a usar um gravador.

Transcrição do interrogatório de Dennis Danson

Horário: 20h51

<u>Detetive 1</u>: Vamos, conte-nos como você matou Holly Michaels.
<u>Dennis</u> (rindo): Quem?
<u>Detetive 1</u>: Holly Michaels. Você sabe quem é ela.
<u>Detetive 2</u>: Todos na cidade sabem quem é ela. Você está nos dizendo que é o único que não sabe?
<u>Dennis</u>: Não sou bom com nomes.

---

* Entrevista com testemunha ocular, Jeff Bailey, 1996.

Os detetives acharam que Dennis os estava "provocando" e que sua risada só provava que ele "se divertia" fazendo aquilo*. Dennis, porém, lembra-se de sua risada como desconforto, uma reação à situação absurda em que se encontrava.

<u>Detetive 1</u>: Holly Michaels. 11 anos, assassinada, notícia em todo o país.

Os detetives mostraram-lhe uma foto de Holly, tirada na escola, com a cabelo num rabo de cavalo alto amarrado com uma presilha elástica. Dennis se lembra de olhar nos olhos da menina, com a mão pairando acima da fotografia.

<u>Dennis</u> (sussurrando): Ela era tão novinha.

Foi o momento em que souberam que pegaram Dennis, Harries recorda, enquanto observava na sala ao lado**.

7

SAM SABIA QUE SE COMPORTAVA COM FRIEZA. TINHA PLA-nejado isso. De volta à prisão, atrás do vidro, percorria a sala indolentemente com os olhos, evitando fitar Dennis. Permitia-se bocejar e respondia com monossílabos e em voz muito baixa às perguntas dele. Assim, Dennis era obrigado a perguntar de novo e ela podia bufar, exprimir aborrecimento e repetir a resposta em voz mais alta. Durante 20 minutos, Sam esperou que ele perguntasse o que estava errado. *Nada*, ela diria, de uma maneira que o deixasse saber que sem dúvida alguma havia algo errado. Sam repetiria isso até o momento que achasse melhor e, então, diria para ele: "Falamos com Lindsay ontem."

---

* *Construindo a verdade*, Flórida: Carrie Atwood e Patrick Garrity, 1993. VHS.
** Entrevista com Harries no *Red River Tribune*, 1992.

Era uma performance bem ensaiada, ao mesmo tempo instintiva e em total conflito com o que Sam achava natural. Ela se odiava por esse comportamento. Admitiu o fato para Mark, no final da noite, depois de isso ter levado a outra briga que a fez perder o controle e a esgotou emocionalmente. Mais tarde, Sam disse a Mark que não entendia por que agia assim. Ela achava estar podre por dentro e cheia de vermes. No entanto, não conseguia parar. Nem sequer nesse momento, olhando para o belo rosto de Dennis e sua barba rala. À medida que ele falava, ela sentia vontade de odiá-lo, mesmo quando se perdia por um segundo no pensamento do queixo dele encostado em seu rosto, áspero, com a respiração em seu ouvido.

Sam suspirou.

— Jackson quer usar no filme algumas coisas que escrevi, o que é bem legal. Ele virá me visitar na próxima semana. Isso significa que não poderemos nos ver... Por que você está olhando em volta? Ficou aborrecida com alguma coisa?

— Bem, o fato é que você não me quer aqui.

— Na próxima semana?

— Nunca. — Com o coração batendo mais rápido, Sam desviou o olhar, implorando por dentro que ele a convencesse de que a amava.

— Não entendo o que está acontecendo...

— Há outras mulheres que te visitam?

— Como Carrie?

— Não, não *como Carrie*. Outras mulheres. — Sam se encontrava a ponto de chorar. Mas se conteve. Olhou para Dennis para ver se ele estava se fazendo de desentendido. Se aquilo fosse fingimento, ela concluiu, o cara era profissional.

— Então, não. Por quê?

— Você está mentindo! — ela exclamou, mais alto do que pretendera.

Algumas cabeças se viraram na direção deles.

— O que é isso? Samantha... — Dennis se inclinou para a frente.

Sam recuou.

— Lindsay — ela finalmente disse, e esperou.

O rosto dele permaneceu impassível, ilegível. Dennis não disse nada.

— Nós a vimos ontem. Ela ficou se vangloriando disso.

— Lindsay? Lindsay não é outra mulher.

— O que ela é, então?

— Não sei. Ela é apenas... Eu a conheço há muito tempo.

— Então, por que você mentiu? — Sam queria arrancar a tapa a expressão de confusão no rosto dele.

— Eu não menti. Simplesmente jamais me ocorreu mencionar isso. Lindsay não aparece aqui há sete meses. Por que isso a deixou tão zangada?

E ali ficaram eles, petrificados e mudos. Sam se recusando a recuar, e Dennis, confuso, na certa se perguntando no que havia se metido, ela pensou, desgostosa consigo mesma. Mas estava acontecendo agora mesmo, com os vermes dentro dela se contorcendo, e ela incapaz de detê-los.

— Não sei como confiar em você — Sam afirmou, pondo-se de pé para partir.

— Não, Samantha, isso não é justo. — Dennis também ficou de pé, apoiando a mão na divisão.

— Nem você mentindo para mim.

— Vamos... Só existe você.

— Tenho de ir. — Ela lhe deu as costas.

Àquela altura, todos os olhares se dirigiam a eles, e um guarda se movia na direção de Dennis.

— Não vá!

Sam olhou para Dennis quando ele socou a divisão, talvez chateado, quem sabe furioso. O guarda pôs as mãos nos ombros de Dennis, tentando forçá-lo a sentar-se de novo. As correntes que o prendiam soavam como vidro quebrado.

— Sam, casa comigo! — ele gritou, e ela desatou a chorar. — Eu te amo! Casa comigo!

— Posso tuitar isso? Caramba, precisamos conseguir um anel pra você! Pretende usar um vestido de noiva? — E Carrie puxou Sam e tornou a abraçá-la.

— Sim! Como fazemos com a coisa do anel? Não sei quanto ao vestido de noiva. Acho que talvez seja o caso de comprar algo que não seja branco...

Sam e Carrie entraram no carro e fecharam as portas. O rádio ligou quando Carrie deu a partida, mas ela o desligou. Sam lhe contara tudo: como ela disse "sim", como o guarda soltou os ombros de Dennis e lhe deu um tapinha nas costas, felicitando o casal em voz baixa, mas sinceramente. E como ela não vira Dennis sorrir daquele jeito desde que se conheceram.

— Talvez devêssemos conseguir o anel primeiro e, depois, tuitamos, com uma foto.

— Compro o anel?

— Vamos resolver isso. Você não comprará seu próprio anel de noivado. Como Dennis te pediu em casamento? Conte-me de novo.

Sam se animou. Ela editou a parte da discussão, sem disposição de desvestir o figurino de equilíbrio mental que usava ao lado de Carrie. Sentia que elas estavam ficando mais próximas e receava que, caso se revelasse em sua forma verdadeira, Carrie se afastasse.

No caminho para a casa dos Danson, para entrevistar o pai de Dennis, elas passaram pelas paisagens que começavam a ficar familiares: o campo de painéis solares inclinados, o trecho de água ao longo do lado da estrada em que uma cauda se esgueirara tão rapidamente que não tinham certeza se de fato a viram. Atravessaram a cidade, deixaram a estrada principal e pegaram uma estrada de terra batida, chacoalhando nos assentos, com os pneus escorregando no cascalho solto. As árvores chicoteavam as janelas e as pedras batiam contra a parte de baixo do SUV.

Um nó começou a se formar no estômago de Sam. Ela vira a casa dos Danson em *Construindo a verdade*, mas não estava preparada para o quão isolada de fato era. A única coisa que impedia as árvores de tomarem conta da estrada era o caminho atravessado pelos carros. Agora que Lionel, pai de Dennis, estava inválido, os únicos veículos que passavam eram os das enfermeiras que cuidavam dele durante o dia.

Tudo parecia rastejar na direção delas, envolvendo-as e sufocando-as. Então, enfim, chegaram a uma clareira, com a relva esmagada pelos pneus dos carros. Ali, havia uma casa de um andar. Era tão familiar para Sam por causa das fotos que vira na internet que ela conseguia posicionar Dennis, com 9 anos de idade, na porção de relva morta perto da garagem, sem sorrir, com a franja loira penteada para a frente sobre os olhos semicerrados por causa do sol. Agora, porém, diante da garagem, a palavra "ASSASSINO" fora pintada em tinta vermelha. Sinais de outras pichações se encontravam em toda a residência, pintadas desleixadamente sobre a mesma cor de creme de leite que o resto da casa tivera um dia — agora estava acinzentada pela falta de manutenção.

Carrie estacionou o SUV nas proximidades e elas esperaram a chegada do restante da equipe.

— Pronta pra conhecer seu futuro sogro?

A pergunta de Carrie deixou Sam mais nervosa do que nunca.

A casa, Sam pensou, tinha um quê de mal-assombrada, com sua imagem sobrecarregada de horror, como se tivesse o dom de ler a mente das pessoas. Lionel era obcecado pelo lugar e se recusava a se mudar, embora fosse incapaz de cuidar de si mesmo, dependendo de cuidados que não podia bancar. Ele ganhava algum dinheiro vendendo histórias aqui e ali e também por meio de um site vulgar, que apelava para o "espírito cristão da solidariedade" e angariava donativos para ajudar a pagar por seus cuidados. De vez em quando, Lionel vendia pertences familiares no eBay, como antigas camisetas ou livros escolares de Dennis. Não se envergonhava de lucrar com a notoriedade da família. Costumava dizer que existiam muitos sites doando dinheiro para seu filho, ao passo que ele apodrecia no fim do mundo.

Sam e Carrie relutavam em entrar na residência. Então, passaram mais tempo do que o necessário mexendo com equipamentos no SUV e filmando cenas externas com uma câmera portátil. Finalmente, uma mulher chamou da varanda. Era uma enfermeira de avental azul-claro, que, após lhes perguntar se gostariam de beber alguma coisa e se preferiam esperar dentro da casa, sorriu-lhes, encabulada. Então, a enfermeira se aproximou com os braços cruzados e lhes disse:

— Sei que ele é difícil, mas não tanto assim.

Lá dentro era bastante fresco. Um ar-condicionado trepidava ruidosamente num canto, mas um fedor medicinal de doença e creme antisséptico persistia no ambiente.

Lionel estava numa cadeira de rodas voltada para a televisão. Um saco de fluido amarelo pendia atrás de seu ombro, talvez entrando, talvez saindo de seu corpo. Ele não se virou quando elas se aproximaram, continuando a olhar fixo para a TV.

A enfermeira, que tinha ido à cozinha, voltou com dois copos de água gelada, desligou a televisão e pediu:

— Lionel, venha agora, você sabia que ia ter companhia hoje. O mínimo que pode fazer é oferecer uma cadeira ou algo assim para as visitas.

E ela o virou. Sam procurou não olhar para a perna que terminava a meia altura, ou para o pé inchado coberto com uma atadura, ou para o dedão do pé ausente.

— Carrie — ele disse, sem estender a mão.

— Senhor Danson — Carrie respondeu. — Como tem passado?

Lionel gesticulou, arrastando a mão como uma assistente de palco que mostra o carro que é o prêmio do programa de TV.

— Ótimo, obrigado. Diabetes, para o caso de você querer saber — ele afirmou, com uma entonação áspera.

— Bem, sinto muito.

— Você seria mais solidária comigo se eu estivesse na prisão, não é mesmo?

— Ah, isso de novo? — Carrie sorriu.

Lionel enfiou a mão no bolso e tirou um maço de cigarros.

— Você é nova. — Ele pôs um cigarro na boca. Então, ergueu os olhos e avistou Sam.

— Olá! Sou Sam.

— Você é a garota. — Ele soltou fumaça. — Sim, eu sei das coisas. Você é a visitante. Inglesa, me disseram. Pensei: que tipo de mulher iria querer o meu Dennis depois de tudo isso? Disseram que você parecia normal. — Sorriu. — Normal? Bem, não é que eu possa dizer o contrário. Pretende me dizer alguma coisa?

— Sim... prazer em conhecê-lo.

— E eu sou Myra. — A enfermeira apertou as mãos de Sam e Carrie. — Mas ele é muito mal-educado pra dizer isso a vocês. Ouvi falar de seu filme, mas nunca o vi.

— É por isso que eu gosto dela — Lionel afirmou.

— Não sabia que Lionel era uma celebridade quando comecei a trabalhar aqui. — Myra piscou. — Por isso ele tem esse comportamento de estrela.

Ao ser provocado por Myra, Lionel ficou menos áspero e Sam se sentiu mais grata a ela do que poderia expressar. Mesmo Carrie pareceu subjugada ante a presença dele. Sam pensou na maneira como Lionel era intimidante quando mais jovem. A força brutal que ele foi naquela casa minúscula. A acidez do ódio queimou em sua garganta, mas ela tomou um gole de água e passou a conversar com Myra, enquanto Carrie deslocava cadeiras para abrir espaço para a iluminação. O resto da equipe chegou e aliviou a pressão com seu estardalhaço e sua gritaria.

Sam foi até o corredor e notou a camada de sujeira que parecia cobrir tudo e as moscas mortas presas atrás da tela da janela da cozinha. No interior da casa era possível sentir a miséria, como se tudo estivesse contaminado por ela.

Não sem antes checar se alguém a observava, Sam seguiu pelo corredor até o quarto de Lionel: equipamentos médicos inertes e a cama cercada por barras para impedir que ele se levantasse dela. Sam continuou em frente e alcançou o quarto no fim do corredor, sabendo de quem era. A porta estava fechada e, assim, ela fez uma nova checagem, olhando por sobre o ombro antes de girar a maçaneta devagar.

O aposento era minúsculo, com uma cama de solteiro com pilhas de caixas cheias de refugos variados. O ar cheirava a umidade. Samantha imaginou Dennis enfurnado naquele lugar, com a porta fechada, escutando o som das botas do pai no corredor e rezando para que ele não chegasse à sua porta. Ela abriu uma gaveta e verificou as peças. Não muitas roupas, e meias que não combinavam.

Sam pegou um caderno da prateleira e o folheou. Na última página, havia algo escrito: um ensaio inacabado sobre a Segunda Guerra Mundial, com os cantos da página cheios de caveiras e suásticas disformes. Parecia com os cadernos que ela recebia, como professora, dos garotos que disfarçavam seus medos com maldade, meninos que tinham os nervos à flor da pele e eram desconfiados como cobras. Esses eram os que iam à escola com pulôveres cheios de buracos e gravatas puídas, que coçavam as cabeças e fingiam não se importar quando alguém falava

"Professora, ele fede!". Qualquer compaixão que Samantha pudesse ter sentido à primeira vista por Lionel desapareceu, substituída por um ódio nauseante e pelo azedume em sua garganta.

— O senhor pode nos contar sobre seu envolvimento com a polícia? — Carrie iniciou assim a entrevista, com os olhos no iPad e cruzando as pernas, relaxada. — O senhor conversou com os policiais 12 horas depois da prisão de Dennis pelo assassinato de Holly Michaels. Pode nos revelar o que disse?

— Eles me perguntaram onde Dennis estava na noite do crime e eu respondi que não sabia. Disse aos policiais honestamente que ele não parava mais em casa e que não me surpreendia que estivesse aprontando. Claro que até então eu não sabia direito qual era o problema.

— Chegou a preocupá-lo o fato de a polícia não ter ligado para o senhor enquanto seu filho era interrogado? Na época, Dennis era menor de idade. Faltavam ainda alguns meses pra ele completar 18 anos. Pela lei, a presença de um dos pais ou tutor era obrigatória, mas a polícia só telefonou para o senhor 12 horas depois do início do interrogatório.

— Como eu disse, Dennis aparecia pouco aqui. Assim, eu não sabia que ele estava na delegacia. Pelo que me falaram, eles não o estavam mantendo ali. Era tudo informal e o garoto poderia se mandar quando quisesse, mas ele nunca pediu pra ir embora.

Lógico que Lionel não sabia, Sam pensou. Ele era apenas um bêbado egoísta e cruel.

— O senhor não acha que Dennis fora intimidado?

— Nada assustava aquele garoto.

— O senhor o assustava, não?

— É o que ele diz. — Lionel deu de ombros. — Dennis nunca me pareceu assustado. Nada o assustou o suficiente para mantê-lo longe de confusões.

— Como o senhor tentou discipliná-lo?

— Do mesmo jeito que meu pai fez comigo. Punha o moleque de castigo e não o deixava sair de casa. Se fosse necessário, dava um tapa. Sua mãe era muito mole. Assim que ele conseguia se afastar dela, se metia em apuros. Isso partia o coração dela. Eu me esforcei ao máximo.

— Os policiais interrogaram a mãe de Dennis?

— Kim não era muito de conversar com os outros. Ao final, ela ficou fora disso. Vivia chorando, dizendo aos investigadores que Dennis era um bom menino, sempre defendendo o moleque. Quando descobriu o que ele fez, não conseguiu lidar.

— Por que o senhor acreditou que Dennis matou Holly?

— Os policiais tinham tanta certeza... Não havia nenhum motivo para que eles mentissem a esse respeito. Não acredito nessas teorias de conspiração.

— O senhor deixou os policiais entrarem aqui, certo? Mais de uma vez. Sem um mandado de busca.

— Isso mesmo. Eu não tinha nada a esconder. Dennis, por outro lado...

Sam cravou as unhas nas palmas das mãos, tamanha a sua raiva. Foi a postura de superioridade moral de Lionel que de fato a irritou. No documentário, Lionel aparece como um vilão tão completo que Sam se perguntara quanto do filme fora editado para retratá-lo daquele jeito. Óbvio que nenhum pai poderia ser tão insensível, tão sarcástico. Naquele momento, no entanto, ela pôde constatar o quão real era. Sam poderia achar que Lionel não estava em pleno domínio de suas faculdades mentais se não fosse o modo nojento como ele sorria de vez em quando, sem dúvida curtindo muito tudo aquilo.

Carrie fez uma pausa.

— Por que o senhor está tão disposto a acreditar no que a polícia diz, e não no que seu próprio filho alega?

— Eles representam a lei. Acredito que são boas pessoas.

— E Dennis?

Lionel, calado, olhou para a janela. Então, pigarreou, procurando se livrar do catarro.

— Nunca conheci Dennis de verdade e não acho que alguém consiga.

— O senhor imagina que poderia ter tentado mais? Arrepende-se de alguma coisa?

Nova pausa. Lionel umedeceu os lábios e fechou os olhos por um instante.

— Penso que talvez eu tivesse salvado aquelas garotas, se houvesse algo que pudesse ter feito diferente.

— Garotas?

— Bem, é o que a polícia diz. Que Dennis matou todas aquelas desaparecidas. Não sei nada a esse respeito, mas de alguma forma parece que sou responsável. Rezo por elas, rezo pelo perdão por minha parte nisso.

— O senhor parece ter tanta certeza de que elas estão mortas. Por quê? — Carrie indagou.

— Mais de 20 anos se passaram e não há sinal algum de nenhuma delas. Eu jamais conheci uma mulher viva capaz de ficar quieta por tanto tempo.

Carrie sorriu e meneou a cabeça, dizendo:

— Sério, isso é importante. Por que esta cidade tem tanta certeza de que elas estão mortas? As investigações foram realizadas com tanto desleixo, como se não estivessem tentando encontrá-las. O senhor nunca se perguntou por que, digamos, o padrasto de Kelly jamais foi formalmente interrogado?

— Esta é uma cidade pequena. Todos nós nos conhecemos. Ele era um bom homem, um bom pai para aquelas crianças.

— Mas também tinha um histórico de violência contra mulheres. A ex-mulher dele solicitou uma medida cautelar durante o divórcio.

— Ódio. Ela era uma mulher amarga. Mas o dinheiro dele era bom o suficiente pra ela, certo?

— E o Fintler Park?

— Como?

— O estacionamento de trailers onde moravam cerca de 200 ex-prisioneiros, em sua maioria, agressores sexuais. Sujeitos que têm de viver a muitos quilômetros de distância de escolas, parques infantis e coisas assim. O lugar é informalmente conhecido como Parque dos Bandidos. Bem, após o desaparecimento de Jenelle, os policiais foram de porta em porta e perguntaram aos rapazes onde eles estavam ou se tinham visto algo suspeito. Dois disseram que havia um cara novo, arredio, que arrumou suas coisas e se mandou um ou dois dias depois daquela noite. Um cara fez até questão de ir à delegacia e prestar um depoimento oficial, cuja cópia está conosco. Ele deu a impressão de estar sinceramente preocupado. O senhor acha que os policiais investigaram isso, certo? Talvez consultando os registros de solturas recentes, entrando em contato com alguns agentes de condicional, verificando o paradeiro de alguém suspeito, esse tipo de coisa.

— Não posso dizer o que eles fariam. Não sou policial e também não assisto a seriados policiais. Mas acho que as decisões tomadas pelos homens da lei foram mais apropriadas do que você ou eu podemos supor.

— Bem, essa é a sua opinião. Mas foi apenas uma pista que decidiram ignorar. Não foi adiante. E há dezenas de outros exemplos: testemunhas que viram Lauren entrando num caminhão azul, a família expressando preocupação com determinado vizinho que prestava muita atenção a sua filha adolescente, padrastos violentos. Nada disso foi investigado. É como se metade da cidade soubesse de algo que não sabemos. Como se não quisesse que descobríssemos o que é. É como se a cidade decidisse que Dennis era um problema e isso fosse o suficiente. Não desejava procurar mais. Talvez tivesse medo do que poderia ser encontrado.

Carrie olhou nos olhos de Lionel. Sam prendeu a respiração e sentiu que a equipe ao redor fez o mesmo. Resoluto, Lionel a encarou. Entreabriu os lábios para falar, mas mudou de ideia. Carrie o pegou, Sam concluiu. E por mais que Carrie reclamasse de estar na frente da câmera, ela parecia gostar do drama. Lionel inclinou-se para a frente e segurou o rosto nas mãos. Abriu os dedos e fitou Carrie. Sam experimentou um arrepio.

— E também teríamos nos safado disso se não fosse por vocês, seus pentelhos. — Lionel gargalhou, lançando a cabeça para trás, e a cadeira de rodas rangeu debaixo dele.

Houve um suspiro coletivo na sala. Alguém no fundo até deixou escapar um gemido. Carrie não sorriu, nem tirou os olhos de Lionel.

— Você acha que há alguma conspiração? — Lionel prosseguiu. — Que toda essa gente poderia manter algo assim em segredo por todos esses anos? Permita que eu poupe algum tempo seu: muitas vezes, a resposta mais óbvia é a correta, aquela que está bem na sua frente o tempo todo.

— Creio que o senhor e eu temos definições diferentes do que é "óbvio" aqui.

— Por que isso não me surpreende?

— Não estamos falando de conspiração, mas de incompetência. Não estamos falando de centenas de pessoas, mas de algumas que não fizeram seu trabalho, que tiveram coisas que precisaram esconder e que tinham implicância com um adolescente problemático...

— Essa série devia ser uma sequência, não? Porque tudo que estou escutando é a mesma merda do último filme. Tenho a impressão de que vocês estão fazendo uma refilmagem.

Sam admirou a serenidade de Carrie diante de Lionel. Em sua opinião, ele devia ser o pior ser humano com quem já se deparara.

— Estamos apenas tentando estabelecer os fatos, senhor Danson. Ou as versões dos fatos de cada um, como parece.

Lionel suspirou e olhou pela janela por um instante. Então, voltou a dirigir a atenção a Carrie.

— Não há versões. Não há história. Há apenas o que todos por aqui sabem que é verdade. É algo que forasteiros nunca entenderão, porque não estavam aqui, não conheciam as famílias como nós e não conheciam Dennis. Não como ele era então, antes de vocês o tornarem o que ele é agora. Antes de ele aprender a se mostrar como a presa, e não como o predador.

8

Trecho de *Quando o rio fica vermelho*, de Eileen Turner

O julgamento ocorreu entre abril e julho de 1993. Àquela altura, Dennis tinha 18 anos e seria julgado como **adulto**. Isso, Dennis sabia, significava que o juiz poderia muito bem **condená-lo à pena de morte**. A combinação de fatores agravantes — como o fato de a vítima ter menos de

12 anos* — e a natureza emocional do caso faria da pena capital, se ele fosse considerado culpado, uma opção provável. No entanto, quando entraram na sala do tribunal no primeiro dia do julgamento do processo Estado *versus* Dennis Robert Danson, o veredito de culpado não parecia provável.

O argumento da acusação dependeria inteiramente de depoimentos de testemunhas, que logo desmoronariam sob questionamentos adicionais. Uma testemunha-chave para a acusação era uma moradora local chamada Bonnie Matthews. Bonnie afirmou que Dennis confessou a ela, em sua casa, na noite de sexta-feira, 29 de maio de 1992. Nessa noite, porém, Dennis estava em um jogo fora da cidade, contra o time de futebol americano da Jacksonville High School. Quando a defesa a questionou, ela recuou, admitindo que a data mencionada poderia estar errada, ainda que tivesse tanta certeza dela em seu depoimento inicial.

Transcrição: Depoimento de Bonnie Matthews para o Departamento do Xerife do Condado de Red River

Policial: A senhora pode me dizer por que tem certeza de que a data era 29 de maio?
Bonnie: Era um dia depois do meu aniversário. Lembro porque ainda havia balões. Meus amigos penduraram balões pra minha festa. Lembro por causa dos balões**.

Além disso, a defesa perguntou por que Bonnie, de 36 anos, estava com um garoto de 17 anos em sua casa, numa sexta-feira à noite, e por que ela demorou mais de quatro meses para levar a confissão à consideração da polícia. Em doze minutos de questionamento, o relato da suposta confissão foi desmantelado tão completamente que tanto a

---

* Legislação da Flórida, 1993.
** Transcrito da gravação do depoimento realizado em outubro de 1992.

defesa quanto Dennis acreditaram que não haveria jeito de a acusação superar isso.

Da mesma forma, quando Jason Gunner, companheiro de cela de Dennis, foi chamado para o banco de testemunhas, os detalhes de sua história logo foram destroçados. Jason afirmou que Dennis confessou que matou Holly Michaels por meio de estrangulamento manual, o que foi confirmado como causa da morte durante a autópsia. No entanto, Jason ainda descreveu como Dennis confessou a mutilação do corpo, entalhando um pentagrama na pele, para "fazer um pacto com o diabo, para que ele não fosse pego*". Esse depoimento obsceno não se sustentou sob questionamento, nem se correlacionou com os fatos do caso: não havia nenhum pentagrama, nem nenhum "entalhe" no corpo de Holly.

Dennis estava ciente do espetáculo do julgamento. Todos os dias, ele entrava cabisbaixo no tribunal, passando por um grupo de repórteres uivantes, todos gritando seu nome, com seu advogado a protegê-lo dos flashes das câmeras. Uma vez no interior da sala do tribunal, o espetáculo desaparecia e, na surdina, os longos períodos em que os advogados falavam em voz baixa com o juiz na frente da sala, os recessos e os rituais e procedimentos intermináveis, Dennis sentia um profundo tédio. Quando não escutava as pessoas contarem histórias a seu respeito que não eram verdadeiras ou quando se encolhia de medo enquanto sua vida era exposta e esmiuçada, só conseguia pensar em quão desesperadamente queria sair dali.

— Eu não estava raciocinando direito — Dennis diz agora — Costumava achar que a cadeia era melhor do que o tribunal, porque ao menos lá eu podia ler, podia conversar com os companheiros ou até trabalhar. Qualquer coisa tinha de ser melhor do que o tribunal.**

Charles Clarkson, advogado de Dennis, assegurava-lhe que o julgamento acabaria em breve. Dennis se perguntava o que aconteceria com ele quando acabasse. No primeiro dia, ele olhou por sobre o ombro para os rostos dos presentes na plateia. Seus pais não estavam ali. Havia

---

* Extraído das transcrições judiciais, abril de 1993.
** Entrevista, Prisão de Altoona, 1996.

meses que Dennis não falava com a mãe ou o pai, que tinham quase o renegado quando acreditaram que ele era culpado. Quando tudo acabasse, para onde ele iria?

A defesa convocou especialistas forenses e cada um deles concluiu que não podia, com nenhuma confiança, posicionar Dennis na cena do crime. À medida que o julgamento chegava ao fim, Clarkson assegurou a Dennis que estava no papo, que ele estaria livre em questão de semanas. No entanto, a percepção da opinião pública em relação a Dennis não mudou, mesmo diante das evidências tão fortes de sua inocência. Talvez isso devesse ter sido um alerta para a defesa. Ou seja, nesse caso, um argumento de razão e fato não seria suficiente. A defesa vinha competindo contra emoção pura, e não há raciocínio contra sentimentos.

Red River Tribune
12 de junho de 1993

Revelou-se que, no ano passado, o advogado de Danson foi responsável pela soltura do conhecido agressor sexual Lyle Munday. Poucas semanas após sua soltura, Munday estuprou e matou uma menina de 11 anos. O advogado Charles Clarkson afirmou que não estava arrependido de sua parte nessa tragédia, dizendo na ocasião: "É terrível que Lyle tenha tirado mais uma vida, penso nisso todos os dias. Mas ele não foi considerado culpado pelo júri por um crime que não cometeu. Não podemos prender pessoas por crimes que não cometeram. Não podemos conjecturar que uma pessoa possa vir a cometer um crime no futuro e encarcerá-la. Não é assim que a lei funciona."

Aos olhos do público, Charles Clarkson era um defensor de assassinos de crianças. A população de Red River temia o que poderia acontecer se o júri decidisse que Dennis era inocente. Seus próprios filhos correriam perigo?

A defesa manteve seu curso. Perguntou aos membros do júri se poderiam considerar Dennis Danson culpado além de qualquer dúvida razoável. Não se eles gostavam de Dennis, não se eles o consideravam não confiável, frio ou suspeito. Simplesmente, levando em conta as provas e os indícios apresentados, se eles poderiam dizer com absoluta certeza que Dennis matara Holly Michaels. "Eu não poderia", Charles Clarkson afirmou. "Insisto que vocês pensem nisso com cuidado, sem nenhum viés pessoal. A evidência não está aí. Dennis não pode ter matado Holly Michaels."*

    O júri deliberou por apenas seis horas. "Culpado", o representante dos jurados disse. Alguns começaram a aplaudir na plateia. Dennis se sentiu "pego de surpresa"** pelo veredito e voltou para a cadeia incapaz de compreender completamente o resultado. Então, no dia seguinte, ele foi levado ao escritório do diretor do presídio. Sua mãe fora encontrada na garagem, com a pele azulada. O carro ficou com o motor ligado durante toda a noite. Quando a encontraram, não havia nada que pudessem fazer. O diretor do presídio disse que sentia muito, com a voz baixa e o olhar suavizado em solenidade, e Dennis foi levado de volta para a cela.

    Dennis não acompanhou o funeral. Seu pai não se dispôs a assinar os documentos que permitiriam que o filho comparecesse sob a supervisão da polícia. Não havia privacidade para prantear. Em vez disso, Dennis sentiu-se entorpecido. Mesmo ao ser sentenciado, apenas metade dele se achava presente. Ele nem sequer se preocupou com o que mais aconteceria. Aprendera a ignorar as vozes monótonas na sala do tribunal, que se tornaram um ruído distante para ele. Assim, quando um grupo começou a aplaudir nos fundos da sala, Dennis voltou à vida e fitou seu advogado, com os olhos arregalados de esperança. Porém, seu advogado pegou em seu ombro e o apertou. Em seguida, balançou a cabeça negativamente. O juiz exigiu ordem, mas um homem gritou: "Diga para nós onde elas estão! Só Deus pode te julgar agora!"***

---

*   Transcrições judiciais, declaração final, julho de 1993.
** *Construindo a verdade*, Flórida: Carrie Atwood e Patrick Garrity, 1993. VHS.
*** *Construindo a verdade*, Atwood, Garrity.

9

O DINHEIRO QUE A AVÓ DE SAM LHE DEIXARA ESTAVA quase no fim. Sam subestimara o quão dispendiosa seria a viagem. Agora teria de se precaver ou não seria capaz nem de pagar o voo de volta para casa. Ela disse "casa" em voz alta e não sentiu nada. O imóvel em Bristol estava vazio e Sam pensou em alugá-lo. Porém, isso exigiria uma viagem para a Inglaterra e ela não tinha certeza de que era algo com que poderia lidar. Não havia nenhum motivo para retornar, exceto o dinheiro. E o que ela faria quando voltasse para lá? Deixaria seu emprego, sua casa, sua família. Afinal, tudo o que lhe importava estava agora neste lugar.

Sam se mirou no espelho. O vestido para a festa de despedida de solteira que Carrie lhe emprestara pareceu perfeito, mas seu rosto ainda estava inchado de chorar por causa do telefonema para sua mãe naquela tarde.

— O que você está fazendo? — a mãe perguntara, um tanto histérica. — No que está pensando, Samantha?!

Sam continuou tentando falar para a mãe sobre o erro judiciário, o homem amável que Dennis era e seu novo grupo de amigos, que estava muito feliz por ela.

— É uma fantasia, Samantha. É impossível que você saiba algo a respeito desse homem.

— O nome dele é Dennis, mãe.

— Não importa se ele é inocente ou não.

— Claro que importa!

— Ele está na prisão. Vão executá-lo.

Doeu o jeito de sua mãe de dizer isso.

— Não, não vão! Mãe, você tem de entender o quão grande isso é. Essa petição tem centenas de milhares de assinaturas.

— E de que adiantará uma petição? Samantha, seja realista. Eu sei que você não é idiota.

— Mesmo que ele jamais seja solto, mesmo que... Eu ainda o amarei. Ainda quero ser sua mulher.

— Por quê? Não entendo. Por quê?

— Eu amo Dennis.

— O que devemos dizer para as pessoas?

— A verdade. Todos entendem o que está acontecendo aqui.

— Estou simplesmente... envergonhada. Sinto muita vergonha. Se sua avó estivesse viva para ver isso...

Sam desligou o celular, deitou-se na cama e chorou até receber uma mensagem de texto de Carrie, lembrando-a de que a pegaria às 6 horas. Sam levantou e correu para tomar um banho de chuveiro bem quente, forçando-se a ficar sob a ducha até doer. Em seguida, sentou-se na beira da cama e tentou não borrar a maquiagem antes de sair.

— Você está linda! — Carrie a elogiou quando chegou para apanhá-la.

Elas foram a um restaurante nas proximidades, onde balões amarrados em cadeiras de bar tremulavam no ar. A decoração das paredes incluía placas de trânsito, guitarras e galhadas. A equipe as aplaudiu quando as viu e cada um se aproximou para apertar a mão de Sam ou abraçá-la dando-lhe parabéns.

Sam acomodou-se com o pessoal, entre Patrick e Carrie. Seu coquetel chegou decorado com uma vela em formato de estrela e, enquanto ela queimava, a equipe se acalmou num silêncio organizado. Carrie entregou-lhe um estojo.

— É de todos nós. Não é grande nem nada, mas você sabe... — ela disse.

O anel de noivado era de ouro branco, com um diamante pequeno, delicado e simples. Sam não conseguia olhar para ninguém por medo de chorar de novo, mas Carrie a abraçou.

— Dennis é como meu irmãozinho! E você o deixa muito feliz. É o mínimo que podemos fazer, de verdade.

— Não posso...

— Ah, não diga nada. Você pode muito bem — Carrie afirmou, e foi tudo.

Sam deslizou o anel de noivado no dedo anular e posou para uma foto por insistência de Carrie. Em seguida, outras fotos com Carrie, por insistência dela mesma, que as postou na página oficial da série no Twitter. Ao se sentar, Carrie pôs um véu e uma tiara de plástico na cabeça de Sam. O calor do álcool e o ponche açucarado estavam lhe dando um barato e Sam se sentiu presente, viva.

Alguns dias atrás, Carrie e Sam tinham tido uma pequena discussão. Sam falava sobre Lindsay e talvez tenha exagerado, porque em determinado momento Carrie gemeu, alto, interrompendo-a.

— Ah, meu Deus, garota, você precisa parar! Sério. Sua cabeça deve estar muito estressada.

— Na realidade, está — Sam disse. — Se você queria que eu parasse, era só dizer. Não precisava ser tão... sei lá.

— Eu tentei mudar de assunto várias vezes, mas você continuou falando de Lindsay. Quem se importa? Com certeza, Dennis não. Ele havia esquecido de ela tê-lo visitado até você lembrá-lo. Dennis recebe pouquíssimas visitas. Você quer impedi-la de ir vê-lo só porque isso te faz se sentir uma merda? Dennis não vai dizer isso, mas eu vou: é muito egoísmo, Sam. Dennis te ama, eu te amo, então, por favor, pelo amor de Deus, deixa pra lá, não esquenta.

— Entendi, mas...

— Sem mimimi... Deixa isso pra lá.

— Não é tão fácil.

— É fácil, sim.

— Tudo bem.

— Obrigada.

Isso deixou Sam muito constrangida e um tanto desconfiada de que Carrie e Dennis tivessem conversas secretas a seu respeito. O que mais eles diriam?

Pediram a comida: bandejas de nachos e asinhas de frango para dividir, imensas grelhas com costelas e hambúrgueres.

— A esta hora, amanhã, eu serei a senhora Dennis Danson! — E Sam tomou um gole de seu coquetel.

A equipe aplaudiu. Ela tinha o vestido de noiva — vivamente colorido, simples, bem cinturado e com mangas três-quartos, que o código de vestimenta da prisão exigia —, e a equipe jurídica ajudou com a papelada. Não era o casamento com que Sam poderia ter sonhado, ela admitiu, mas, por outro lado, nunca se importou muito com casamentos.

O grupo a seu redor estava à vontade em sua alegria, o que ajudava a domar as dúvidas que surgiam nela de vez em quando. Apreensão, como água de enchente em elevação, fria e traiçoeira.

A música estava alta e todos no restaurante tinham de gritar para serem ouvidos. Uma criança teve um chilique e um grupo de garçons se reuniu para cantar uma música de aniversário para uma adolescente envergonhada, com a boca torcida num sorriso tímido.

Patrick contava a todos sobre um documentário que ele filmara no Iraque. Então, Jackson Anderson apareceu e parou na extremidade da mesa. Surpresos, todos o cumprimentaram. Anderson se inclinou e deu um abraço desajeitado em Sam.

— Fiquei sabendo de seu noivado. Parabéns! — ele disse.

Ela agradeceu e se moveu para lhe oferecer um lugar, mas ele permaneceu de pé, com as mãos nos bolsos.

— Só quis dar uma passada e me apresentar antes de filmarmos amanhã.

— Amanhã?! — Sam tirou a tiara da cabeça e a colocou sobre o assento.

— Vamos filmar o casamento. Conversamos com Dennis a respeito e concordamos que era melhor para a história que estamos contando, para mostrar o outro lado dele, porque, sem o relacionamento de vocês, Dennis apenas dá a impressão de ser um tipo unidimensional. Sabe?

De repente, Sam se sentiu mal, com o estômago embrulhado, cheio de bebidas, frituras e medo. Num piscar de olhos, o vestido que planejara usar parecia fora de moda. Sua pele, cheia de crateras e manchas. Sua cintura, volumosa e rechonchuda.

Atrás de Jackson, dois garçons sorridentes seguravam um bolo de chocolate iluminado com velas estrelas e uma outra em forma de noivo e noiva. Sam soprou a vela e Jackson pegou uma cadeira e ajustou o boné na cabeça.

Sam vira Jackson antes, quando ele foi entrevistado pelo canal BBC News num quarto bege com cortinas puxadas. Suas adaptações de uma trilogia distópica para jovens adultos faturara centenas de milhões de dólares. No entanto, era óbvio que ele queria ser levado mais a sério, o que ficava evidente pelo jeito como se posicionava, respondendo a perguntas acerca de filmes com declarações pretensiosas. Sam não gostou dele na ocasião e não gostou agora, ao vê-lo sentado na cadeira com o boné afundado na cabeça em um local fechado. "Ele se acha o próprio Ron Howard", Carrie disse certa vez.

— Então, seja como for, vamos filmar, já que você também precisa de testemunhas e, depois, nós a deixaremos para que aproveite o resto da visita. Acho que você tem uma hora, não é? É muito bom, não?

— Não sei. Não é algo um tanto pessoal? — Sam fitou os demais em busca de apoio, mas todos estavam olhando para outros lugares, brincando com os guarda-chuvas dos coquetéis e com as espadinhas de plástico, pegajosas por causa das cerejas marrasquino.

— Você está... de acordo com isso... certo?

— Sim, Jackson, só estou surpresa — Sam afirmou. — Achei que teria de assinar algum documento.

— Não há necessidade. Está tudo resolvido. Vejo todos vocês amanhã. Bem cedo. Carrie, adorei os cortes que você me mandou. Continue assim. — Jackson devolveu a cadeira para a mesa vazia ao lado e foi embora.

O grupo deixou escapar um suspiro sincronizado.

— É como se os nossos pais aparecessem e tentassem ser legais na frente de nossos amigos — Carrie comentou, e o grupo riu, aliviado.

Mas quando o bolo foi cortado, o barato de Sam deu lugar ao cansaço e ela passou a pensar num modo de se desculpar, pois desejava ficar sozinha.

Na manhã seguinte, Sam, deitada, esperava o despertador tocar. Seu vestido estava pendurado atrás da porta, com a etiqueta pendendo do lado. Ela ficara fora até tarde e bebera mais do que deveria. Ao longo da noite, teve de correr para o banheiro e esvaziar o estômago até que fosse apenas a água que forçara pela garganta que voltasse, fibrosa e quente. A gordura da comida ainda parecia estar aderida à sua pele.

Sam escovou os dentes com tanta força que cuspiu sangue. Ajeitou o cabelo num rabo de cavalo e o enrolou num coque apertado, prendendo-o com grampos e machucando o couro cabeludo. A pele estava acinzentada e os olhos pareciam aquosos e cansados. O vestido, que caíra tão bem na semana anterior, pareceu desmazelado e grudento, mas ela arrancou a etiqueta, jogou-a na lixeira e decidiu que só se olharia nesse dia se fosse absolutamente necessário.

Saiu do quarto e comprou uma lata de refrigerante na máquina. A bebida pareceu tão borbulhante que lhe queimou a língua. Em seguida, foi esperar Carrie sob a sombra de um toldo, no estacionamento.

Quando Sam e Carrie chegaram à sala de visitação, foram recebidas pela equipe, liderada por Jackson, junto com um funcionário do tribunal, que estava lá para realizar a cerimônia.

— Aqui está a noiva! — Carrie exclamou.

— Nervosa? — Patrick parecia tão pálido quanto Sam.

— Excitada? — Jackson perguntou, olhando através de uma câmera.

— Estou bem. Onde Dennis está? Ele...

— Cinco minutos — um guarda avisou. — Minha filha adora seus filmes. Ela vai ficar com inveja quando souber disso!

— Bem, deixe seus contatos com Carrie e nós vamos conseguir algo para enviar pra sua filha — Jackson garantiu ao guarda.

Carrie fez que sim e acenou, virou-se para Sam e balbuciou "Babaca", indicando Jackson com o olhar.

Sam experimentou uma sensação familiar, como se algo se afastasse de seu corpo, como se ela quisesse correr. Em vez disso, respirou fundo, fixando-se no chão. Medo, ela disse a si mesma; todos ficam com medo.

Eles ouviram Dennis antes de vê-lo: as correntes, o rangido de uma pesada porta de metal, como algum monstro de filme B. Ele trajava seu macacão branco radiante e usava cabelo à escovinha, o que causou em Sam o desejo de tocar seu cabelo, que brilhava sob a luz. Mas eles ficariam separados, como sempre, pelo vidro. Sem exceções, nem mesmo no dia do casamento.

Quando ambos se sentaram juntos à divisão, Sam olhou para os braços de Dennis e viu contornos que antes não estavam ali. Ela notou como seu abdome ficava bem definido mesmo quando ele se inclinava.

— Você perdeu peso? — ela perguntou, puxando seu vestido para baixo, sobre a ondulação em cima de sua barriga.

— Sim. — Ele ficou satisfeito por ela ter notado. — Tenho me exercitado, desde que você chegou. Não me dava conta de como eu tinha ficado mal fisicamente.

— Você parece... ótimo. Mesmo.

— Obrigado. — Dennis baixou os olhos e moveu o braço para observar o músculo. — Você também parece diferente. Cansada?

— Hum... Sim, ontem à noite o pessoal fez uma festa de despedida de solteira para mim. Acho que exagerei um pouco na bebida. — Enrubescendo, Sam desviou o olhar.

— Ok! — Jackson bateu palmas. — Estamos prontos?

— Ei, querida — Dennis disse —, você está linda.

Sam ergueu a cabeça e o viu pressionando o dedo no furo no vidro. Ela sorriu e ele correspondeu.

Como nenhum deles era religioso, decidiram fazer apenas uma cerimônia civil. Um juiz de paz de terno bege e gravata azul fazia a leitura de um fichário de plástico, cuja lombada rangia quando ele virava as páginas. O recinto pareceu insuportavelmente abafado e o suor se acumulava na fenda entre os seios de Sam. Enquanto o magistrado lia, ela e Dennis se entreolhavam. Samantha proferiu seus votos, escutou quando Dennis proferiu os dele, olhou para o rosto de seu noivo e se perguntou o que ele estaria pensando, se sentia-se tão estranho quanto ela repetindo aquelas palavras sem sentido, que pairavam sem vida no ar. Sam desejou ter escrito seus próprios votos. Assim, ela poderia dizer para Dennis que estaria ali quer ele fosse solto quer não, que lutaria por ele até que tudo estivesse perdido, pois o amava tanto que seus ossos chegavam a doer.

Eles não podiam se beijar. As regras da prisão ditavam que deviam permanecer em lados opostos da divisão, sem exceções. A equipe abraçou Sam e parabenizou Dennis antes de se desculpar.

Eles deveriam ter tido sua primeira dança. Um serviria ao outro uma fatia de bolo e depois os noivos teriam uma noite de núpcias passada em lençóis brancos. Em vez disso, eles conversaram e Dennis pediu que ela prometesse que não iria embora.

— Achei que conseguiria lidar com isso, mas não consigo. Preciso que você fique, Samantha.

— Não tenho dinheiro suficiente. Preciso voltar para a Inglaterra, trabalhar por um tempo, economizar.

— Por favor... Eu falei com Jackson sobre isso e ele disse que pode conseguir algum trabalho para você aqui. Fique alguns meses. O que me mantém vivo são as suas visitas...

— E o meu visto? Acho que não posso trabalhar...

— Estamos casados agora. Você pode pedir cidadania americana. Pare de procurar motivos para não ficar aqui. Você é minha mulher e eu preciso de você.

10

ALGUMAS SEMANAS DEPOIS, SAM MORAVA NUM APARTA-mento barato na periferia de Gainesville, pago por Jackson Anderson. Vez ou outra, ele lhe determinava tarefas simples, para ela não achar que estava vivendo à custa dele. Coisas como ler e responder a e-mails de fãs de *Construindo a verdade* ou examinar comentários nas mídias sociais e compartilhar qualquer coisa relacionada à série vindoura com seus seguidores. Mas isso só tomava uma pequena parte de seu tempo. Sam passava o resto do dia assistindo à TV ou vagando pelos corredores do Walmart, incapaz de decidir o que comer mais tarde, esquecendo-se do motivo que a levara até ali e comprando as porcarias que lhe causavam dor de barriga.

Carrie voltou para Los Angeles após o término das filmagens. Ela ligava com regularidade e as duas costumavam ficar ao telefone por uma hora. O silêncio depois de elas desligarem era como uma crise de abstinência. Sam acabou ficando obcecada em observar seus conhecidos ingleses no Facebook, que pareciam postar exclusivamente para ela, exibindo novos bebês e novos empregos, corridas na lama e restaurantes. Não vira a página de Mark desde que ele a deixara, e agora Sam olhava para ela apenas para se machucar, percorrendo-a em busca de qualquer indício de sua presença na vida dele, mas era como se ela nunca tivesse existido.

Os fóruns de discussão não se referiam a seu casamento com Dennis de maneira positiva. Quase todos a consideravam uma tiete e estavam mais preocupados com o progresso — ou a falta dele — do caso. Queriam um juiz diferente, um que não fosse tendencioso, e organizaram uma petição para que alguém novo trabalhasse na apelação. Sam se perguntava como pudera um dia ter admirado aquelas pessoas. Elas achavam mesmo que os advogados de Dennis ainda não tinham feito isso?

Sam visitava Dennis uma vez por semana, com cada vez menos coisas para falar.

Então, o círculo vicioso se rompeu, com o telefone tocando no meio da tarde.

— Tenho novidades — Carrie afirmou. — Está sentada?

E Carrie explicou: o disque-denúncia recebera o telefonema de um homem que queria permanecer anônimo. Ele disse que ficara preso por crimes de abuso sexual contra crianças durante dez anos e viu os *outdoors* meses após ser solto. Ao ser preso pela primeira vez, dividiu a cela com um homem chamado Wayne, que lhe contou sobre algumas garotas que matou e que a polícia nunca descobriu. Wayne falou que a polícia até encontrou uma delas e ele achou que seria pego, mas isso não aconteceu. Depois disso, o susto o fez parar de matar por anos. No início, o denunciante achou que Wayne estava mentindo, porque quem pode ser tão burro a ponto de admitir ser um *serial killer* para alguém que acabou de conhecer? Mas isso ficou martelando na cabeça do autor da denúncia por causa do assustador nível de detalhes e do orgulho que Wayne tinha da história.

O atendente do disque-denúncia perguntou qual era a cor do cabelo de Wayne. Segundo o denunciante, era grisalho, mas com algumas mechas pretas. Wayne também se vangloriou de como cortou um cacho do cabelo de uma menina como lembrança, mas o queimou no acostamento de uma estrada semanas depois por medo de os policiais o encontrarem. A menina o arranhou tanto que ele teve de arrancar os dedos dela. Na ocasião, o fato deixou Wayne nauseado, embora ele tivesse rido ao relatá-lo, imitando o som de ossos quebrados com os dentes. Wayne revelou ao denunciante que nunca se sentia saciado e que a cada garota que conseguia se comportava de modo cada vez mais violento. Por causa disso, finalmente foi pego. Ele permaneceu na cena do crime por muito tempo e as coisas se complicaram. O autor da denúncia não gostava de Wayne e ficou feliz quando o afastaram dele. Ele não era um dedo-duro, disse, mas era difícil para um agressor sexual conseguir emprego e o dinheiro da recompensa parecia bom.

O detalhe sobre o cabelo de Holly Michaels nunca fora divulgado ao público — uma faca deixara um corte na parte posterior do crânio onde o assassino a pegou enquanto cortava uma mecha. Isso deixou os defensores de Dennis superexcitados e eles começaram a produzir novas petições para o exame de provas e a ligar para as autoridades. Mais à frente, identificaram um Wayne Nestor, que foi transferido da prisão que o denunciante mencionou para outra, no Kansas. Ele tinha sido preso pelo assassinato e estupro de diversas meninas. Portanto, seu *modus operandi* estava de acordo com o do assassinato de Holly, assim como o fato de que na ocasião ele morava em Ocala e dirigia um caminhão que pegava um caminho por Ocklawaha, onde se situava o campo de treinamento de animadoras de torcida em que o aparecimento do exibicionista foi originalmente relatado.

Carrie esperou por tempo suficiente para ter certeza de que valia a pena se empolgar com tudo isso e fez todos prometerem que ela seria a primeira a ligar para Sam. E assim, nesse momento, ela lhe perguntou:

— Então? O que você acha?

— O que vai acontecer na sequência? — Sam mordeu o polegar. No espelho, viu a si mesma: pálida, olhos escuros e algumas manchas no queixo.

— Queremos que a camiseta de Holly seja examinada novamente. Se o DNA de Wayne estiver nela, será identificado no CODIS, o banco de dados do DNA de criminosos. Se isso acontecer, Dennis poderá ser solto em questão de dias.

Sam parou de andar, segurou o encosto de uma cadeira e tentou se concentrar. A sala estava cheia de roupas descartadas, copos e pratos sujos, caixas de comida vazias.

— Dias?! — ela exclamou.

— Sim, mulher, dias. Inocentado. Nunca houve um pingo de DNA de Dennis em Holly. Assim, se conseguirmos associar um nome ao sangue na camiseta dela, a Justiça não terá alternativa senão libertá-lo. E esse denunciante nos deu fortes motivos para que essa camiseta seja reexaminada.

— Qual a probabilidade de que ocorra o reexame?

— Eu diria que alta. Nossos pedidos foram negados antes, mas, com um suspeito real e provável, terá de haver o consentimento. Os advogados se mostram bastante confiantes agora. Patrick e eu voltaremos com a equipe para a Flórida na quarta-feira para não perdermos nada. Estou muito empolgada, Sam. Como você está se sentindo?

Se a apelação fracassasse e as autoridades se recusassem a examinar de novo a camiseta, não haveria mais nada a esperar.

— Alguém já contou para Dennis?

— Não. Há muita verificação de fatos sendo realizada, pois o denunciante pode ser apenas um fantasista. Ninguém quer criar expectativas.

— Pra ser franca, não sei o que fazer. — Sam sentou-se com as pernas bambas.

Independentemente do que acontecesse a seguir, ela teria de estar pronta.

11

SAM SÓ RECEBEU A NOTÍCIA TRÊS DIAS DEPOIS. WAYNE Nestor confessara ao padre da prisão que matara Holly Michaels. Em busca de redenção, ele revelou tudo, e repetiu a confissão para uma câmera de vídeo com seu advogado ao lado e pedia apenas o perdão de Deus. A camiseta foi reexaminada, com uma correspondência positiva. Enfim, Dennis seria solto. Após tantas decepções, de repente a vida passou a avançar em alta velocidade.

Na noite anterior à soltura de Dennis, Sam tomou diversos drinques para acalmar os nervos. Então, de manhã, o toque de seu celular a despertou. Carrie disse que passaria para pegá-la em 20 minutos. "Poderia ser em uma hora?", Sam pediu. Carrie deu risada, como se a ideia de que Sam pudesse esperar ainda mais outro segundo fosse inacreditável.

Sam se lavou na pia e passou tanto desodorante que o banheiro minúsculo e sem janelas ficou esfumaçado. Aplicou maquiagem nova sobre a maquiagem do dia anterior, pegou um vestido do cesto de roupa suja, amarrotado e bolorento, e rugiu quando Carrie chegou em apenas

15 minutos. Jogou pertences ao acaso numa sacola de viagem, sem saber onde ficaria, sem acreditar que Dennis estaria com ela.

Carrie tocou a buzina de novo e Sam gritou:

— Porra! Porra! Calma! Estou indo!

Havia um café a sua espera no porta-copo do carro, gigante, frio o suficiente para bebericar. Carrie passou a falar sobre Dylan, sua namorada, que reclamava das pressões que o caso exerce sobre ela.

— Acho que Dylan nem acredita que Dennis está saindo mesmo, sabe? É duro. Tenho lidado com o caso há 21 anos, mas só estamos juntas há três. Dylan não entende... É tão bom ter você, Sam. *Você* entende.

Sam continuou concordando enquanto observava as concessionárias de automóveis e as lojas de conveniência passarem voando. Elas pareciam estar se dirigindo para o tribunal. Carrie estava histérica e era difícil entender o que ela dizia. O som do rádio ia ficando mais alto. Sam começou a sentir um aperto no peito e dificuldade para respirar.

— Pare, precisamos parar, não consigo respirar! — Samantha levou a mão à testa.

— Agora? — Carrie olhava ao redor.

Então, Sam se deu conta de que Carrie não podia mudar de faixa para alcançar o acostamento.

Sam baixou o vidro, mas o ar estava mais sufocante fora do que dentro do carro. Ela soltou o cinto de segurança e o sensor começou a apitar estridentemente, incitando-a a tornar a afivelá-lo. Porém, Sam afastou o vestido para longe do peito, arrastando as unhas pela pele fria e pegajosa.

— Pare, pare o carro!

Um motorista buzinou sem dó quando Carrie desviou o veículo com brusquidão para o acostamento. Sam abriu a porta antes mesmo de o carro parar e caiu no chão áspero ao lado da estrada.

— O que houve? O que está acontecendo? — Carrie contornou a frente do automóvel, agachou-se, segurou Sam pela nuca e lhe pediu para relaxar e respirar fundo.

— Não sei se consigo — Sam admitiu após se acalmar um pouco.

— Com Dennis? — Os olhos de Carrie estavam arregalados de ansiedade.

Sam se sentiu péssima, sabendo a pressão que impunha sobre Carrie, mas não era capaz de evitar.

— Aconteceu tão rápido.

— Sim, eu sei. Escute, você não tem de fazer isso. Posso levá-la para casa ou você pode vir comigo e esperar em outro lugar. Dê um passo de cada vez, que tal? Você pode aparecer na festa mais tarde? Ou... apenas dizer o que você precisa e nós cuidaremos do assunto — Carrie afirmou, num tom bastante sincero, pousando a mão nas costas de Sam, cuja respiração voltava ao ritmo normal.

— Tenho de estar lá. Sou a mulher dele.

— Bobagem. Dennis vai entender. Também é difícil pra ele, sabe? Posso explicar para Dennis.

— Não... Não é que eu não queira... Só que... Estou muito assustada.

A verdade era que Sam se acostumara com aquele relacionamento separado por uma divisão de vidro e plástico. Preocupada, Sam achava que, sem aquele obstáculo, não haveria nada para impedir que os dois se machucassem mutuamente, como ela e Mark haviam feito. Ou todas aquelas outras coisas que as pessoas faziam umas às outras: ir embora, mentir, desligar os telefones na cara; pequenas crueldades das quais ela e Dennis tinham ficado protegidos até então.

— Claro que você está. Eu também estou! Isso é muito louco!

— Você está assustada?

— Sim. — Carrie deu uma risada nervosa. — Conheço Dennis há mais de 20 anos e trabalhei todo esse tempo por este momento. Foi toda a minha vida e agora de repente... Puta merda! Eu já deveria estar lá, sabe? Devia estar filmando, mas simplesmente não fui capaz. Decidi que queria ir com você porque acho que você se sente tão louca quanto eu agora. Sei que é difícil processar. Também estou sentindo isso. É normal.

Carrie consultou o relógio com ansiedade.

— Você decide. Podemos fazer o que você quiser.

— Eu vou. — Sam já respirava normalmente.

O medo ainda a acossava, mas ela imaginou outras coisas, as coisas boas. Como Dennis se inclinando em sua direção e a beijando, com a boca grudada na sua com tanta força que ela sentiria a batida do coração dele. Apenas tocá-lo, finalmente, e ser tocada. Não fora isso o que ela sempre quisera?

— Tem certeza?

— Sim.

Carrie estendeu a mão para ajudar Sam a ficar de pé. Juntas, elas voltaram para o carro e prosseguiram em direção ao tribunal.

— Jura que você está bem, Sam?

— Juro. Vou ficar bem.

— Eu sei. — Carrie sorriu para ela. — Você tem de ser forte. Precisa aguentar o tranco.

Havia muita gente diante do fórum, com os grupos separados por barreiras. De um lado, cerca de uma centena de pessoas usando camisetas com fotos estampadas de Dennis Danson e cartazes que diziam "Justiça, enfim!", "Inocentado" e "Fim da pena de morte!". Do outro lado, um pequeno grupo de manifestantes que gritavam "Continua culpado!", "Onde estão elas, Dennis?" e "Deixe-nos viver o luto!".

Mais perto das portas, os jornalistas, alguns falando ao vivo para as câmeras, outros aguardando e aparentando tédio e impaciência. Impetuosos, os paparazzi estavam prontos para a ação.

Sam protegeu o rosto ao passar pela imprensa, estranhos gritavam seu nome. Quando ela e Carrie entraram na sala do tribunal, encontraram-na repleta. Os demais membros da equipe estavam na frente, do lado direito, com Jackson Anderson sentado atrás do advogado de Dennis. Carrie sugeriu pedir para que as pessoas cedessem seus lugares para que elas se sentassem mais perto, mas Sam quis ficar mais atrás.

— Vá você — ela disse, mas Carrie se acomodou ao seu lado e segurou sua mão.

— Quem são todas essas pessoas? — Sam quis saber.

— Não faço a menor ideia. Fãs, acho.

Para Sam, aquilo era uma invasão. A atmosfera estava barulhenta e tumultuada, conflitante com sua antiga fantasia a respeito desse acontecimento, em que só haveria a equipe e ela, uma energia melancólica e um juiz falando baixinho. Dennis seria libertado de suas algemas, se viraria para ela e se aproximaria titubeante. Hesitaria antes de beijá-la — timidez, é claro —, e o beijo seria suave, com a mão em seu rosto e os dedos em seu cabelo. Dennis relutaria em desviar a atenção de Sam, mas, por fim, agradeceria a todos, apertaria as mãos, abraçaria e responderia a perguntas. Em seguida, ele pediria desculpas, levaria Sam pela mão para o carro e eles ficariam sozinhos, dirigindo-se para o hotel que a equipe lhes reservara. Passariam os dias trancados no quarto, entrelaçados e escorregadios de suor. Começariam a transar ainda meio adormecidos, esfregando-se languidamente um contra o outro, com as cobertas emaranhadas em torno dos tornozelos.

Um grito de júbilo a tirou do devaneio. O público se deslocou e Sam viu Dennis, de costas para ela, usando uma camisa bege de manga curta dois números maior e uma gravata marrom escorregando do colarinho. Ele conversava com seu advogado, que sorria e o sacudia pelos ombros. Sam quase o chamou, querendo que Dennis se virasse e a visse, mas ele permaneceu de costas para ela. Perto da frente da sala do tribunal, Sam avistou a parte posterior da cabeça de uma mulher com cabelo longo e liso. *Será que é Lindsay?*, ela perguntou a si mesma, e sentiu um calafrio percorrer-lhe a espinha. Ela quase perguntou a Carrie, mas se conteve, lembrando-se da náusea que sentira durante dias.

O tribunal foi chamado à ordem, o juiz entrou, e todos ficaram de pé. O murmúrio se dissipou, convertendo-se em alguns sussurros e rangidos de sapatos sobre o piso lustrado. Havia formalidades que não despertaram a atenção de Sam. Ela mantinha o olhar fixo nas costas do marido, observando as omoplatas se moverem sob a camisa. Carrie apertou-lhe a mão e Sam se concentrou no que o juiz dizia, procurando escutá-lo.

— Como alguém que trabalha no sistema judiciário há mais de 40 anos, vi o melhor de nosso sistema e, infelizmente, o pior. Ele não é infalível e isso não desculpa seus imensos erros, como o que vemos aqui hoje. Para um homem que perdeu 21 anos de sua vida, um jovem, trata-se de uma perda para a qual não há compensação. É outra tragédia o fato de mais crianças terem perdido suas vidas devido às falhas deste caso. Como país, devemos lamentar a perda incalculável resultante desse mal. Não cabe a mim lhe dizer como levar sua vida agora, Dennis, mas espero que você possa encontrar a paz, viver bem, ser feliz, fazer o bem e espalhar a bondade que lhe foi negada. Assim, é tanto com tristeza pela sua perda como com alegria pela sua redenção que eu o inocente de todas as acusações...

Houve uma salva de palmas e as pessoas começaram a se deslocar para a frente da sala do tribunal. A mulher foi engolida pelo público e Sam a viu se esquivar quando alguém passou por ela. Dennis e seu advogado ficaram de pé e Sam viu Dennis fazer uma leve mesura com a cabeça para o juiz. Com todos de pé, Sam perdeu Dennis de vista por um instante, mas Carrie a puxou pelo braço, avançando com dificuldade para levá-la até ele. Quando tornaram a vê-lo, suas algemas estavam sendo removidas por um policial. Então, Dennis se virou e foi abraçado pelo advogado. Todos queriam apertar sua mão. Sorrindo, Dennis era empurrado para a frente pelos homens ao seu redor, mas quando ele se aproximou da porta de vaivém, olhou para trás, por sobre o ombro, como se alguém estivesse prestes a detê-lo.

Para Sam, era difícil dizer se Dennis a vira, por causa da maneira como as lentes de seus óculos refletiram a luz e protegeram seus olhos. Porém, quando ele se voltou para ela, seu sorriso pareceu hesitar. Sam e Carrie continuaram avançando em sua direção. Algumas cabeças se viraram e Sam ouviu alguém murmurar "Esposa".

Dennis estendeu as mãos para Sam, com as palmas para cima, e ela as tocou. Os dedos se entrelaçaram e ele a puxou para mais perto. Ela inclinou a cabeça para beijá-lo e ele vacilou.

— Desculpe. — E Dennis encostou rapidamente seus lábios nos dela.

Sam se deu conta de que tinha os olhos abertos e os fechou. Os dentes deles estrepitaram e a respiração de Dennis ficou mais ofegante. Quando ela deslizou a língua para dentro da boca dele, Dennis deu um pulo, assustado. Sam se desconectou dele e os dois desviaram o olhar, enxugando os lábios.

Os dois foram saindo e Dennis segurou a mão de Sam com força. O barulho que vinha de além das portas pesadas os alcançou, com os jornalistas gritando perguntas todos juntos. O advogado de Dennis leu uma declaração previamente escrita. "Justiça... Inocência...", Sam escutou. "Liberdade... Apoio... Luta..."

A polícia os escoltou até um carro cor de prata com janelas escuras que Jackson providenciara para levá-los ao hotel. Sam embarcou, ansiosa para escapar dos jornalistas que gritavam para serem ouvidos. No entanto, Dennis, em silêncio, permaneceu parado do lado de fora do veículo, inclinando a cabeça para trás e deixando o sol tocar sua pele.

— Então? — os jornalistas indagaram. — Como você está se sentindo, senhor Danson? Que tal a liberdade?

Dennis olhou ao redor, com cada câmera e cada microfone competindo por sua atenção, respirou fundo e respondeu:

— Ainda não sei.

12

A VIAGEM DE CARRO ATÉ ORLANDO LEVAVA DUAS HORAS.
Com a cabeça apoiada no ombro de Dennis, Sam escutava a voz dele, grave e ressonante. Sua cabeça saltava para cima e para baixo quando ele ria. O rádio tocava músicas que Dennis nunca ouvira antes e vez ou outra um boletim de notícias informava sobre sua libertação.

Todos riam: Dennis, Sam, Jackson; até mesmo o motorista. Jackson começou a falar de filmar algo mais tarde, para o fim da série, para fechar a história. Enquanto isso, Dennis reclamava que suas roupas pinicavam.

O hotel em que estavam hospedados era cercado por palmeiras. Havia uma fonte do lado de fora do saguão. Dennis refrescava as mãos na água fria como se fosse criança de novo. A cada poucos passos, ele tropeçava em si mesmo.

— Acho que são estes sapatos — ele comentou. — Não uso sapatos de verdade há muito tempo.

A equipe encontrou os três do lado de fora e os levou até a sala de reuniões, decorada com uma faixa onde se via escrito "Parabéns". Bolos, asinhas de frango, tortilhas, ostras sobre gelo triturado, húmus e palitos de aipo e cenoura achavam-se empilhados nas mesas cobertas de toalhas brancas. Gente que Sam reconhecia de fotos em revistas se aproximou deles e abraçou Dennis. Ela esperou que ele a apresentasse, mas em vão. Alguns membros da equipe se posicionaram atrás deles. Houve mais aplausos e Patrick abraçou Dennis bruscamente, dando-lhe tapas nas costas. Outras pessoas da equipe traziam mais comida. Comida quente: batatas fritas, hambúrgueres e pizzas.

— Não sabíamos do que você gostaria. Assim, decidimos encomendar de tudo um pouco — Jackson afirmou. — Sirva-se à vontade.

Dennis encheu o prato com frutas frescas e legumes, dizendo a todos que era isso o que mais desejava na prisão, que sonhava com alimentos ricos em vitamina, com frutas suculentas, com a crocância dos palitos de cenoura gelados: isso lhe dava água na boca quando se deitava na cama depois de um dia de *nuggets* de frango ressecados ou *chili* com carne que caía como uma bomba no estômago.

Sam ficou de escanteio, segurando um prato de comida que não comeu, observando a porta dupla se abrir e Carrie entrar. Ela e Dennis foram levados para fora do tribunal e embarcados no carro tão rápido que Sam não teve a chance de procurá-la. Agora, sentia-se mal por cada momento do primeiro dia de liberdade de Dennis que Carrie estava perdendo. Quando as pessoas passavam por ela, diziam que ela devia estar muito feliz e Sam sorria, tentando ignorar a culpa que experimentava pela ausência de Carrie, como se Sam nunca tivesse tido a intenção de estar ali e roubar o lugar dela.

Os garçons ofereceram a Dennis vinho, cerveja e champanhe, mas ele pediu água com gás, que o fez soluçar quando ele tomou um gole. Jackson lhe entregou diversas sacolas.

— Roupas — ele disse. — Nós achamos que você precisaria de um novo guarda-roupa.

Dennis sumiu por instantes e voltou usando jeans, camisa xadrez de colarinho aberto e uma camiseta branca por baixo. A iluminação estava fraca, mas ele continuou com seus óculos escuros.

— Precisamos conseguir novos óculos pra você, um Warby Parkers ou algo parecido — Jackson disse.

— O quê?

— Óculos de marca, sabe?

— Claro, claro. Tudo bem — Dennis disse, coçando os braços.

Enquanto isso, alguém veio pedir que alguém da equipe diminuísse o ar-condicionado.

Alguns reconheceram Sam e dirigiram-lhe a palavra, dizendo-lhe mais uma vez como ela devia estar feliz. Ela assentia com a cabeça e observava seu marido circular pelo ambiente. Algumas das mulheres presentes eram lindas, mais do que ela imaginava que seriam na vida real. Para Sam, as atrizes só eram tão belas por causa da maquiagem e da iluminação; mas, de perto, ela percebeu que a beleza era de verdade.

— Ei! — Carrie beliscou de leve o ombro de Sam, segurando a bolsa de viagem da amiga.

— Ah, meu Deus, Carrie... Sinto muito! Eu me perdi de você.

— Não seja boba. Isso é louco, hein? Onde ele está? — Carrie pôs a bolsa aos pés de Sam.

— Bem ali.

— Céus! Olhe pra ele. De jeans! — E Carrie gritou: — Dennis!

Ele se virou, pôs o copo na mesa e caminhou na direção dela com os braços abertos.

Carrie balançou a cabeça e cobriu o rosto, mas continuou a caminhar na direção de Dennis, para os braços dele, deixando-o segurá-la primeiro e depois o segurando, com o rosto encostado na camisa branca limpa dele. Dennis a ergueu e ela riu, reclinou-se e passou os braços em torno do pescoço dele.

Sam a tudo observava, aborrecida. Era como devia ter sido para eles na sala do tribunal. Dennis estava falando ao ouvido de Carrie, com o rosto encostado no dela. Alguns suspiraram. Esvaziando o copo, Sam sorriu, com os lábios cerrados. Em sua opinião eles pareciam totalmente ligados, de uma maneira que ela queria sentir. Era quase como uma traição.

Enfim, eles se desgrudaram. Dennis beijou o topo da cabeça de Carrie e ela arrumou o cabelo no que Sam assumiu, ainda expressando aborrecimento, como um gesto de falsa timidez. Eles continuaram a conversar, como se ela não estivesse ali. Sam olhou para a bolsa de viagem e começou a empurrá-la com o pé por sobre o tapete, em direção à mesa. Quando ficou escondida atrás da toalha de mesa branca, Sam começou a caminhar até eles, tornando a encher o copo de vinho quando uma garrafa passou por ela. Foi necessária alguma concentração para caminhar numa linha reta, mas Sam sentia-se confiante na clareza de seus pensamentos, na certeza de suas emoções. Ela parou perto deles e esperou que alguém a notasse e a convidasse para participar da conversa.

— Que viagem, Den. Não posso... Olhe para você! Ah, meu Deus... — Carrie o tocava a todo instante: um tapinha no braço, outro abraço rápido, um ajuste no colarinho dele depois que ficou torto por causa de outro abraço rápido.

— Obrigado, de verdade.

— Não, não, porque vou me acabar de chorar.

Sam viu os dois se abraçando *de novo* e se aproximou ainda mais.

Carrie, por fim, se virou para a amiga.

— Sam! Você acredita nisso? Ele está ótimo!

— Eu sei. — Sam meneou a cabeça.

— E agora, pessoal? Dennis, você vai levá-la pra um encontro romântico ou o quê?

Sam sorriu e olhou para o marido, mas sua expressão permaneceu séria, preocupada.

— Não tenho dinheiro. Ou melhor, tenho três dólares. Eles devolveram minha carteira. Olhem. — Dennis tirou do bolso a carteira com velcro azul-marinho. Em seu interior havia três dólares e um cartão de biblioteca.

— Você não precisa de dinheiro, cara. — Carrie deu risada. — Essas pessoas vão cuidar disso. Vocês já foram até o quarto?

Eles fizeram que não.

— Aquilo lá em cima é o máximo — Carrie afirmou. — Vejam só, se vocês quiserem começar juntos em outro lugar, podem ficar comigo e Dylan em Los Angeles por um tempo. Você vai ter um monte de convites para programas de TV, Dennis. Então, é algo pra se pensar, quem sabe?

Dennis e Sam fizeram ruídos evasivos e compartilharam um olhar estranho, sem saber o que estariam fazendo na próxima hora, quanto mais nos próximos meses. Então, a mente de Sam começou a vagar de novo sobre o fato de que eles ficariam sozinhos em breve. Ela não ouviu o que Carrie estava dizendo ou o que Dennis respondeu enquanto o observava. Percebia apenas a maneira como a mão dele envolvia o copo, como a outra mão mexia na nuca, como ele gesticulava de um jeito que jamais vira antes.

Outros convidados circulavam e esticavam os pescoços para ver se Dennis estava disponível. Logo ele se viu rodeado por outras pessoas e Sam desviou o olhar de Carrie, explicitamente, bastante irritada.

— Está tudo bem? — Carrie perguntou num tom que denunciava que ela sabia muito bem que não estava.

— Na verdade, não — Sam respondeu, vaga, suspirante.

— Olha, você está agindo como uma babaca comigo. O que está acontecendo?

Foi o que bastou para Sam se sentir mal e pedir desculpas.

— É que... Vocês estavam juntos e Dennis parecia não me querer por perto. Ele não gosta de mim? E se não me quiser mais? Agora ele pode ter quem quiser.

— Pare! Está surtando por nada. Você é como se fosse a primeira namorada de Dennis e é a mulher dele. Isso é algo muito importante. Dennis só ficou em cima de mim porque realmente não pensa nisso. Não é nada, sabe? Faz cinco horas que ele está livre. Dá um tempo pro cara.

Sam sabia que Carrie tinha razão, mas mesmo assim não conseguiu deter os vermes rastejantes. Ela quis fazer uma pergunta a Carrie: "Por que Dennis gostaria de mim? Afinal, eu mesma não gosto de mim." Mas não perguntou.

Então, Sam se dirigiu a Dennis, só para ficar perto do marido. Jackson apresentou diversas pessoas a ele, com Sam os seguindo, em silêncio e morrendo de raiva cada vez que ninguém a apresentava ou a reconhecia. Ela bebeu mais, agarrada ao braço de Dennis, querendo-o para si, mas todos continuavam a abordá-lo. Dennis foi ao banheiro e a deixou de pé no final da mesa do bufê. Sam viu Katy Perry e tentou tirar uma foto discretamente, mas o celular escorregou de sua mão. Sam se agachou para pegá-lo e verificou se ainda funcionava. Havia centenas de mensagens e chamadas perdidas. Ela fechou um olho para tentar ver direito, mas as palavras pareciam balançar.

— O que está fazendo? — Dennis a ajudou a se erguer.

— Tenho tantas mensagens!

— Você bebeu demais.

— Eu sei, eu sei. Isso é tão *estranho*. Você não acha isso estranho? Dennis rolou os olhos.

— Você vai se sentir envergonhada depois. Talvez devesse ir para o quarto.

— Você me acompanha? Nós quase nem conversamos...

— Seria rude se eu fizesse isso.

— Mas eu quero passar um tempo com você!

— Samantha, você deveria mesmo ir pra cama. — Dennis começou a se afastar. — A gente conversa mais tarde.

13

SAM ABRIU A PORTA DO QUARTO E SE DETEVE, PASMA, olhando para tudo o que as pessoas tinham enviado para Dennis. Havia montes de presentes: uma pilha de caixas brancas da Apple com um bilhete que dizia: "Aproveite o resto de sua vida! Johnny Deep"; cestas abarrotadas de produtos de beleza e envoltas em celofanes brilhantes e fitas de folhas metálicas; camisas engomadas e ternos estavam pendurados em capas com zíper; e muitas flores com cartões de lojas de marca com comentários carinhosos.

Sam deslizou os dedos sobre tudo, morrendo de vontade de abrir os envelopes fechados, virando a caixa de um iPad em suas mãos. Em vez disso, porém, deitou-se na cama e abriu o menu do serviço de quarto. Dentro, outra nota: "Escolha o que quiser. É por minha conta — Jackson."

Ela tomou banho e pediu um refrigerante e água mineral. Em seguida, ligou de novo e pediu pizza. Sua mãe havia telefonado. Pela primeira vez na vida, seu Facebook estava repleto de notificações, no caso, de pessoas que a tinham visto no *BuzzFeed*: "Ei! Não posso acreditar. Hahaha, não nos falamos há anos. Vamos pôr o papo em dia. Você voltará logo pra casa?" Sem disposição para lidar com coisa alguma, Sam desligou o celular e o meteu no fundo da bolsa.

O quarto girou um pouco. Então, Sam respirou fundo algumas vezes e colocou um lenço úmido sobre o rosto. Depois de algum tempo, ela se sentou e meio que assistiu a uma sessão dupla de *Real Housewives of New Jersey* na TV, comeu sua pizza e deixou a sobriedade se infiltrar nela até se sentir de novo preocupada com quão insatisfatoriamente tudo estava rolando. Enfim, após chutar a caixa da pizza para a beira da cama, adormeceu, com o lenço úmido sobre o travesseiro ao lado da cabeça. Às duas da manhã, Dennis bateu na porta.

— Não consigo fazer essa coisa funcionar. — Dennis agitava o cartão-chave. — Por que há pizza no chão?

— Desculpe por isso. — Sam tentou ajeitar o cabelo, mas ele parecia emaranhado, como palha ao toque. — Veja quantos presentes!

Dennis sentou-se na cama e tirou os sapatos.

— O travesseiro está molhado.

— Tive dor de cabeça e... Você está bem?

— Cansado. Você fez uma tremenda bagunça aqui.

— Sinto muito mesmo. — Sam chegou mais perto de Dennis, apoiou a cabeça no ombro dele e ele a enlaçou pela nuca.

Dennis suspirou e desligou a TV, e o quarto ficou em silêncio. Deitaram-se juntos. Ela aninhou a cabeça no peito dele esperando ouvir as batidas de seu coração, mas tudo o que escutou foi o gorgolejar e o rosnado do estômago do marido. Sam queria fazer algo, a mão sobre o tórax de Dennis, firme, subindo e descendo conforme a respiração, desejando se sentir perto dele. Para tornar real.

— Desculpe, Samantha, estou cansado. — E Dennis se afastou. — Tudo isso foi demais pra mim. Gostaria de dormir um pouco.

Sam enrubesceu.

— Entendo. — Ela se levantou para ir escovar os dentes.

Quando Sam voltou, encontrou as roupas dele dobradas impecavelmente na cadeira da penteadeira. Depois que ela puxou as cobertas, Dennis rolou em sua direção. Sam viu pelos claros no peito dele.

— Escute, não leve a mal, mas você não acha que só por esta noite talvez pudéssemos ter nossos próprios quartos?

— Mas por quê?! — Sam fechou melhor o roupão de banho e cruzou os braços.

— Não durmo numa boa cama há mais de 20 anos. Na realidade, talvez nunca tenha dormido. E tudo isso está sendo muito rápido, sabe? Eu só...

— Eu posso dormir no sofá. — Tudo o que Sam desejava naquele momento era apagar as luzes para poder chorar baixinho.

— Tem certeza?

— Tudo bem. Sem nenhum problema.

— Bem, se você garante que se sentirá confortável... E poderia diminuir o ar-condicionado quando estiver de pé? Pegue isto. — E Dennis jogou um dos travesseiros pesados, aquele com um pedaço molhado.

No armário, Sam encontrou uma manta de lã e deitou-se no sofá, em posição fetal, com o pescoço curvado. Desejava estar mais perto de Dennis e observar sua forma no escuro, mas pensou em como a cama devia dar uma sensação agradável a seus ossos doloridos e sabia que isso estava certo, mesmo se a machucasse muito.

— Está tão silencioso — ele sussurrou.

— Sim. — O silêncio a acalmou e, finalmente, ela também adormeceu.

A farfalhada a despertou pouco depois das 9 da manhã. No canto, Dennis examinava uma sacola de roupas.

— Bom dia — ele disse, sem fitá-la. — Preciso de algo para usar na academia. Você acha que vendem algo aqui? Eu gostaria muito de malhar.

— Ligue para a recepção. Eles sabem.

— Certo. — Dennis se dirigiu até o telefone. — Você quer café da manhã?

— Será que servem ovos benedict?

— Vou pedir. Você devia tomar banho. Não me parece muito bem. Bom dia, eu posso...

Enquanto Dennis dirigia a atenção ao telefone, Sam pegou o *nécessaire* e a maquiagem e correu para o banheiro. No interior, observou a fechadura. Será que pessoas casadas trancam a porta quando tomam banho? Ela decidiu que não e a deixou destrancada, mas, quando pôs uma perna no chuveiro, mudou de ideia e trancou a porta, devagar para não causar ruído.

Após o banho, Sam se vestiu no banheiro, acanhada com a sensação de só haver a porta entre ela e Dennis.

No quarto, Dennis empilhava os presentes em diferentes categorias: aparelhos eletrônicos na penteadeira, roupas em gavetas e armários, cartões na mesinha de cabeceira. A comida chegou com jornais e café. Eles comeram em silêncio, com o garfo e a faca estranhos nas mãos de Dennis, o atrito estridente dos talheres sobre os pratos. Ao fim da refeição, ele voltou aos cartões, abrindo e lendo cada um antes de recolocá-los nos envelopes sobre a penteadeira.

— Por que não deixa os cartões fora dos envelopes? — Sam perguntou.

— Bagunça — Dennis respondeu. — Olhe, um cheque de 10 mil dólares! — Ele mostrou, rindo.

— Isso é... muito generoso.

— Nem sequer tenho uma conta bancária. — Dennis dobrou o cheque e o guardou em sua pequena carteira azul.

Houve uma batida na porta e um funcionário deixou cair um saco de roupas de ginástica.

— Vejo você em uma hora — Dennis disse, e saiu.

De todas as vezes em que Sam imaginara a primeira noite deles juntos — pernas e braços entrelaçados, sexo meio adormecido e indolente enquanto ele beijava seu ombro e lhe dizia o quanto a amava —, nenhuma delas lhe ocorreu que poderia ser assim. Ela deixou as bandejas de comida do lado de fora da porta e voltou para a cama, com o pescoço dolorido pela noite no sofá. O travesseiro ainda tinha o cheiro de Dennis. Sam enterrou o rosto na fronha e a cheirou. Ela podia esperar, disse a si mesma, ela teria de esperar.

14

DENNIS, DEPOIS DA ACADEMIA, ENTROU NO QUARTO COM o rosto corado e a pele brilhante, mostrando melhor humor. Ele passou a mão no cabelo e um fino borrifo de suor tremulou no ar. Deixou cair sua camiseta encharcada numa sacola marrom vazia e se dirigiu ao banheiro, trancando a porta logo depois que a fechou.

Sam pegou a camiseta e a cheirou. Ainda tinha o cheiro químico de coisa nova, mas o suor não cheira a nada. Então, recolocou a camiseta na sacola, decepcionada. Antes que Dennis voltasse, Sam se posicionou com um livro no que esperava que fosse uma pose graciosa, espontânea, com o vestido erguido um pouco além da conta. Tentou não olhar para Dennis quando ele saiu do banheiro, com uma toalha enrolada na cintura.

As costas dele estavam marcadas com cicatrizes, algumas salientes e de cor branca perolada.

— O que é isso? — ela perguntou, baixando o livro e marcando a página que não estava lendo.

— O que é isso o quê? — Ele vestiu a cueca sob a toalha, como se fosse uma garota na praia.

— As marcas em suas costas. — Ela achou que *cicatrizes* seria uma palavra desagradável.

Dennis olhou por sobre o ombro, como se para se certificar do que ela estava falando.

— Estas são as cicatrizes que meu pai me deu. — Dennis puxou a toalha sobre os ombros para secar o pescoço. — Ele usou um cinto. Só bateu em mim com muita força uma única vez. Em geral, as surras eram bem leves.

Sam imaginou passar as mãos sobre as cicatrizes. Dennis tremeria um pouco, ela o abraçaria e ele saberia que estava seguro. Em vez disso, um silêncio incômodo tomou conta do quarto enquanto ele pegava uma camisa nas sacolas de roupas de grife e se cobria. Por fim, Sam ligou a TV só para quebrar a quietude.

Porém, assim que o aparelho foi ligado, ele semicerrou os olhos, expressando contrariedade. Era como na prisão, ele disse, com essa coisa grasnando no fundo 24 horas por dia, sete dias por semanas, como se as pessoas tivessem medo de ouvir seus próprios pensamentos.

Sam desligou a TV e se voltou para seu laptop, olhando com inveja para o MacBook Air fechado na penteadeira. Seu computador estava gasto e arranhado.

Passou a ler as notícias sobre Dennis e deparou-se com as fotos dos dois na saída do fórum: ele, a luz tomando conta de cada ângulo de seu rosto; ela, cabelo ressecado e com sombras criando formas sobre suas próprias formas, fazendo-a parecer um pufe.

— Dennis?
— Sim?
— Ontem, no tribunal, você viu Lindsay?
— Lindsay? — Ele ergueu o olhar e franziu a testa.
— Sim, no tribunal.
— Não, não vi. Por quê? Ela estava lá?
— Achei que a tinha visto, mas não tive certeza.
— Importaria se ela estivesse lá?
— Não! Só achei que a tivesse reconhecido.
— Se ela estivesse lá, será que não teria se aproximado de mim? Seria meio estranho se ela não fizesse isso.

Sam concordou, embora tivesse quase certeza de que era Lindsay. Resolveu deixar para lá e continuou a ver as fotos dos dois. Sentiu-se idiota por perguntar. Por algum tempo, conseguiu se fixar nos artigos, mas a tentação de rolar para a parte inferior da tela se mostrou muito forte. Logo ela estava chorando.

— O que houve agora? — Dennis quis saber.
— As coisas que as pessoas estão dizendo... — Sam virou o computador para ele. — Veja isto.
— "Uau, Dennis está um tesão! Sem querer ofender, mas ele poderia conseguir algo melhor..." Não é tão ruim assim.
— Sim, é. E esta aqui.
— "Que porra ele está fazendo com ela?! Ele podia matar minha vagina!!" O que significa *matar minha vagina*?
— Significa que elas querem dar pra você e me acham feia demais pra Dennis Danson!
— E isso te incomoda?
— Lógico!
— Talvez você não devesse ler essas coisas então.

Sam enfiou o laptop no fundo da bolsa, junto com o celular, sentindo-se exposta e julgada, exatamente como se sentiu ao ler os posts a seu respeito nos fóruns de discussão depois do casamento. Era como se, no momento em que se casou com Dennis, tivesse concordado em ser examinada sem dó nem piedade e em ser sempre comparada com o homem ao seu lado. Era um acordo segundo o qual ela nunca poderia ser avaliada de modo favorável, independente do que os outros pensassem sobre Dennis. De repente, esse fardo pareceu pesado e ela se perguntou por que achara que seria fácil.

Quando o telefone tocou, Dennis respondeu com o nome completo e disse para a telefonista transferir a ligação, com uma felicidade que Sam desejava que pudesse fazê-lo sentir. Depois de desligar, Dennis disse para Sam se aprontar: eles iriam se encontrar com Jackson e o empresário que ele recomendara no bar do hotel.

Enquanto Dennis se examinava, ela parou atrás dele. Ele tirou os óculos e Sam, pelo espelho, pôde notar manchas douradas e verdes em seus olhos azuis. Ela pensou em beijar a nuca de Dennis, mas desistiu.

No bar vazio do hotel, Jackson os cumprimentou, apresentando-os a um homem chamado Nick Ridgway, que era quase tão alto quanto Dennis, mas mais flácido, com a barriga saliente demais para abotoar o paletó de seu terno.

— Em primeiro lugar, parabéns! — Nick deu um tapinha no braço de Dennis, assim que todos se acomodaram. — Notícia fantástica, fantástica. Muita gente estava torcendo por você. Li a respeito durante todo o dia. Você é um cara muito conhecido neste momento.

— Obrigado. — Dennis sorriu.

— Conheço Jackson há muitos anos e fiquei bastante lisonjeado por ele ter me recomendado para você, porque sei o quanto este homem se preocupa com você e com sua situação. Hoje, só queria bater um papo para ver que tipo de coisas espera de um empresário e o que acho que posso lhe oferecer.

Dennis explicou que não tinha nenhum plano específico, mas que Carrie dissera que algumas pessoas talvez quisessem entrevistá-lo. Nick deu risada, disse que Dennis estava sendo modesto e mostrou uma lista dos que estavam na fila para entrevistá-lo. E leu algumas mensagens deixadas na recepção.

— Todas as chamadas estão sendo filtradas, para que você possa ter sua privacidade garantida enquanto se adapta às coisas. A propósito, como vai isso?

— Gostaria muito de sair hoje em algum momento... — Dennis deu de ombros.

— Você já viu o que está acontecendo lá fora? Há uma multidão de fãs e jornalistas! De qualquer modo, saia, mas tenha uma estratégia. Neste momento, não converse com ninguém. Não dê nada de graça. Eu estava estudando a reação ao seu caso e precisamos aproveitar. Temos de começar a trabalhar na construção de sua marca.

— Minha marca?

Jackson e Nick explicaram como Dennis devia se promover para maximizar seu retorno financeiro nessa situação.

— Num acordo, você conseguirá um milhão ou dois, acho. Se fizer todo o resto direitinho, atender a mídia, escrever um livro, se promover com Samantha, como um casal, acho que poderá conseguir mais de dez milhões com isso. Se esse for o caminho que você quer seguir. — Nick se inclinou para a frente, com a fivela do cinto comprimindo sua barriga.

Dennis garantiu que era e eles discutiram o que ele poderia esperar acontecer nos próximos dias. Nick disse ao casal para posar para fotos se os fãs o parassem, oferecendo-lhes uma citação simples, mas não reveladora: "Estamos muito felizes" ou "Estamos aproveitando esse novo tempo juntos".

Dennis segurou a mão de Sam e ela moveu o polegar em círculos na palma da mão dele, sentindo uma leve e agradável tontura. E parou de escutar a conversa ao redor deles, inerte de prazer. Então, Dennis ficou de pé de repente.

— Configurem o celular. Vocês vão precisar dele! — Jackson lhes disse, despedindo-se.

Ao voltarem para o quarto, abriram o iPhone.

— Como eu ligo este troço? — Dennis perguntou, virando-o nas mãos.

Uma vez ligado, ele pressionou a tela, segurando o dedo durante muito tempo, desajeitado, destacando coisas, fechando páginas. Então, sentindo-se frustrado, entregou o aparelho a Sam. Juntos, eles criaram o primeiro endereço de e-mail dele: dennisdanson1975@icloud.com. Em seguida, Dennis pegou em sua antiga carteira o cartão de biblioteca, as notas de dólares envelhecidas e o cheque e colocou tudo numa carteira de couro preto Dolce & Gabbana. Sam digitou seu número no celular de Dennis e tirou o seu da bolsa. Havia outras chamadas perdidas e e-mails. Alguém de seu trabalho ligara. Sam pediu para Dennis ligar para ela e, assim, teria o número dele na agenda.

— Como é que eu...?

Sorrindo, Sam o orientou. Mostrou para ele a internet, o Twitter, o Google, os blogs, o YouTube e os aplicativos. Gostou de como ele se inclinava para olhar a tela e de como ele a fitava quando ela lhe mostrava algo que o impressionava.

Dennis tuitou pela primeira vez. "Oi", ele escreveu, e oito mil pessoas retuitaram. Sam suspirou. Seu tuíte mais bem-sucedido teve sete curtidas e três retuítes e ele, em sua opinião, fora uma sátira mordaz. Sam e Dennis leram a seu respeito no *Huffington Post* e tiraram uma *selfie*, com Dennis, sem os óculos, e olhando seriamente para a lente. Ela tirou um cílio do rosto dele e tentou beijá-lo. Então, ele disse:

— Você pode me mostrar essa coisa de logueiros?

— Blogueiros!

— Tanto faz. — E se voltou para a tela, com Sam tentando encontrar um blog sobre ele. Não demorou muito para achar alguém que afirmava que Dennis era obnóxio. — Que negócio é esse?

— Vamos lá. — Sam exalou um suspiro. — "Cisgênero" significa que você é um homem que nasceu homem. "Heteronormativo" significa que você é heterossexual. "Privilégio de homem branco" quer dizer que... Por que você está rindo?

— É engraçado. — Dennis pegou o celular de volta e tentou rolar a tela para baixo. — Como eu chego ao fim?

Sam voltou a lhe mostrar como tocar o dedo na tela, que ele não precisava pressionar. De repente, ela teve a impressão de ter passado toda a manhã ensinando-lhe a ignorá-la.

— Caramba! — Dennis disse ao alcançar o fim da postagem do blog. — Esta garota me odeia mesmo!

Sam ficou de pé e esfregou os olhos.

— Antes de nos encontrarmos com Jackson e todos os outros pra entrevista, podemos ir à piscina ou algo assim, Dennis? Acho que preciso de um pouco de ar puro.

15

NA PISCINA, AS PESSOAS RECONHECERAM DENNIS DE IME-diato. A maioria olhava por algum tempo, depois se virava e falava em voz baixa, o que deixava Sam nervosa. Dennis apertou as mãos dos que se aproximaram para lhe dar os parabéns e para posar para algumas fotos. Algumas garotas tiraram suas toalhas de duas espreguiçadeiras e ele despiu a camiseta e a deixou em uma delas. O sol ofuscou Sam e ela protegeu os olhos observando a superfície da água. Dennis se inclinou para sentir com a mão a temperatura do terraço de pedra antes de entrar na piscina.

No filme, Sam pensou, Dennis mergulharia. Em vez disso, ele parecia desajeitado na água, com cada braçada produzindo uma pancada ruidosa na superfície ao se mover de uma extremidade à outra. Diante da lateral, Dennis parou, ofegante, com gotas rolando sobre os contornos dos músculos. Finalmente, ele tirou os óculos e os deixou na beira da piscina antes de mergulhar e emergir na extremidade rasa.

Naquela noite, enquanto eles se preparavam para o jantar e para a gravação de uma entrevista com a equipe, Sam percebeu que a pele clara de Dennis ficara bem vermelha.

— Talvez devêssemos ter usado protetor solar. — Sam passou creme em Dennis, de modo atabalhoado, com as pontas dos dedos, sentindo a tensão nas costas dele.

Quanto tempo fazia que ele não era tocado desse jeito? Ela sentiu um certo poder, que a surpreendeu. Dennis respirou fundo por causa do frio entre os ombros.

— Você não está mais acostumado com o sol — ela afirmou.

— Acha mesmo?

Os dois saíram para o jantar, com a pele de Dennis ainda besuntada de creme. Seu humor estava sombrio e ele silvou de dor quando Sam esbarrou em seu braço ao apertar o botão para chamar o elevador. Porém, quando Carrie, Jackson e Patrick os saudaram no saguão, ele se mostrou muito alegre.

— Vejam, minha primeira queimadura de sol em 20 anos! — E ele arregaçou a manga da camisa.

O trio fez cara de dor em solidariedade.

Havia sido reservada uma mesa em um dos restaurantes do hotel, num salão iluminado por uma luz azul reconfortante e com um pianista no canto mais afastado. Embora os demais estivessem dividindo uma garrafa de vinho, Dennis só quis água com gás. Quando Sam apanhou o menu de vinhos, sentiu que Dennis a observava. Então, ela decidiu ficar na Diet Coke.

— Está se divertindo, Dennis?

— Eu gostaria de sair um pouco, Patrick. Por perto. Não sei.

— Deve ser bem opressivo — Carrie afirmou, e todos concordaram por meio de murmúrios.

— Ficamos navegando na internet — Dennis disse.

Carrie riu.

— Você vai ter de ser mais específico, Dennis.

— Aquilo que os outros estão dizendo. Você sabe... Comentários.

— Cara, não leia os comentários.

— Por que, Patrick? — Dennis quis saber.

— Preciso admitir, eu tenho olhado. — Carrie tirou o celular e o acessou, ao mesmo tempo levando o risoto até a boca. — Você viram o Twitter? A maioria deles é favorável, mas... — Então, leu em voz alta: — "Onde estão os cineastas brancos que livram os homens negros do corredor da morte? #justiçabranca."

Houve uma risada constrangida.

— Essa merda agora está nos assuntos do momento. — Carrie suspirou. — Perdi uma hora de minha vida com isso, mais cedo. Quero dizer, acho que eles têm razão, mas o que podemos fazer?

Dennis baixou o garfo, com o sangue de seu bife molhando o brócolis.

— Pois é. É como se fosse uma coisa ruim ser um homem branco agora.

Houve uma pausa, uma troca de olhares, e a mesa irrompeu em gargalhadas. Inicialmente, Sam ficou paralisada, num constrangimento terrível, mas por fim o comentário também a sensibilizou e ela começou a rir.

— Ah, meu Deus, você parece meu avô falando. — Carrie se debruçou e segurou o pulso de Dennis. — Mas sério agora: nunca diga isso em público, tá bom?

Dennis assentiu, confuso, com um novo rubor no rosto, além da queimadura do sol.

De volta ao quarto do casal, a equipe montou a câmera e a iluminação, posicionando as cadeiras diante das cortinas fechadas. Carrie passou um pouco da maquiagem de Sam no rosto de Dennis e inclinou a luz para tentar fazê-lo parecer menos rosado. Ela e Patrick decidiram entrevistar Sam e Dennis ao mesmo tempo primeiro.

— Como é ficar juntos tão de repente? — Carrie perguntou.

— Surreal. — Sam segurava a mão de Dennis, com o braço da cadeira apoiando seu cotovelo.

Dennis assentiu.

— Sim, surreal.

— É como... ter de conhecer um ao outro de novo.

— Sim, sem dúvida! — Dennis apertou a mão de Sam.

— Não me dei conta de quanto ele perdeu estando na prisão. Passamos muito tempo hoje só acessando a internet e Dennis aprendeu a usar o computador e o celular com tela sensível ao toque.

— Eu nem sequer tinha um endereço de e-mail.

— A gente só percebe o quanto as coisas mudaram quando tem de explicar tudo.

— Vai demorar muito tempo pra eu me acostumar. Mas Samantha é tão incrível. Ela tem bastante paciência. Tenho muita sorte.

Quando eles estavam sendo observados, realmente existiam, Sam pensou. Eram o casal que ela queria ser. Dennis se mostrava frágil e ela cuidava dele. Sam se perguntava se eles tinham sido sempre assim e ela estivera fechada demais em si mesma para perceber.

Em seguida, foi a vez de Dennis ser entrevistado sozinho. A equipe tirou a cadeira vazia para Dennis ficar no centro do enquadramento. Carrie sorriu, calorosa, antes de começar a entrevista.

— Como você se sente sendo um homem livre?

— Ah, é... impressionante. Estou impressionado com tudo.

— Você pode nos dizer como vai sua adaptação?

— Certo. A adaptação é difícil. Fiquei algumas noites sem dormir porque fui transferido do corredor da morte muito de repente, embora soubesse que havia uma chance de ser solto. Dormi no mesmo lugar durante 21 anos e estava acostumado com o barulho dali. Então, de uma hora pra outra me vejo aqui, numa cama diferente. Estava tão silencioso neste quarto de hotel ontem à noite que levou horas pra eu consegui adormecer. Estou acostumado com o barulho. A cama era tão confortável que minha mente não parava de pensar nisso, mesmo depois de ter participado de uma festa na qual eu fiquei até tarde. Mas então dormi até as 9 da manhã, que é algo que eu não fazia havia décadas. Acho que poderia dizer que estou um pouco desorientado. Por um lado, quero sair para qualquer lugar, um shopping ou algo assim. Por outro, não consigo imaginar o que faria quando chegasse ali. Eu recebi de presente alguns cheques, mas não posso depositá-los, pois não tenho conta bancária. Não posso dirigir, pois nunca tirei minha habilitação. Há muitos presentes neste quarto, tudo o que preciso, mas não sei como usar a maioria.

Carrie perguntou a Dennis o que ele mais perdeu estando na prisão. Falaram sobre comida, roupas e os presentes que ele ganhou. Então, Carrie ficou séria.

— Você sente alguma raiva ou até mesmo ódio de Wayne Nestor?

— Ele é o cara que matou a menina?

— Sim, ele matou Holly Michaels.

— Na verdade, não.

— Por quê?

— A raiva não é uma coisa produtiva.

— Você acha bom que o verdadeiro assassino dela seja enfim levado à justiça?

— Sim.

— Você pode dizer isso?

— Dizer o quê?

— Que é bom que o assassino dela seja finalmente levado à justiça. Para a câmera.

— Ah, sim. Sem dúvida. É bom que o verdadeiro assassino seja finalmente levado à justiça.

— Quais são os seus planos? Acredita que vai transformar seu longo encarceramento em algo positivo?

— Meu empresário disse que poderemos aproveitar isso.

— Não, quero dizer... Você vai participar de campanhas, trabalhar com algum grupo?

— Para o quê?

— Uma reforma do sistema judicial, abolindo a pena de morte.

— Ah... Não. Quero dizer, não há nada de errado com a pena de morte, uma vez que o sentenciando tenha feito por merecer.

Carrie agitou a mão.

— Corta, corta! Dennis, não sei se você está falando sério.

— Sim, estou falando sério. — Ele franziu a testa.

— Depois de tudo o que você passou, acha mesmo que a pena de morte é uma coisa boa?

— Não é uma coisa *boa*... — Dennis ponderou por um momento. — É necessária, não é? Não estou dizendo que é uma coisa boa.

— Ah, Dennis... — Carrie murmurou, suspirando. — O que vamos fazer como você?

16

NO DIA SEGUINTE, A EQUIPE PARTIU CEDO. FINALMENTE, Sam e Dennis teriam de aprender o que era viver juntos por conta própria. Os dois preencheram formulários para abrir uma conta no banco para Dennis. Tudo era mais complicado por causa dos anos perdidos da vida dele: Dennis não tinha endereços prévios, nenhum endereço atual, nenhuma história. Eles depositaram os cheques que ele ganhara e estavam desesperados para sair, mas não sabiam aonde ir, nem o que fazer. Assim, Sam reservou um carro para levá-los ao Florida Mall, onde perambularam de mãos dadas. Dennis posava para fotos quando as pessoas pediam. Outras se viravam e os fotografavam quando passavam, com os braços estendidos. Dennis pareceu confuso até que Sam explicou que elas estavam tirando *selfies*.

As revistas os entrevistaram como um casal e Sam guardou cópias de todos os artigos em sua mala para não amassarem. Dennis assinou um contrato com um editor para a publicação de dois livros e recebeu um adiantamento de seis dígitos. Um dos livros seria uma autobiografia e o outro, uma compilação de seus textos escritos na prisão, incluindo as cartas entre Sam e ele. Ela concordou, mas se encolheu de medo com a ideia de as pessoas lerem suas cartas. Os leitores a imaginariam tímida e abatida, sozinha em sua casa escura, escancarando seu coração para um completo estranho, Sam pensou em desespero.

Sam buscava seu nome no Google o tempo todo e consultava as seções de comentários. Alguns questionavam o motivo pelo qual um homem como Dennis amava uma mulher igual a ela. Usavam palavras como gorda, feia, simplória, tiete. Outros perguntavam por que uma mulher normal iria querer um homem como Dennis. Diziam que ela tinha o que merecia.

Doía. Cada comentário pulverizava outra camada sua até que ela ficava em carne viva.

Mas quando Sam chorava, Dennis a amparava. Além disso, quando eles saíam, ele entrelaçava os dedos nos dela e a beijava, com os lábios frios da água gelada que ele tomava constantemente. Dennis não dizia, mas ela sabia que ele queria mostrar aos outros que a amava. E ela acreditava que era tudo o que ela precisava, que isso compensaria todo o resto.

Nick agendou a participação de Dennis nos mais famosos programas de entrevistas noturnos da TV americana e pediu que o casal se preparasse para passar a temporada de Natal em Nova York. Também havia conversas a respeito de outro filme, baseado no livro de Eileen Turner, *Quando o rio fica vermelho*.

— Jared Leto vai representar seu personagem — Nick contou para Dennis.

— Quem? — Dennis perguntou.

Então, Sam mostrou-lhe uma foto de Leto em seu celular.

— Ele não se parece nada comigo.

— Vão tingir o cabelo dele. Leto vai encarnar totalmente o papel, usando o Método. Por isso, ele quer passar algum tempo com você, observá-lo, aprender o que te caracteriza.

— Método?

Sam explicou que era uma técnica de interpretação desenvolvida pelo Actors Studio de Nova York.

— De jeito nenhum — Dennis afirmou. — Sério? Não.

Certo entardecer, ele parou diante da vitrine de uma joalheria e disse para Sam escolher um anel, qualquer um.

— Nunca pude comprar um pra você. — A mão dele estava na parte inferior das costas dela.

Às vezes, Sam se sentia tonta com a felicidade que Dennis lhe proporcionava. Em outros momentos ele ficava com um humor difícil, sombrio, que tomava conta dele de repente, deixando-o calado e inacessível.

Ele e Sam ficavam juntos quase todo o tempo, exceto quando Dennis ia para a academia ou nas raras ocasiões em que um deles saía para andar ou nadar sozinho. O quarto do hotel ficava cada vez mais desordenado, com toda a vida deles empacotada em um único espaço. Os dois brigavam e se criticavam e, depois, passavam horas em silêncio, deitados, vagamente entrelaçados, sem saber o que deviam fazer ou como deviam se sentir.

Toda noite, Dennis dormia na cama, e Sam, no sofá. Ela, acordada, se perguntava por que ele não queria fazer amor, se havia algo errado com ela ou se era outra coisa.

Nenhum dos dois tinha roupas adequadas para o inverno em Nova York. Assim, compraram mais itens, gastando dinheiro a rodo. Provaram casacos grossos de inverno, forrados com penas de ganso.

— Nunca comprei um casaco de inverno antes. — Dennis enfiava as mãos nos bolsos fundos.

Levaram tudo para o balcão sem olhar os preços nas etiquetas. Ele entregou um MasterCard e continuou falando:

— Você acha que vai nevar?

— Talvez. — Sam pensava em luzes de Natal, luvas nas mãos e chocolate quente. Ansiava pela sensação de ar gélido, com o exterior mais frio que o interior, com a respiração se enevoando diante de seu rosto.

No quarto do hotel, empilharam as novas roupas sobre as antigas. Sam sabia que teria de ligar de volta para sua mãe, para explicar que não voltaria para casa no Natal, e se desculpar por não ter ligado por semanas. Mas muita coisa tinha acontecido, e muito rápido. Ela ignorou os telefonemas do trabalho e não respondeu ao e-mail que enviaram para lhe dizer que ela não precisava se preocupar em voltar.

Sam não queria falar com ninguém de casa porque sabia exatamente o que diriam. Agora, porém, não dava mais para adiar. Assim, desculpou-se e fez a ligação na varanda, fechando a porta corrediça de vidro atrás de si.

— Sam? — a mãe respondeu imediatamente.

— Sou eu.

— Por que não me ligou de volta? Fiquei muito preocupada.

— Estou bem. Ainda na Flórida.

— Eu sei. Vi as fotos. Você apareceu em todos os jornais. Nosso telefone não parou de tocar.

— Então, por que você disse que ficou preocupada?

— Porque não sei como você está ou se você está bem com ele.

— Estamos felizes. — Sam se debruçou no parapeito branco da varanda e avistou um lagarto se mexendo no terraço abaixo.

— Não consigo entender.

— Eu amo Dennis, mãe.

— Ele me assusta.

— Por quê?

— Não é possível que uma pessoa passe décadas na prisão e seja normal. Não dá.

— Mas ele é normal. — Sam voltou para a sombra. — É carinhoso, amável e tímido.

— Mas é um assassino.

— Ele não é um assassino, mãe. Esse é o ponto. Dennis foi inocentado. — Sam ouviu a mãe suspirar.

— Eu sei que acabou muito mal com Mark, mas...

— Não.

— ... não significa que você não mereça alguém que...

— Mãe, por favor! — Sam gritou.

— Você não falou a sério, querida. Sabemos que não falou. Se você voltar pra casa, encontraremos ajuda pra você.

Sam se manteve de costas para as portas do terraço. Assim, Dennis não podia ver o quanto ela estava perturbada. Não estava pronta ainda para contar ao marido sobre Mark, mas sabia que teria de fazer isso algum dia. E se Mark vendesse uma história? Isso seria possível agora, não? Ou se outra pessoa fizesse isso, um de seus amigos, talvez? Ou mesmo sua mãe, que ligou para ela do hospital usando o telefone de Mark, para lhe dizer que ele se recusava a prestar queixa contra ela, mas que Sam jamais deveria voltar a contatá-lo. Um instante, um deslize, foi tudo. A culpa não foi dela, mas dos joguinhos. Mark jogara com ela. Como quando disse que a amava, mas sem querer dizer isso. E então, ela apenas... resolveu o assunto.

Eles apareceram enquanto ela estava no trabalho. Retiraram todas as coisas de Mark e deixaram a chave na caixa de correio. Sam quis que ele voltasse e destruísse sua casa, cortasse seus vestidos, quebrasse uma janela, qualquer coisa para mostrar que estava com raiva ou transtornado. Qualquer coisa. Mas, no fim, tudo o que ele sentia quando pensava nela era medo.

Mark sempre lhe disse, desde o início, que a relação deles era *sem compromisso*. Foi culpa dela quando ele a magoou. Ela entendia isso agora.

Sam conhecia as regras e as ignorou, pressionou-o demais. Dessa vez era diferente, afirmou para si mesma. Dennis era todo dela. Tinham casado. Ele estava comprometido de modo inquestionável. Ela não perderia a cabeça novamente, nem mesmo por um segundo, mesmo que tivesse de dobrar as cobertas da cama e arrumá-las no lugar correto todos os dias antes de o pessoal da limpeza chegar, para garantir que ninguém soubesse que eles não estavam dormindo na mesma cama.

Dennis precisava de tempo, Samantha sabia disso. Tempo e espaço após o confinamento dos últimos 20 anos. Ele era tão bonito que Sam às vezes esquecia que ela não era. Quando Dennis a segurava e os dedos dele dançavam logo abaixo da gola em V de sua camiseta, ela prendia a respiração e esperava por mais. Porém, quando Dennis recolhia os dedos e lhe dava as costas, Sam precisava entender. Ele não estava pronto. Apenas isso.

17

SAM E DENNIS PARTIRAM PARA NOVA YORK ALGUNS DIAS depois. O voo deixou Dennis nervoso. Seus ouvidos doeram na aterrissagem e ele ficou temporariamente surdo, separado do mundo por um manto de algodão. "O quê? O quê?", ele ficava perguntando para Sam ao passarem pela segurança do aeroporto, sorrindo de forma agradável para todas as coisas que não conseguia entender da equipe e dos transeuntes, fazendo que sim com a cabeça.

Um carro os levou para o hotel, onde um porteiro os recebeu com um guarda-chuva para protegê-los da garoa gelada. Suas malas foram colocadas num carrinho e Sam e Dennis pegaram o elevador para o 40° andar.

O quarto era todo vermelho e dourado e, no centro, havia uma imensa cama com dossel com ornamentos de mogno entalhados. Na sala de estar, as janelas do chão ao teto permitiam a visão do trânsito congestionado, com a luz iluminando as gotas que escorriam pelo vidro.

Sam pegou o braço de Dennis e o colocou ao redor dela.

— Adoro este lugar.

— Está frio. — Ele se afastou.

— Você é ranzinza. — Ela sorriu.

— Ranzinza, Samantha? Caramba...

— Quando você diz "Samantha" sinto que estou em apuros.

— Talvez esteja.

Sam experimentou uma nova pontada de desejo. Talvez fosse uma jogada, ela pensou. Quem sabe aquele fosse o lugar onde aconteceria...

Mas então ele começou a desfazer as malas e pendurar as camisas no guarda-roupa. Sam deixou suas roupas em sua mala e a colocou sob a cama para que ele não reclamasse.

Dennis pegou seu laptop e o colocou na mesa da sala de estar. Tensa, Samantha se lembrou da digitação furiosa dele com um único dedo. Durante horas, toc-toc-toc, com o quarto do hotel em silêncio, sem televisão, para que ele pudesse se concentrar. Dennis não a deixava ler sua autobiografia e movia o corpo para proteger a tela quando ela passava. Sempre que ele saía, ela precisava resistir ao desejo de espiar, para ver a única coisa que o marido mantinha escondido dela. Quão ruim poderia ser? Nem só de trabalho vive o homem, Sam disse a si mesma.

A sala era ocupada por duas poltronas, uma mesa de jantar e uma espreguiçadeira. Sam pegou um travesseiro e deitou-se na espreguiçadeira, mas as pernas ficaram para fora. Assim, ela teve de se contorcer para caber por inteiro.

— Eu não caibo aqui, Dennis. — Sam se ajeitou de novo para demonstrar.

Ele percorreu a sala com o olhar, com sua expressão ficando sombria quando viu que não havia mais nada.

— O que devo fazer? — Sam procurava soar leve, não esperançosa, apenas cordata, disposta a chegar a um acordo.

— Acho que já tive muitas boas noites de sono — ele disse.

— Sério?! — Sam exclamou, com o coração disparado.

— Onde mais você iria dormir?

Sam se aproximou de Dennis e o beijou. Deixou que ele a erguesse e a deixasse cair sobre a cama. Ela o pôs sobre si, prendendo-o ali, para poder beijá-lo de novo. Sam enlaçou as pernas em torno dos quadris de Dennis e fez pressão contra ele, com a língua dele quente em sua boca. Ela deixou escapar um ruído, um gemido que não esperava. Dennis parou.

— Você está bem?

— Sim. — Sam tentou puxá-lo de volta.

— Fiz alguma coisa?

— Não.

— Tem certeza.

— Sim.

Dennis começou a se afastar. Sam se sentou, agarrou a camisa dele, mas Dennis se levantou e retesou os músculos.

— É melhor eu terminar isso. — Ele apontou para as roupas tiradas da mala.

Sam deitou-se, sentindo o coração aos pulos.

O celular de Dennis tocou na mesinha de cabeceira.

— Você pode ver quem é?

— Diz que o número é desconhecido. — Sam segurava o aparelho.

— O que isso significa?

— É um número privado.

Dennis pegou o celular e observou até que o toque parou. Então, devolveu o aparelho para Sam, dando de ombros, num gesto de indiferença. Quando ele dobrou outra camiseta para guardá-la no armário, o celular tocou de novo.

— Atenda, por favor, Sam.

— Alô?

— Quem fala? — um homem perguntou.

— Samantha. Quem é?

— Dennis está? — o homem perguntou de forma rude, quase furiosa.

— Quem quer falar?

— Diga-lhe que é um velho amigo. Ele vai saber do que se trata.

— Um velho amigo. — E Sam entregou o aparelho para Dennis, que olhou para a tela por um instante antes de atender.

— Alô? — Dennis disse e desapareceu no banheiro.

Sam esperou um pouco antes de se aproximar com cuidado da porta e encostar o ouvido nela. Não conseguiu escutar nada. Então, voltou a se sentar na cama, decepcionada e cheia de curiosidade.

Dennis reapareceu minutos depois, limpando a tela do celular com a camisa e procurando o carregador na mala.

— Bem... Quem era?

— Ninguém. — Dennis ligou o carregador na tomada e a tela do celular se iluminou. — Um cara que eu conhecia. Como ele conseguiu meu número?

— Não sei. Como você o conheceu?

— Na escola — Dennis respondeu. — Você deu meu número pra alguém?

— Claro que não. Por que eu faria isso?

— Não sei como ele conseguiu. Só isso.

— Acha que tem alguém te perseguindo?

— Não se preocupe com isso. — Dennis bufou. — É estranho, só isso.

— Você quer ir a algum lugar? Podemos sair pra comer ou dar um passeio.

— Acho que vou pra academia.

— Ah, tudo bem... — Sam o viu se desvestir, dobrar as roupas usadas e colocá-las numa pilha perfeita na mala vazia e vestir uma camiseta cinza.

Quando Dennis estava prestes a sair, ele voltou para trás e tirou o celular da tomada.

— Música. — E ele saiu.

Sam avistou os fones de ouvido dele ainda enrolados sobre a penteadeira.

18

NO DIA SEGUINTE, DENNIS FOI A UMA CONSULTA COM UM oftalmologista. O longo tempo de prisão no corredor da morte acabou por prejudicar seus olhos. 21 anos sem olhar para nada mais do que uma parede situada poucos metros à frente fizeram sua visão se deteriorar, e a falta de luz do sol o deixou muito sensível à claridade.

O médico prescreveu exercícios para os olhos e novas lentes, na expectativa de recuperar parte da visão perdida. Todos os dias, Sam se sentava com Dennis, com toda a paciência, movendo um lápis lentamente na direção dos olhos dele e o afastando, escutando-o respirar, sentindo o espaço entre as respirações.

Dennis ia sem óculos aonde podia. Observava o Central Park com o rosto enrugado de dor, até precisar recolocá-los. Ele gostou de uma nova armação de grife que suavizou suas feições. O funcionário da óptica se esforçou bastante para garantir que a armação assentasse com perfeição no alto do nariz de Dennis.

Dennis ficou sabendo que receberia a indenização máxima por sua condenação injusta — dois milhões de dólares —, mas seus advogados prometeram mover uma ação por um valor maior. Haveria uma indenização extra por custos legais, mas como a maior parte do dinheiro para suas apelações veio de apoiadores, Nick sugeriu que Dennis fizesse uma doação para o Innocence Project.

— Sim, você decide. Não sei o que mais faríamos com isso — Dennis respondeu.

Certo dia, Sam parou na recepção do hotel e perguntou se poderiam conseguir uma árvore de Natal.

— É o primeiro desde que ele... voltou, sabe? Seria perfeito torná-lo especial.

— Sem problema. — E o recepcionista fez uma reserva para eles jantarem no restaurante na noite seguinte, para que a árvore pudesse ser decorada em sua ausência.

Quando o casal voltou para o quarto, a árvore brilhava no canto, com duas meias pairando debaixo da televisão. Dennis sorriu contra sua vontade.

— Venha. — Sam o puxou pela camiseta. — É fofo.

— É *muito* fofo. — Ele beijou-lhe o alto da cabeça.

Carrie e Dylan, sua namorada, apareceram para visitá-los no ano-novo. Eles voltaram para o quarto do hotel para beber drinques após o jantar, já mais relaxados por conta do vinho tinto e da comida saborosa.

Dylan usava o cabelo curto e tinha um gosto relativo a vestimenta mais apurado e sério do que Carrie. Elas eram diferentes de muitas maneiras — Carrie, mais artística; Dylan, mais acadêmica; Carrie, mais impetuosa e irreverente; Dylan, mais reflexiva e séria —, mas trabalhavam juntas de um jeito que Sam e Dennis não eram capazes. Sam notou como as duas se moviam, com pernas e braços como água passando por cima uma da outra, enquanto ela e Denis muitas vezes se deparavam com beijos no momento errado e cotovelos desajeitados.

— É bem legal aqui — Carrie afirmou. — Eu poderia me acostumar a visitá-los em lugares assim. *Muito* melhor do que Altoona, certo, Sam?

— Tem sido incrível. — Sam tomou a mão de Dennis.

— Vocês pretendem se mudar de vez pra Nova York?

— Não, Carrie — Dennis afirmou. — Faz muito frio aqui.

Sam nada comentou. Ela adorou Nova York e não queria ir embora. Dennis costumava ficar trancado no quarto do hotel. No máximo, caminhava apenas até o táxi parado no meio-fio, enquanto o porteiro mantinha a porta aberta para eles. Sam, por sua vez, fazia longas caminhadas, fechava os olhos e sentia o cheiro do ar, sentava-se ao lado das janelas dos cafés e observava as pessoas passarem apressadas.

Ela voltara a fumar, em segredo, abraçando-se contra o frio. Passava um pouco de perfume antes de voltar para o quarto. Sabia que Dennis odiava cigarro. Ele sempre reclamava do cheiro ou tossia de forma exagerada quando encontravam um grupo de fumantes na rua. Porém, mais do que isso, Sam queria ter seus segredos. Assim como ele tinha os dele.

— Um velho amigo... — ela sussurrava, as palavras escapando de sua boca com a fumaça do cigarro, que ondulara no ar.

Mais tarde, Carrie ficou a sós com Sam, observando a vista da cidade pela janela do quarto.

— Então, como vai a lua de mel?

— Ah, você sabe... — Sam ruborizou.

Carrie riu, embriagada, feliz.

— Talvez seja melhor vocês continuarem morando em hotéis, por enquanto. Imagino que vocês ainda tenham muito o que resolver.

Sam pensou nas noites em que ela e Dennis passavam de costas um para o outro, com os cóccix pressionados, receando ser acordada por um cutucão do cotovelo dele em suas costelas.

— Você voltou a falar enquanto dorme — ele resmungava.

— O que eu estava dizendo? — Sam perguntava, suando frio por causa dos sonhos com Dennis pressionando-a contra paredes e curvando-a sobre mesas.

— O que importa? — Bocejando, ele lhe dava as costas, enrolando-se nas cobertas.

— Estamos querendo sossegar em breve — Dennis comentou com Carrie e Dylan. — Cansamos de viver em hotéis.

— Venham pra Los Angeles — Dylan sugeriu.

— Você vai gostar muito de Los Angeles, Dennis. Tem tudo a ver com você.

— Bem, nós iremos, para a estreia da série — Dennis afirmou. — Talvez fiquemos por um tempo.

Apreensiva, Sam sentiu o estômago remexer. Dennis sabia que ela não queria ficar em Los Angeles. Sam precisava voltar para a Inglaterra por um tempo, deixar sua casa pronta para venda. Não estava disposta a voltar no verão. Ela gostava dos dias de inverno, pouco claros, com o céu cinzento e as luzes alaranjadas das janelas.

Depois que Dylan e Carrie partiram, no dia seguinte, Sam e Dennis tiveram uma grande discussão. Ele saiu para correr às 11 da noite e só voltou à uma da manhã. Estava morrendo de frio quando entrou debaixo das cobertas. A pele de Sam se arrepiou toda com as mãos geladas dele.

— Desculpe — Dennis murmurou, moldando-se às costas de Sam.

— Também peço desculpa. Tudo bem se ficarmos em Los Angeles por um tempo. Eu estava sendo egoísta.

Dennis agradeceu e beijou a nuca de Sam. Ela tiritou quando ele a segurou. O frio que ele trouxe consigo parecia drenar o calor do quarto.

19

NAS DUAS SEMANAS SEGUINTES, DENNIS APARECEU EM diversos programas de entrevistas, dando respostas ensaiadas às mesmas perguntas que todos os apresentadores pareciam fazer: "Como tem sido desde que você saiu da prisão?" "Você é capaz de perdoar a polícia de Red River pelo que lhe aconteceu?" "Você vai ajudar outras pessoas que estão presas injustamente?"

Dennis fez sessões com uma especialista em mídia para falar e se comunicar em público. As opiniões polêmicas — tais como sua posição indiferente em relação à pena de morte — precisavam ser abrandadas ou evitadas totalmente. A instrutora o ajudou a formular respostas que não ofendiam nem dividiam as pessoas e que enfocavam o perdão, o entendimento e o seguir em frente. Ela o treinou na maneira de dividir a atenção entre o apresentador do programa e o público, de se esquivar de uma questão inoportuna e de maximizar o impacto de suas respostas com pausas convenientes e contato visual sincero.

Uma nutricionista trouxe-lhe *smoothies* de cor indefinida e barras de proteína que, para Sam, eram algo a ser oferecido para pássaros. Em vez de café, ele tomou goles de caldo quente, que tinham o cheiro do extrato de carne que a avó de Sam costumava usar nas noites de inverno. Dennis continuou tentando levá-la para comer coisas estranhas, como açaí na tigela e suplementos de equinácea, mas ela impôs um limite depois que Dennis lhe ofereceu água de coco e ela achou que tinha gosto de esperma, embora não pudesse dizer isso para ele.

Pessoas diziam a Dennis o que vestir, como posar para fotos, onde ele precisava estar e a que horas. Havia alguém para levá-lo e, ao chegar, havia alguém para conduzi-lo a um camarim onde outro alguém arrumaria seu cabelo e maquiaria sua testa para que não brilhasse sob a iluminação do estúdio.

— Você está pronto — Nick disse a Dennis durante o almoço, num domingo.

— Não sei... TV ao vivo?

— Qual é a diferença entre TV ao vivo e ser entrevistado na frente da plateia no estúdio de gravação? Você se saiu muito bem no *Colbert*. Gostaram muito de você. Confie em mim, você está pronto.

Na manhã de quarta-feira, Dennis e Sam chegaram ao estúdio do *Today's Talk* pouco antes das 11 horas, horário do início do programa. A entrevista de Dennis só estava programada para o meio-dia. Assim, enquanto aguardavam, ele e Sam puderam notar uma energia distinta em relação aos programas de entrevista noturnos e às entrevistas gravadas a que estavam acostumados. A pressão de um programa ao vivo criava uma atmosfera cheia de excitação e apreensão. Nick telefonou para desejar boa sorte a Dennis.

— Desculpe, mas não conseguirei chegar a tempo — Nick lhe disse. — Você se sairá bem. Relaxe e se divirta.

Em seguida, Dennis foi levado para a maquiagem e Sam ficou sozinha.

Ela se serviu de um lanche oferecido pela produção e conversou um pouco com um finalista do programa *America's Got Talent*. Então, Dennis saiu da sala de maquiagem e ela o acompanhou até a entrada do palco e segurou sua mão, que tremia um pouco devido ao nervosismo. Sam o beijou no momento em que o sinal aceso acima da entrada mudou para verde quando o programa foi cortado para o comercial.

— Boa sorte. — E ela soltou a mão de Dennis.

Ele lhe ofereceu um sorriso tímido enquanto um homem com um fone de ouvido o encaminhou para o palco. O cenário era uma sala de estar, toda em tons pastel, com uma janela falsa com um dia de céu permanentemente azul pintado atrás dela. O estúdio era cortado ao meio, defrontando um espaço negro onde as câmeras e a equipe técnica se movimentavam. Sam pensou em Ed e seu buraco, na maneira como sua casa pendia sobre o abismo.

Outro membro da equipe a levou a um camarim onde ela poderia assistir ao programa. Havia mais gente ali, como a irmã de uma mulher com um tipo raro de câncer e um homem cujo amigo foi convidado a falar do discurso de seu padrinho, que viralizou. Todos sorriram para Sam quando ela entrou. Um anúncio de xampu para bebê passava na TV. O bebedouro borbulhou quando Sam encheu um copo de plástico com água.

Então, o programa recomeçou e Sam sentiu o mesmo frio na barriga que sentia toda vez que via Dennis na tela. Ele estava sentado tenso no sofá, com as mãos apoiadas nos joelhos. Sam queria que ele se lembrasse do que a instrutora lhe dissera a respeito de postura, de ombros relaxados e receptividade.

No sofá, além de Dennis, havia um entrevistador e duas entrevistadoras: um homem de terno com cabelo preto tingido, uma mulher de vestido amarelo e maquiagem carregada e uma celebridade que abriu um largo sorriso quando Dennis foi apresentado com um breve resumo do seu caso e da nova série da Netflix.

— Em primeiro lugar, você ficou na prisão por mais de 20 anos. Tinha ideia do que era Netflix? — a mulher de vestido amarelo perguntou.

Dennis sorriu, mas o sorriso desapareceu logo que ele começou a falar:

— No início, não. As pessoas me explicaram.

— Você já assistiu a alguma coisa da Netflix? — a celebridade quis saber.

— Ainda não. Não sou muito ligado em TV.

— Para quem não viu o primeiro documentário, você pode ajudar a entender o que houve em seu caso? É uma tremenda história se vocês ainda não viram. — O homem de terno pôs suas anotações numa mesa.

No entanto, antes que Dennis conseguisse responder, os entrevistadores passaram a falar sobre a prova perdida e os falsos testemunhos. Calado, Dennis os observou. Uma câmera deu um close em seu rosto exatamente quando ele levantou os olhos na direção das lentes. Sam deu um pequeno pulo, como se tivesse sido flagrada.

— Então, o que essa nova série acrescenta a sua história? — o homem indagou, virando-se de repente para Dennis, que gaguejou de surpresa, incapaz de formular a resposta que ensaiou tantas vezes.

— Provas. Novas provas. E o que me levou a ser inocentado, é claro.

— Porque ainda ficaram muitas questões em aberto após *Construindo a verdade*. Aqueles que ficaram ligados ao seu caso desde o primeiro filme finalmente conseguirão as respostas?

Dennis pareceu confuso.

— Quero dizer, a família de Holly Michaels enfim poderá ter alguma paz sabendo que o verdadeiro assassino foi condenado.

— Claro. Antes, o pai de Holly foi bastante crítico a respeito da atenção da mídia em torno do caso.

— Deve ter sido difícil. — Dennis meneou a cabeça. — É uma família muito corajosa.

— E as demais famílias? — A mulher de vestido amarelo, que verificava suas fichas, sorriu.

— Como?

— As garotas desaparecidas de Red River — o homem disse. — Continuamos sem saber, após o primeiro filme: quem foi o responsável pelo desaparecimento de todas as outras garotas? Era de se supor que quem matou Holly também tivesse matado as outras meninas, mas essa teoria estava incorreta. Wayne, o assassino de Holly, foi bastante cooperativo em sua confissão do crime, mas, como se tornou público, dois outros assassinatos permanecem sem solução. No entanto, Wayne foi inflexível ao afirmar que não sabia nada sobre as meninas desaparecidas de Red River. Essa nova série tenta revelar onde elas estão?

Houve um longo silêncio. Para Sam, pareceu uma eternidade. Jamais vira silêncio igual na televisão antes.

— Não — Dennis respondeu, por fim.

Todos no sofá pararam de sorrir, mesmo a celebridade, que olhou para suas fichas e franziu a testa, concentrando-se.

— Você não acha...

— A série analisa as falhas do primeiro julgamento e o efeito permanente do primeiro filme. Documenta minha jornada para apelar do veredito e minha soltura final. Trata do assassinato de Holly Michaels e da injustiça que sua família e eu sofremos nas mãos de um grupo corrupto de pessoas.

Sam se sentiu nauseada. Era tudo o que ele devia dizer, mas o tom estava errado, sem a inflexão que Dennis ensaiara. Ela queria estar com ele, queria apertar sua mão e sussurrar em seu ouvido "Fique calmo, neutralize isso".

— Mas sem dúvida ainda é uma pergunta para a qual muita gente quer uma resposta. É algo que ainda o persegue, certo? Esta manhã, diante do prédio da emissora, havia alguns manifestantes. Você é uma figura bastante polêmica! Parece que alguns ainda acreditam que você é culpado.

— Mas não sou. — Dennis projetou o corpo para a frente.

Sam quis contê-lo. Não era o momento de parecer confrontante, como se ele fosse capaz de agredir alguém.

— Eu fui inocentado.

— Essas pessoas acham que você é o responsável pelo desaparecimento das garotas — a mulher interrompeu.

— Elas estão erradas — Dennis disse. — Não estou aqui pra falar disso. Não tenho respostas pra essa gente.

— Claro que não! *É óbvio* que você não tem respostas — o homem afirmou, tentando tornar mais leve a atmosfera que se criava, e as outras entrevistadoras compartilharam um riso tímido, nervoso, que não refletia nada do que estava acontecendo entre eles. — Mas isso deve incomodá-lo, esse ponto de interrogação pairando sobre sua cabeça, independentemente de você ter sido inocentado.

— Sim, sim. — Dennis deu de ombros. — Alguns nunca se convencerão de minha inocência, não importa quantas provas lhes sejam apresentadas.

— O que você gostaria de dizer a quem pensa assim?

Dennis estava desnorteado. Sam esperou que ele dissesse algo, mas se manteve calado, com a câmera aproximando seu rosto imóvel.

— Se você tivesse a chance de silenciar suas dúvidas de uma vez por todas, aceitaria o desafio, senhor Danson?

Os entrevistadores o observavam, aguardando.

Sam já não sabia que rumo aquela conversa tomaria, mas a estava deixando desconfortável. Os demais no camarim se mostravam paralisados de espanto. Sam se perguntou se eles sabiam que ela era mulher de Dennis. Por um lado, esperava que não soubessem. Todos pareciam olhar para ele com suspeita. Uma mulher balançou a cabeça negativamente quando Dennis falou.

— Sim. Mas como eu já disse, algumas pessoas nunca se convencerão.

— Podemos ajudá-lo a fazer com que elas mudem de ideia — a mulher afirmou, mais para a câmera, para os telespectadores, do que para Dennis. — Nos bastidores, temos um experiente especialista em detector de mentiras, um dos principais especialistas em linguagem corporal dos Estados Unidos e também um homem que trabalhou durante 20 anos como detetive da divisão de homicídios da polícia de Nova York. Você poderia ser entrevistado por eles e acabar com essas questões de uma vez por todas.

— Estou aqui pra falar da série — Dennis retrucou.

Sam viu o pomo de adão de seu marido se mover quando ele engoliu em seco, observou-o estender a mão para pegar um copo de água e, depois, mudar de ideia.

— Mas a série não enfrenta essas questões, enfrenta? Então, esta é uma grande oportunidade pra você. O detector de mentiras levaria cerca de meia hora…

— Esse aparelho não é mais usado. — Dennis deu uma risada sarcástica. — É completamente ineficiente e impreciso.

— É por isso que temos um especialista em linguagem corporal e um detetive experiente que…

— Foram detetives e especialistas que me puseram no corredor da morte por um crime que não cometi. Portanto, não, obrigado. Podemos falar da série agora?

— Você tem medo do que os resultados podem sugerir? — o homem perguntou.

Sam sabia que eles não desistiriam. Ela observou o horário no canto da tela e se perguntou quando haveria um novo intervalo comercial. Talvez Dennis conseguisse enrolá-los e os entrevistadores assim desistissem e fossem para o próximo segmento.

— Olha, não vou fazer nenhuma porra de teste, ok?

— Gostaríamos de pedir desculpas por essa linguagem aos telespectadores que se sentiram ofendidos.

— Lamento. Desculpem-me por isso. Não tive a intenção de ofender ninguém — Dennis falava, olhando para a câmera.

— Está ficando muito hostil aqui — a celebridade comentou, preocupada.

— Eu não sou hostil — Dennis interveio.

— Não é a resposta que esperávamos. — A mulher arregalou os olhos.

— O que você esperava? Que eu ficasse exultante com a oportunidade de ser entrevistado por um ex-policial e submetido a um teste num detector de mentiras?

Pare, Sam pensou, *pare de falar, por favor.*

— Estou aqui para falar da nova série. A nova série que trata de minha absolvição. Do fato de eu não ser culpado.

— Sim, mas você disse que ainda há muitas perguntas sem resposta em torno de...

— Eu não disse isso.

— Bem, você falou que a nova série não aborda a questão das garotas desaparecidas...

— Porque não sei nada sobre as garotas desaparecidas!

— Por favor, não grite — a mulher pediu.

— Pra mim, chega! — Dennis ficou de pé, soltou o microfone da lapela e puxou o fio pela camisa.

Um ruído estridente soou quando o fio roçou sua pele. Uma mulher ao lado de Sam desaprovou e o homem do lado oposto riu e balançou a cabeça. Na tela, Dennis continuou a falar, mas o microfone estava pairando em sua mão e não captava sua voz. Ele soltou o transmissor do cinto e se afastou, olhando para os entrevistadores, que se dirigiam aos telespectadores, desculpando-se pelo contratempo.

Até então, Sam se mantivera sentada apoiando o rosto com as mãos, os cotovelos nos joelhos, incapaz de olhar para aqueles a seu redor. Ela ficou ali enquanto uma música tocava sobre um clipe das próximas atrações do programa. Ninguém no camarim dizia uma palavra.

Dennis abriu a porta e chamou Sam. Ela ergueu os olhos e a luz os atingiu de repente. Pequenos pontos encobriram o rosto de Dennis.

— Vamos embora — ele comandou. — Agora!

Sam sentiu-se encarada por todos ao pegar sua bolsa e alcançar a mão estendida de Dennis. Ele entrelaçou os dedos dela nos seus e a arrastou consigo, esquivando-se das pessoas que se moviam na direção deles no corredor. Quando alcançaram o camarim dele, um segurança bloqueou a porta.

— Meu celular — Dennis informou. — Preciso pegar minhas coisas.

Alguém atrás do segurança passou o celular e a carteira de Dennis.

— E minha jaqueta? — Dennis perguntou.

Entregaram o agasalho para Sam e, em seguida, Dennis recomeçou a arrastá-la pelo corredor. Por fim, chegaram à rua. Dennis acenou para um táxi próximo, que se aproximou lentamente. Sem esperar que ele parasse por completo, Dennis abriu a porta e ajudou Sam a entrar, com a mão protegendo a cabeça dela quando ela se abaixou sob a porta, numa estranha mistura de proteção e controle.

20

NO QUARTO DO HOTEL, DENNIS CONSULTOU SEU CELULAR.
Havia uma mensagem de texto de Carrie — *Ah, Dennis, sinto muito* —, e também diversas ligações perdidas de Nick. Dennis ignorou tudo, desligou o celular e o atirou dentro de uma gaveta.

Na cama, Sam sentou-se atrás de Dennis e massageou seus ombros. Mas logo ele se livrou dela. Sam escutou suas críticas contra os apresentadores e os produtores e tentou tranquilizá-lo, dizendo-lhe que ele não parecia o vilão naquela situação. Porém, quando Dennis entrou no banheiro, ela consultou a reação em seu próprio celular e descobriu que houve uma mudança. "Comportamento bastante suspeito do cara branco mais repugnante da América…" uma blogueira do site *Jezebel* postou no Twitter, junto com um vídeo do YouTube do programa, que já tinha sido visto dezenas de milhares de vezes.

Quando Dennis voltou, Sam pôs o celular no modo avião e sugeriu que ele ligasse para Nick e perguntasse o que fazer a seguir. Não foi preciso, pois Nick ligou do saguão do hotel para o quarto e, com relutância, Dennis concordou em encontrá-lo no bar.

— Escute — Nick disse quando eles se sentaram —, eu já lidei com coisa pior, posso garantir. É importante soltarmos uma declaração, algo que explique que você se sentiu perturbado por causa do interrogatório. Dennis, você passou por coisas terríveis, muito terríveis. Com certeza está sofrendo de algum tipo de estresse pós-traumático. De repente, essa gente o leva para um estúdio para ser entrevistado por um detetive da divisão de homicídios? Para ser amarrado a um detector de mentiras e falar sobre meninas que desapareceram há 24 anos? Inaceitável. Não nos surpreende que tenha reagido como reagiu! E há pessoas por aí que já enxergam isso dessa maneira.

— É mesmo?! — Os olhos de Dennis brilharam.

— A maioria está dizendo que foi completamente desnecessário, totalmente sórdido. E não só em relação a você. E as famílias daquelas meninas, que tiveram todo aquele trauma desencavado por uma atração de um programa matutino de entretenimento? Dennis, eu jamais teria aceitado o convite daquele programa de merda se soubesse...

— Eu sei. É apenas uma merda de confusão neste momento.

— Podemos dar a volta por cima. Fazer a coisa se reverter a nosso favor.

No entanto, mesmo após liberar uma declaração, a onda negativa continuou. No programa *Today's Talk*, o especialista em linguagem corporal e o detetive da divisão de homicídios deram suas opiniões a respeito do comportamento de Dennis durante a entrevista. Os dois concordaram que Dennis estava escondendo algo, que sua linguagem corporal revelava uma atitude defensiva e que ele era evasivo, nunca respondendo a nenhuma pergunta diretamente, como um político culpado. Tomaram o cuidado de não o acusar de nenhuma responsabilidade pelo desaparecimento das meninas, mas a implicação foi suficiente para desencadear discussões frenéticas on-line, com uma nova onda de petições para que Dennis realizasse os testes.

— Talvez devêssemos ir para a Inglaterra por um tempo — Sam sugeriu após outro dia entocados no quarto do hotel. — Ou para algum outro lugar onde você não seja muito conhecido. — Já estava farta de se esconder, inquieta e louca de vontade de fumar.

— Não tenho de me preocupar por ser "muito conhecido". Não fiz nada de errado.

— Eu sei, mas talvez pudéssemos dar um tempo de tudo isso. Muita coisa aconteceu. Quase não tivemos tempo para ficar juntos.

— Estamos juntos *o tempo todo*, Samantha.

— Quero dizer... Tudo se resume a entrevistas, sessões de fotos e seu livro. Podemos viajar e nos concentrar em nós por um tempo.

— Não faço isso porque eu *quero*. O que mais eu posso fazer? Nem mesmo completei o segundo grau. Não é como ter um emprego.

— Não estou te criticando. — Ignorando o comentário de Dennis, Sam sentou-se ao lado dele, na beira da cama. — O que digo é que agora já fez tanta coisa que talvez seja o momento de você e eu ficarmos sozinhos e nos conhecermos sem todo esse... barulho e drama.

— Nós nos conhecemos. Você sabe *tudo* a meu respeito. — Dennis suspirou e caiu de costas na cama.

— Intimamente, Dennis... — E Sam ruborizou.

Dennis jogou um braço sobre o rosto e gemeu.

— Desculpe, mas não consigo não pensar nisso — Sam prosseguiu, tentando controlar o tremor na voz. — Às vezes, acho que você não sente atração por mim.

Sam começou a chorar e Dennis se sentou e a amparou. Ela se envergonhou por finalmente admitir isso. E também temeu que agora não houvesse mais volta. Talvez Dennis dissesse que era verdade, que ele não sentia atração por ela e, então, ele a deixaria e ela não teria ninguém para culpar, exceto a si mesma.

— Não é tão simples — ele disse, enquanto as lágrimas dela molhavam sua camisa. — Muita coisa aconteceu comigo. Não estou pronto pra falar a respeito. Ainda não. Não tem nada a ver com você. Vou precisar de tempo. Entende?

Por um instante, Sam ficou tão aliviada por não ter a ver com ela que nem cogitou a que aquilo poderia se referir. Ela lhe disse que entendia e o beijou delicadamente na testa. Eles se deitaram juntos, com a cama ainda arrumada pelo serviço de quarto matinal. Sam fechou os olhos, com Dennis brincando com seu cabelo, enrolando-o ao redor do dedo, cada vez com mais força, até doer.

Quando Sam acordou, Dennis, já de pé, amarrava os cordões dos tênis de corrida. Eram apenas cinco e meia da manhã.

— Você já está saindo?

— Meu pai foi parar no hospital — Dennis informou, sem se virar. — Deu um tiro na cabeça. Estourou metade dos miolos. Sua enfermeira o encontrou e ligou pro resgate. Agora, ele está internado, sendo mantido vivo por aparelhos e a minha custa.

— Ah, meu Deus! — Ela se sentou. — Den, eu...

— Tudo bem. Não éramos próximos.

— Mesmo assim. Sinto muito. Ah, Den...

— Pelo menos ele podia ter mirado direito, não é? — Dennis fez um som entre uma risada e um silvo. — Agora estão pedindo pra eu ir ao hospital. O filho da puta me registrou como seu parente mais próximo. Preciso assinar alguns papéis se eu quiser que desliguem os aparelhos. Dá pra acreditar?

— É isso o que você quer?

— Dizem que provavelmente ele não vai recuperar a consciência. Mas, mesmo que isso aconteça, irá depender dos malditos aparelhos pelo resto da vida. Então, sim, é o que eu quero.

— Quando isso... — Sam começou a falar, consultando de novo as horas. — Quando você falou com o hospital?

— Cerca de uma hora atrás, quando finalmente liguei o celular.

— Por que não me acordou?

— Você parecia tão tranquila. Tem um sono pesado, Samantha.

Sam o abraçou e lhe disse que estava ali para ele, para tudo que ele precisasse.

— Preciso ir. — Dennis se ergueu e vestiu um suéter grosso. — Só quero algum espaço pra clarear a cabeça.

Dennis voltou uma hora depois, com o rosto corado de frio.

— Tenho algo pra você — ele disse, sorrindo.

— Não precisava. — Sam sentiu-se confusa com a mudança de humor dele e perguntou-se se Dennis estava bem ou se aquilo era algum tipo de ruptura psicológica.

— Feche os olhos e abra as mãos. Vamos!

Sam obedeceu.

— Den, está tudo bem? — Ela sentiu o peso de algo em sua mão.

— Pode olhar.

Sam olhou para o objeto, algo de plástico verde reluzente. Parecia um isqueiro, mas maior.

— O que é isto?

— Um cigarro eletrônico!

— Eu não... — Sam balbuciou, rindo.

— Sei que você anda fumando. Sinto o cheiro às vezes. Isso aí é como um cigarro, mas em vez de fumaça, solta vapor.

— Eu sei, Den.

— Tem sabor de chocolate! E um cheiro melhor. Experimente.

Sam colocou o cigarro eletrônico na boca, sentindo-se ridícula, pensando na lagarta de *Alice no País das Maravilhas*.

— Meu Deus! — Samantha tossiu. — É nojento!

O sorriso de Dennis desapareceu.

— Mas tem um cheiro tão bom.

— Experimenta. — Sam entregou o cigarro a ele.

Dennis experimentou e seu rosto se contorceu em repulsa.

— Está ferrando minha boca.

— Que tal se eu simplesmente não fumar?

Dennis jogou o cigarro eletrônico no cesto de lixo.

— O cheiro — ele disse, e Sam começou a falar que sabia, mas Dennis a interrompeu: — Acho que lembra meu pai. Simplesmente odeio isso.

Então, Sam entendeu e não quis ser a pessoa a lembrá-lo.

O casal desceu até o bar do hotel para se encontrar de novo com Nick. Não era possível evitar a viagem que precisariam fazer a Red River.

— Primeiro, temos de ir ver o meu pai — Dennis disse a Sam, enquanto aguardavam Nick. — Depois, teremos de organizar um funeral, acho. E não podemos simplesmente abandonar a casa dele. As pessoas vão depená-la se não chegarmos logo. Como abutres.

— Quanto tempo você acha que isso vai levar? — Sam perguntou.

— Alguns dias. Uma semana, talvez — Dennis afirmou. — Não podemos perder a estreia.

Nick chegou, sacudindo o casaco para tirar a neve.

— Desgraça pouca é bobagem, não é, pessoal? Dennis, sinto muito pelo seu pai.

— Tudo bem. — E Dennis expôs os planos de ir para Red River e retornar a tempo para a estreia da série.

Nick respirou fundo.

— Pra ser sincero, não sei se vai ser tão simples. Falei com Jackson e nós achamos que será melhor você não aparecer na estreia, por causa de tudo que está acontecendo. E em relação ao seu pai, creio que seja melhor você fazer comentários. Não é bom dar a impressão de que não se importa com a morte dele.

— Mas eu não me importo. E ele ainda não morreu. É o que estou dizendo: preciso ir a Red River para assinar alguns documentos.

— Dennis, você se dá conta do que eu quero dizer? As pessoas poderão achar que você é um tanto insensível se continuar agindo como se nada tivesse acontecido, ainda que seu pai seja um... Você sabe...

— Um desgraçado — Dennis completou. — É *minha* estreia. Eu quero estar presente.

— Temos de pensar no que é melhor a longo prazo. Para você *e* para a série. — Nick se debruçou sobre a mesa e agarrou o pulso de Dennis. — Por que não tira alguns dias de folga e deixa que eu me preocupe com sua imagem pública, por enquanto?

RED RIVER

21

LIONEL, NUM QUARTO PARTICULAR, TINHA BANDAGENS enroladas na cabeça, como o Homem Invisível. Tubos entravam nas narinas e no pescoço. Uma bomba forçava seu peito a encher e esvaziar, emitindo um sinal sonoro. As enfermeiras fecharam a porta atrás de si enquanto Sam e Dennis, de mãos dadas, observavam o corpo a sua frente.

Sam se afastou, sentindo-se enjoada de repente. Ela odiara Lionel. Mas agora experimentava um sentimento de culpa ao vê-lo completamente impotente, sem ser capaz sequer de respirar por si mesmo. O que o levou a isso, ela se perguntava. Por que agora? Teria a ver com a libertação de Dennis? Um pai podia odiar tanto assim um filho? Sam imaginou a escuridão daqueles últimos momentos, Lionel, sozinho, segurando a arma. Esperava que Dennis tivesse razão quando afirmou que Lionel provavelmente estava bêbado e assim não se deu conta do que fazia.

— Quanto tempo temos de ficar aqui? — Dennis perguntou. — Estou tão entediado. Com fome. Podemos comer antes de irmos até a casa. Existe alguma coisa boa por perto?

— Eu vou descobrir — Sam afirmou.

No entanto, eles não passaram por nenhum lugar onde Dennis quisesse comer no caminho do aeroporto até ali. À medida que iam deixando para trás cada restaurante e lanchonete, o estômago de Sam roncava cada vez mais alto. Tomaram o café da manhã no avião, chegaram no meio da manhã e foram direto para o hospital, esperando que pudessem assinar a papelada e ficar livres em tempo para o almoço.

— O que você quer comer? — Sam tentava não ver Lionel em sua visão periférica.

— Encontre algum lugar saudável.

No Google, Sam digitou "restaurante, saudável".

— Há um café vegano...

— Não. Saudável, mas com carne. Estou morrendo de fome. Quero algo de verdade. — Então, Dennis foi até os aparelhos e observou todos os fios e mecanismos. Empurrou a bolsa de plástico IV pendurada no alto da haste e a viu oscilar para a frente e para trás. — Podemos ir agora? Realmente não entendo o sentido disso.

— Den... Sei que vocês não se davam bem, mas você tem de dar a impressão de que se importa, sabe? Vamos ficar mais cinco minutos.

— Tudo bem.

Dennis começou a andar de um lado para o outro pelo quarto. Sam observou a maneira como a coberta ficava plana onde as pernas de Lionel deviam estar e sentiu um calafrio percorrer sua espinha. *Ele deve ter perdido a outra perna*, Sam pensou, *antes de...* Ela se virou para a janela e viu gente fumando no estacionamento. E então também desejou ir embora.

Após mais alguns minutos, eles se dirigiram ao posto de enfermagem e assentiram com tristeza quando perguntados se estavam prontos. Um enfermeiro entregou uma prancheta a Dennis com formulários legais, onde ele escreveu seu nome e assinou. Nesse momento, um médico apertou sua mão e os levou de volta ao quarto para desligar os aparelhos. Os sinais sonoros pararam e o quarto mergulhou no silêncio. O médico pôs o estetoscópio no tórax de Lionel, agora imóvel, para auscultá-lo. Consultou seu relógio, com a cabeça virada para o outro lado em relação a Dennis e Sam. Após um tempo, virou-se para eles e assentiu. Sereno, Dennis tornou a apertar-lhe a mão e o médico os deixou a sós. Depois de 15 minutos, Dennis e Sam foram embora.

O restaurante de comida saudável mais próximo ficava a 40 minutos de distância. Dennis comeu uma barra de proteína para matar a fome. O

GPS os levou a pegar o caminho errado, o que os forçou a fazer um retorno. Isso deixou Dennis num tremendo mau humor.

Quando chegaram ao restaurante, os dois se sentiam famintos e irritados, e Sam sentiu alívio ao conseguir uma mesa imediatamente.

O restaurante era quase todo sem paredes internas, com a cozinha limpa e silenciosa atrás do balcão. Cada mesa era decorada com um vaso contendo ervas de trigo frescas. O menu incluía o tipo de comida insípida e saudável que deixava Sam enfezada. Ela estava morrendo de fome e queria comida rica em gorduras: hambúrgueres, batatas fritas e anéis de cebola. Como Dennis conseguira um nutricionista, eles mal comiam juntos. Sam optava por sanduíches de carne, fatias de pizza avantajadas e tudo o mais que ela sabia que não deveria comer.

Ali, Dennis se achava em seu habitat. Ele pediu bife e ovo pochê, além de salada verde, batata-doce assada e uma tigela de arroz integral cozido no vapor.

— E eu vou querer... O bife e uma salada de quinoa — Sam disse com hesitação.

Dennis bufou e trocou um sorriso com o garçom, que pegou os cardápios deles.

— O que aconteceu de tão engraçado? — ela quis saber.

— Pronuncia-se *quínua*. — Dennis gargalhou. — E não *quinoa*!

Sam ruborizou, esperando Dennis se acalmar, mas ele gargalhou tanto que teve de tirar os óculos para enxugar as lágrimas.

— Não vejo graça nenhuma, Dennis. Pare com isso! — ela falou alto.

Os outros clientes se viraram para observá-los, rindo sem convicção de uma piada que queriam ouvir.

— Você não estava no corredor da morte até alguns dias atrás?! — ela gritou de repente. — Quando virou um esnobe?!

A gargalhada de Dennis cessou na hora e todo o restaurante ficou em silêncio. Ele limpou os óculos na camisa e os recolocou, desviando o olhar dela. O garçom retornou trazendo uma jarra de água gelada e o suco de Sam.

Na saída, o jovem garçom que os serviu os deteve no estacionamento e mostrou um exemplar de *Men's Health*. A revista tinha meia dúzia de fotos de Dennis, com os músculos rijos, fazendo flexões e dando saltos. A matéria intitulava-se "Exercícios que você pode fazer numa cela do corredor da morte... Ou num quarto de hotel" e incluía uma pequena entrevista. Por um momento, Dennis nada disse, apenas folheou as páginas, lendo trechos do texto e sorrindo.

— Quando saiu a revista? — Dennis perguntou, autografando uma foto sua de página inteira.

— Ontem. Como sou assinante, recebo um pouco antes. — O garçom parecia nervoso ao ver Dennis folheando as fotos, de novo em silêncio.

Sam notou o nervosismo do rapaz e pôs a mão no braço de Dennis.

— Temos de ir.

— Até mais! — Dennis se despediu, devolvendo a revista com relutância.

O caminho ficou irregular e o carro dava solavancos por causa dos buracos. Dennis disse a Sam que eles precisavam comprar alguns itens básicos e, assim, dirigiram-se à rua principal e estacionaram na frente da loja de ferragens.

Eles olharam para a direita e para a esquerda e então viram o empório com uma placa do *Tribune* do lado de fora; seguiram naquela direção. Não havia ninguém por perto, apenas um pastor alemão velho, que se moveu pesadamente até eles, ofegante no calor do meio da tarde, com um lenço vermelho amarrado ao redor da coleira.

— É uma cidade fantasma. — Dennis abriu a porta e um sino tocou na sequência.

A parede dos fundos estava repleta de publicações. A prateleira superior expunha as revistas pornô e suas cores chocantes, meio obscurecidas por um laminado plástico colocado sobre elas.

— Eu achava que não se vendia mais esse tipo de revista! — Sam deu risada.

— O quê?

— Aquelas! — Sam apontou para cima.

— Sempre venderam essas revistas aqui — Dennis murmurou.

— Mas quem ainda compra isso, tendo a internet?

— Como posso saber?

— Só estou dizendo... Por que está tão irritado? Achei que fosse engraçado o fato de este lugar ser tão antiquado.

— Posso ajudar?

Sam se sobressaltou. Um homem parara tão perto dela que ela sentiu a respiração dele em seu cabelo.

— Só estamos dando uma olhada — ela disse.

— Vamos fechar. Então, se vocês não se importarem em sair... — Ele indicou a porta.

Sam consultou as horas no celular: 15h43.

Dennis cruzou os braços sobre o peito e sorriu para o homem.

— Quero comprar minha revista e alguns mantimentos. — Dennis era 15 centímetros mais alto que o velho. A luz que entrava pela janela atrás dele o fazia parecer uma sombra, bem esticada no sol vespertino, indistinta e sombria.

— Não temos o que você procura. Tente em algum lugar fora da cidade.

— Tem certeza de que não tem a edição deste mês da *Men's Health*? Está ótima. Eu estou nela. — Dennis esboçou um sorriso.

— Não vendemos esse tipo de revista aqui. Agora, infelizmente estamos fechando. Tenham um bom-dia. — E o velho se virou para se afastar.

Então, Dennis deu um longo passo para frente.

— Temos todo o direito de fazer compras aqui e em qualquer lugar que quisermos — ele afirmou.

— Tanto quanto eu tenho o direito de não atender quem eu quiser em minha loja.

— Vamos embora — Sam implorou.

Do lado de fora, o pastor alemão apoiava as patas na vitrine.

— Dennis, não queremos problemas e muito menos que você os cause. Todos ficamos tristes ao saber do seu pai, mas você tem de vender aquela terra e ir embora da cidade. Não há lugar pra você aqui.

Um barulho surgiu por trás do balcão e eles se viraram. Uma mulher saiu do fundo da loja, deixando a porta aberta atrás de si, empunhando um pequeno revólver prateado.

— Tudo bem, Bill? — ela quis saber.

— Vamos, Dennis, por favor. Vamos. Não importa. — Sam se dirigia à saída, perguntando-se se se sentiria culpada se o deixasse ali e ele levasse um tiro. Ela nunca quis tanto algo quanto sair daquela loja.

— Ótimo. Ótimo. — Dennis mantinha as mãos na cintura, os dedos estendidos. — A gente se vê, Bill.

Sam deu um pulo quando o cachorro roçou suas panturrilhas. Ela sentiu o calor do sol em seu rosto ao se deparar com o ar sufocante do lado de fora do empório. Logo atrás, Dennis ria.

— Não é de se admirar que essas lojinhas estejam em vias de extinção. — Ele bateu a porta do carro com tanta força que Sam sentiu a reverberação em seus tímpanos.

Por um instante, ela permaneceu imóvel no assento do motorista, fechou os olhos e tentou impedir que as mãos tremessem no colo.

— Bem? — Dennis deu de ombros. — Walmart?

22

SAM PASSOU TRANQUILAMENTE PELAS AVENIDAS VAZIAS que levavam até a saída de Red River, mas, ao chegar ao trânsito que cercava as megalojas e shoppings fora da cidade, sentiu-se oprimida pelas cores e pelo movimento. Começou a entrar em pânico, com o mundo ficando embaçado atrás das lágrimas que tentou esconder de seu marido.

Após estacionar, Sam foi ao banheiro do Walmart para se recompor e, ao sair, não encontrou Dennis. Depois de vários minutos estressantes caminhando pelos corredores, avistou-o na seção de artigos para o lar, jogando travesseiros e cobertores em dois carrinhos de compras.

— O que é tudo isso, Dennis?

— Para o tempo que permanecermos aqui. Onde ficam os colchões infláveis?

— Vamos ficar na casa? — Sam tentava manter um tom despreocupado, mas a pergunta saiu estridente de ansiedade.

— Qual é o problema? É só por algumas semanas. Além disso, achei que você estivesse enjoada de morar em hotéis.

Sam não sabia o que responder. Lembrou-se de como era naquela casa, o cheiro de doença e podridão. Em que cômodo Lionel dera o tiro em si mesmo? Alguém teria limpado tudo ou o chão estaria manchado com o conteúdo de seu crânio?

— É um tanto... bagunçado lá — ela disse, por fim, constrangida, como se estivesse criticando Dennis de alguma forma, ainda que ele não tivesse morado na casa por mais de 20 anos.

— Sempre foi bagunçado. — Ele se virou para as prateleiras.

— Não, quero dizer... Tem um cheiro estranho e... — Sam não sabia como tocar no assunto do suicídio do pai de Dennis sem parecer ofensiva.

— E...?

— Nada.

— A gente dá uma limpada. Vai ficar tudo bem. Iremos embora antes de você perceber.

Sam já sentia o mesmo desconforto que experimentara da primeira vez em que fora à casa de Lionel, mas quis ser solidária, mesmo incapaz de entender o motivo pelo qual Dennis queria voltar para lá. Talvez ele estivesse em negação. Sam apostava que, assim que entrassem naquele lugar, ele decidiria ir para um hotel. Dennis não fazia ideia do estado deplorável em que se encontrava.

— Você sabe cozinhar? — Dennis empurrou um dos carrinhos de compras para ela.

— O quê? — Sam não ouvira. Sua mente estava longe, sonhando com o hotel em que esperava que ficassem naquela noite.

— Cozinhar. Você sabe?

— Acho que sim. Quero dizer, o básico, sim.

— Você não está me enchendo de confiança — Dennis brincou.

— Você sabe o que quero dizer. — Ela deu-lhe um empurrão de leve. — Não sou Gordon Ramsay, mas...

— Quem?

Sam explicou quem era Gordon Ramsay enquanto Dennis enchia o carrinho com alimentos. Eles teriam de jogar tudo aquilo fora se fossem para um hotel? Ela concluiu que não tinha importância. Por enquanto, sentia-se feliz por eles não estarem discutindo. Se Dennis queria acreditar que eles ficariam na casa naquele noite, tudo bem.

***

O lugar estava em pior estado do que na última vez em que Sam esteve ali. No pouco tempo em que a casa permaneceu vazia, desprotegida, as paredes brancas descascadas foram pichadas com palavras em letras enormes, em vermelho — "ASSASSINO", "MATADOR DE CRIANÇAS".

Dennis pegou as chaves na sacola do hospital com os objetos pessoais de seu pai e caminhou na direção da entrada. Sam permaneceu ao lado do carro.

— Vamos pintar isso amanhã — Dennis gritou para ela, apontando para a parede.

Nervosa, Sam coçou os braços desnudos. Aquele lugar lhe dava arrepios.

Após ir e voltar da casa algumas vezes, Dennis parou para perguntar se Sam iria ajudá-lo. Ela assentiu e ergueu uma sacola em cada mão. Foi até a varanda e as colocou perto dos degraus e da improvisada e instável rampa para deficientes físicos, que se curvou sob seus pés quando ela a testou.

— Tudo bem. — Dennis suspirou. — O que é agora?

— Não sei como está aí dentro. O lugar onde ele... onde ele morreu.

— O quê?

— Onde seu pai morreu.

— Ah... — Dennis suavizou o tom, sorriu e pegou a mão de Sam. — Você quer dizer onde ele se deu o tiro? Ali. — E apontou para um galpão com uma porta enferrujada, ao lado da residência. As teias de aranha estavam presentes pelos cantos, tremulando na brisa.

— Sério? — Sam agarrou a mão de Dennis com força.

— Sim. Acho que porque foi onde minha mãe se matou. Talvez tenha sido algo sentimental ou quem sabe ele não quisesse emporcalhar a casa. Como adivinhar?

Sam olhou para a garagem, tão velha e decrépita que dava a impressão de que desmoronaria com um mero peteleco.

— Sente-se melhor? — ele perguntou.

Sam assentiu fracamente.

— Quer que eu te carregue no colo? Acho que é algo que nunca fizemos.

— Não, eu sou muito pesada!

Dennis rolou os olhos, exprimindo descrença.

— Você não é muito pesada, Samantha. Sem essa!

Sam fez menção de fugir, mas ele a segurou pelo pulso. Dando risadinhas, ela tentou escapar. Por fim, Dennis conseguiu tomá-la no colo e a carregou para dentro.

Ela não se sentiu pesada. Sentiu-se do jeito que sempre quis, como aquelas garotas que desmaiavam no calor vespertino, delicadas e vulneráveis. Sam riu com fé, um som que não escutava havia tanto tempo que não o reconheceu. Era uma risada ruidosa, escandalosa, que ecoou nos quilômetros de matas que os separavam do resto do mundo.

Lá dentro, Dennis a recolocou no chão e a beijou com delicadeza.

— É só por algumas semanas. Prometo. — Ele voltou para o carro para pegar o resto das coisas.

Enquanto isso, Sam olhava ao redor, ainda sentindo como se estivesse fazendo algo que não devia.

Na sala de estar, a poeira flutuava, iluminada pelos raios de luz que atravessavam as frestas das persianas. O ar era bolorento. Sam caminhou da sala de estar para o quarto principal: as prateleiras estavam entulhadas de refugos cobertos de poeira, a cama tinha um travesseiro amarelado na cabeceira e a penteadeira se achava repleta de frascos de remédios. As paredes eram todas de painéis de madeira, o que deixava a casa escura mesmo durante o dia. Ao olhar para cima, Sam viu as silhuetas de insetos mortos dentro dos lustres.

O antigo quarto de Dennis ficava no fim do corredor. A porta estava fechada. Ela passou pelo banheiro, dando uma olhada através da rachadura na porta.

Na cozinha, a pia estava cheia de água parada e uma barata se contorcia sobre um prato sujo. O linóleo sob seus pés se achava repleto de bolhas. Uma janela quebrada tinha sido remendada com fita adesiva. Sam tapou o nariz e a boca com a mão e tentou abrir a porta dos fundos, mas encontrou-a emperrada. Não havia nada além dela. Apenas mato.

— Não está legal, eu sei — Dennis disse atrás dela, pondo no chão algumas caixas cheias de produtos de limpeza. Ele se aproximou da porta dos fundos, inclinou-se para trás e a chutou. A porta se abriu, mas retrocedeu, indo de encontro ao batente. — Você se importaria de começar aqui, Samantha? Vou limpar a sala de estar, abrir algum espaço para colocar nossa cama. — Em seguida, Dennis puxou Sam, pôs os braços ao redor das costas dela, beijou-a e sussurrou: — Eu te amo.

Quando ficou sozinha, Sam fechou os olhos, apoiou-se contra a bancada e sorriu. Talvez ficar ali não fosse tão terrível assim. Dennis parecia diferente desde que chegaram, como se algo tivesse se desprendido de seu interior. Talvez por eles estarem finalmente a sós. Sam pensou nos quilômetros de árvores ao redor deles e em todo o espaço e o tempo que tinham apenas para si, enfim.

Era inútil limpar a louça espalhada pela cozinha. Então, Sam calçou luvas de borracha e jogou tudo em sacos de lixo resistentes, desfrutando do barulho gratificante de cada coisa quebrando a última. Ela tirou a tampa da pia e a água repugnante escoou, deixando restos de comida podre numa pilha lodosa no fundo. Sentiu-se inteiramente suja.

Sam precisava fazer xixi, mas tinha medo de ver o estado do banheiro. Depois de remover as migalhas de pão e tudo o mais dos armários e das superfícies, jogou água sanitária em tudo. Seus olhos começaram a arder e se encher de lágrimas e ela teve de sair para o quintal em busca de ar puro.

Do lado de fora, Sam enxugou os olhos com o dorso do pulso e piscou para remover as lágrimas. O mundo estava um borrão, mas ela achou ter visto algo se mover ao lado da casa. Então, concentrou a visão ali. De repente, fosse o que fosse pareceu dar um passo em sua direção. Amedrontada, Samantha gritou para Dennis, cambaleando de volta para a cozinha, ainda meio cega por causa dos vapores químicos.

— O que foi? Ah, está parecendo muito melhor aqui. Bem legal.

— Havia alguém lá fora, ao lado da casa — Sam informou.

— Sério? — Dennis, preocupado, saiu e olhou ao redor. — Ele disse algo?

— Não. Acho que estava se escondendo. Não consegui ver direito, porque meus olhos estão lacrimejando.

— Você tem certeza?

Dennis parecia estar começando a duvidar dela.

— Tenho, Den. Foi assustador.

— São as crianças que picharam a casa, garanto. Não é nada. Grite se precisar de mim. Você está fazendo um ótimo trabalho. — E Dennis piscou para ela.

Sam voltou ao serviço. Limpou as manchas pegajosas e borrifou cada superfície com uma última camada de desinfetante. No fim, percorreu a cozinha com o olhar, orgulhosa da transformação. Nunca trabalhara tão duro em sua própria casa. Mark sempre costumava se queixar da enorme pilha de roupas sujas que ela deixava amontoada no quarto vago. Sua pia vivia cheia de pratos manchados com molho de tomate e sua lata de lixo, sempre transbordava. Se enrolasse muito para pôr tudo em ordem, Mark arregaçava as mangas, suspirava e começava a limpeza, como se ela fosse um caso perdido. Nesse momento, Sam até gostava das cãibras em seus braços, resultantes do esforço da esfregação. Parecia certo, como o crescimento.

Quando Sam terminou, já escurecera. Ela foi à procura de Dennis e, no chão da sala, deparou-se com um colchão de casal sendo inflado, com a conexão atravessando o recinto e passando através da parede. Os móveis antigos tinham quase desaparecido; restava apenas o sofá, uma luminária próxima da parede dos fundos, uma poltrona desfiada e um aparelho de TV. Todo o resto fora amontoado no quintal.

Sam não encontrou Dennis. Chamou-o algumas vezes, mas não obteve resposta. *Droga de solidão compartilhada*, ela pensou.

Apreensiva, Sam entrou no banheiro, espiando perto da porta e desvendando o recinto um centímetro por vez. Estava tão imundo quanto ela previra. Ela pegou todo o material de limpeza na cozinha e começou a limpar o banheiro.

23

COM O ANOITECER, O AR FICOU SATURADO COM O RUÍDO das cigarras e as mariposas ricocheteavam nas telas das janelas.

Sam perambulou pela casa, notando como as tábuas se curvavam sob seus pés. No corredor, em uma mesa com pilhas de cartas fechadas e sob um telefone com manchas de nicotina pendurado na parede, ela encontrou um modem e um roteador. O alívio foi instantâneo.

Ao digitar a senha do wi-fi em seu celular, ela escutou a porta dos fundos ranger contra o chão. Ficou paralisada de medo. Com o canto do olho, viu um homem na cozinha e escutou os golpes de botas pesadas nas tábuas do assoalho.

— Dennis?! — ela gritou. — Dennis, é você?!

— Sim — ele respondeu, também gritando.

Sam levou a mão ao peito, para sentir o coração desacelerar.

— Onde você estava? — ela perguntou, mas ele não respondeu.

Ao passar por Sam no caminho para o banheiro, Dennis parou e a beijou na cabeça. Então, fechou a porta atrás de si e ela escutou o barulho da água do chuveiro.

Quando Dennis ressurgiu, usava apenas cueca e segurava uma toalha. Sam perguntou se ele estava pronto para comer e, a caminho da cozinha, tornou a perguntar:

— Aonde você foi? Também limpei o banheiro.

— Eu percebi, obrigado. Fui procurar quem estava andando por aí. Sabia que isso a incomodava e resolvi investigar. Não encontrei ninguém. Assim, procure não se preocupar.

— Obrigada. Foi muito amável de sua parte. — Sam sorriu para si mesma e tirou as panelas novas do armário.

O forno estava quebrado e, assim, ela teve de fazer tudo no fogão. Alguns alimentos cozinharam de menos, outros cozinharam demais. Era a comida de Dennis: frango, arroz integral e brócolis. Comida desinteressante, insípida, utilitária. "Coma para viver, e não viva para comer", como Dennis gostava de dizer. Sam mastigou e engoliu em seco, tentando se convencer de o quão benéfico aquilo era para ela.

Dennis comeu tudo em poucos minutos, agradeceu a Sam e se sentou no sofá para ler o exemplar de *Men's Health* que comprara no Walmart. Sam sentou-se com as pernas sobre o colo dele. De vez em quando, ela ouvia um barulho, que parecia estar bem próximo. Ratos, ela imaginou. Mas então, algo parecido a um choramingo de bebê a fez estremecer e apoiar o rosto no ombro de Dennis.

— Silêncio — ele pediu. — Acho que é algo rastejando. É apenas um animal. Não se preocupe. Vou sair e verificar.

Sam seguiu Dennis até o quintal. Ela o viu se arrastar debaixo da varanda, mas também ficou olhando as árvores circundantes em busca de alguém que pudesse estar observando-os. Algo passou correndo por ela, roçando sua perna.

— Pelo amor de Deus, é um guaxinim! Puta merda! — Sam subiu de volta para a varanda, abalada e envergonhada.

Os choramingos cessaram e Sam se perguntou o que Dennis ainda estaria fazendo debaixo da varanda, falando em voz baixa.

— Há uma gata aqui. Ela teve filhotes e deve ter brigado com o guaxinim, mas não parece machucada. Sam, pegue uma lata de atum na cozinha.

Sam voltou com uma tigela de atum e uma tigela de leite.

— Vou deixar tudo aqui. Precisamos ganhar a confiança dela. A gata e os filhotes não podem ficar aqui fora durante muito tempo. Nada de leite! Os filhotes não podem beber leite. — Dennis derramou o leite na relva e devolveu a tigela a Sam.

Dennis entrou na casa e pegou algumas toalhas velhas, que colocou sob a varanda e converteu numa cama improvisada.

— Eu tive um gato incrível. Apareceu como esta gata, perdido e com um olho infeccionado. Eu o alimentei e o deixei ir e vir. Com o tempo, ele acabou ficando nas redondezas. Tive de cuidar de seu olho, porque não podíamos pagar um veterinário. Precisei desinfetar o olho e ele odiou. Tentou me arranhar inteiro. Mas valeu a pena, quando o pus secou e o inchaço desapareceu. Acho que ele ficou cego daquele olho, porque ficou todo leitoso. Chamei-o de Ted. Ele vivia brigando com gatos, com gambás, com qualquer bicho que estivesse por perto.

— Quantos anos você tinha?

— 7. Ted morreu quando eu tinha cerca de 14 anos. Foi atropelado por um carro aqui perto. Quem fez isso simplesmente o deixou ali. Eu o procurei e vi seu rabo projetando-se na relva. Ted estava estendido e rígido. Toda a pele fora arrancada de um lado do focinho e uma das orelhas tinha desaparecido. Havia apenas buracos no lugar dos olhos. Acho que os pássaros os comeram. Se soubesse quem o atropelou, eu o teria matado. Como a pessoa pôde simplesmente abandoná-lo ali? Os seres humanos são doentes.

Sam pensou em seu velho gato, Tiger, e na quantidade de vezes em que ele desapareceu. Lembrou-se de como costumava afligir-se até ele aparecer no dia seguinte como se nada tivesse acontecido. Sam odiava se preocupar com ele e se ressentia disso. Era muito difícil amar algo tanto assim, algo que tinha sua própria vida, sua própria mente e podia ir e vir como lhe conviesse. Foi quase um alívio quando ele morreu. Agora ela mal pensava nele. Já estava tensa pela gata e os filhotes: estariam com frio? E se chovesse? E se o guaxinim voltasse? Os guaxinins comiam gatinhos?

Naquela noite, eles dormiram mal, querendo saber se a gata estaria lá quando acordassem. De manhã, fizeram uma verificação debaixo da varanda e a encontraram ainda enrolada em torno de seus filhotes.

Eles saíram da cidade e foram ao supermercado para comprar ração para gatos, ração para filhotes (embora fossem tão novos que não precisariam de comida durante semanas), caminhas e brinquedos que faziam barulho. Ao voltarem, serviram o almoço da gata e uma tigela de água. De tarde, Dennis fez o mesmo e ele e Sam esperaram na varanda, murmurando para não assustarem a mãe.

— Odeio pensar nela aí embaixo a noite toda — Dennis afirmou.

— Eu também. — Sam balançou uma perna sobre o colo de Dennis, amando ver esse novo lado de seu marido.

— Às vezes, meu pai me expulsava de casa e me dizia pra não voltar. Eu tinha de dormir debaixo da varanda. Havia cobras e aranhas. De vez em quando, encontrava ossos dos animais que rastejam até lá para morrer. Sam, não posso deixar essa gata debaixo da varanda.

— O que faremos quando formos embora daqui? Vamos levá-los conosco?

— Acho que sim. Teremos de ver para onde vamos.

Por um tempo, eles se mantiveram calados.

— Preciso mesmo começar a cuidar disso. — Dennis apontou para o quintal. — As caçambas que aluguei chegarão aqui amanhã. E também vou precisar realizar algumas tarefas na cidade em breve.

— Cidade? — Sam se inquietou, lembrando-se do incidente no empório.

— Não se preocupe. Você não precisa vir comigo. Posso pegar um táxi. Além disso, não quero causar nenhum problema. São apenas coisas ligadas ao funeral.

* * *

Após o jantar, Dennis vestiu um agasalho de moletom e saiu para correr. Sam tentou se ocupar reorganizando as roupas na mala, tirando-as e dobrando-as de novo. De vez em quando, ia verificar a gata e os filhotes. A gata ainda não tinha saído e, então, Sam se arrastou debaixo da varanda, estalando a língua para chamar a atenção dela sem assustá-la. Hesitante, a gata caminhou na direção de Sam, esticando o pescoço até os dedos estendidos de Sam e os cheirando com delicadeza, com o ar que escapava de suas narinas fazendo cócegas na mão dela. Sam tentou acariciá-la, mas a gata recuou para proteger seus filhotes chiantes. Sam queria muito contar a Dennis que tinham feito algum progresso durante sua ausência.

Duas horas depois, Dennis ainda não voltara para casa. À noite, todo o barulho era suspeito e carregado de perigo potencial. No banheiro, Sam manteve a porta entreaberta para que pudesse enxergar o corredor e ouvir o retorno do marido. Enquanto se enxugava, ela viu, pela janelinha atrás do chuveiro, uma sombra se movendo. Sam se virou para enxergar melhor e notou claramente a forma de uma cabeça abaixada, seguida pelo som dos pés sobre a madeira compensada descartada na lateral da casa.

Agarrando com força a calcinha ao redor das coxas, Sam, paralisada, não sabia o que fazer primeiro. Fechou a porta do banheiro com um chute, puxou a calcinha para cima com uma das mãos e deslizou a tranca da porta com a outra. Procurou o celular para ligar para a polícia, mas se lembrou de que o deixara no sofá. Apagou a luz e pôs uma toalha embaixo da porta. Então, deu-se conta de que aquilo era para o caso de incêndio e que jamais aprendera o que fazer em caso de um intruso.

Sam apoiou as costas contra a parede. Seus olhos se moviam rapidamente entre a janela e a fenda debaixo da porta, esperando pelas sombras dos pés que se aproximavam. Não demorou muito para que suas pernas ficassem dormentes e suas costas começassem a doer. Pensou numa faca em seu pescoço, no clique de um gatilho ou num punho socando seu rosto e quebrando seus ossos.

Ela ouviu o barulho da porta dos fundos, seu rangido enferrujado. Prendeu a respiração ao som dos passos que se aproximavam. Então, alguém mexeu na maçaneta, projetando-se contra a porta trancada. Sam se meteu no espaço entre o chuveiro e a pia e semicerrou os olhos.

— Samantha? — Dennis perguntou. — Você está aí?

Então, ela destravou a porta e se jogou nos braços dele. Dennis tinha cheiro de relva e de alguma outra coisa, algo metálico, que fez os dentes dela doerem um pouco. Sam recuou e contou a Dennis sobre algo que avistou pela janela — dessa vez, sem dúvida alguma, havia alguém ali.

— Isso é ridículo. Saia, eu preciso tomar banho.

— Estou falando sério, Dennis. Alguém estava espiando — Sam insistiu, sabendo como devia soar para ele.

— Não estava. Por favor, eu quero tomar banho.

— Não quero ficar sozinha.

— Então fique aqui. Não me importo. — Dennis tirou a camiseta úmida, a calça do agasalho e o par de tênis Nike que aparecia nas fotos da revista.

— Você não estava usando seus tênis velhos quando saiu?

— O quê?

— Seus tênis... velhos, quando você saiu, aqueles brancos.

— Não. — Em seguida, ele tirou a cueca, deslizou a porta de vidro do chuveiro e ligou a água.

Observando-o, Sam viu como o corpo de Dennis se movia e a espuma corria por suas costas. Ele se virou para pegar o xampu e ela se inclinou para ter uma melhor visão dele.

— Não olhe — ele pediu.

— Não estou olhando.

— Mentirosa.

Sam sorriu.

— Me passa a toalha — ele pediu, estendendo a mão perto da lateral do vidro.

Ela entregou-lhe a toalha, quase se esquecendo do medo que sentira um momento antes. Em vez disso, pensou em sexo, em agarrá-lo e apoiar-se contra ele, fazendo-o querê-la.

— É como a prisão de novo, com algum cretino me observando tomar banho. — Dennis vestiu roupas limpas.

— Estou falando sério. Juro que tinha alguém do lado de fora.

— Tudo bem. Eu acredito em você.

— Não fica assustado?

— Não. Na certa eram apenas algumas crianças querendo ver a antiga casa dos Danson. Acham que é mal-assombrada.

— E se for alguém que ainda acha que você é culpado? E se quiser nos machucar?

— Você está sendo muito dramática. — Então, ele percorreu toda a casa para mostrar a Sam que estava vazia e, em seguida, examinou o quintal com uma lanterna.

Sam o seguiu de perto, observando nervosamente cada canto. Dennis bateu o pé na madeira sob a janela do banheiro e perguntou a Sam se era o mesmo som que ela ouvira antes. A princípio, ela disse que não, mas, em seguida, que, talvez, podia ter soado diferente do lado de dentro.

— Ahã... — Dennis dirigiu a lanterna para a calha e iluminou a quantidade de detritos acumulados ali, com o cano de plástico se arqueando sob o peso das folhas. — Sabe do que você precisa?

— Do quê?

— Você precisa ver que não há nada a temer por aqui. Não é fantasmagórico, nem mal-assombrado, nem cheio de energia negativa. — Ele enlaçou a cintura dela e a beijou no nariz. — Venha. — Dennis a ergueu e a colocou em seu ombro.

Sam gargalhava, socando de brincadeira as costas dele.

— Vamos até a garagem. — E ele seguiu em frente.

Sam parou de rir. O ombro de Dennis pressionava seu esterno, dificultando sua respiração.

— Não, não, por favor. Não quero ir lá — ela pediu.

— Você tem de vencer o seu medo. É irracional.

— Não, eu não quero de jeito nenhum. Você está me assustando agora. Não é engraçado, por favor. — Sam tentava se livrar de Dennis, mas tudo o que conseguia era se mover em convulsões, pois ele segurava com firmeza os tendões e a parte inferior das costas dela. — Por favor, por favor!

Sam começou a chorar. Dennis abriu a porta da garagem e entrou, carregando-a. Ele tirou Sam do ombro e lhe deu um empurrão, fazendo-a tropeçar alguns passos, perder o equilíbrio e cair no chão. Dennis já estava do lado de fora e a última coisa que ela viu dele foi sua silhueta quando o marido fechou a porta metálica e a deixou na escuridão.

— Por favor! Dennis! — Sam gritava, chorando e esmurrando a porta.

— Tem só um pouco de sangue! — ele gritou. — Não há nada mais do que isso. Mas não toque nas paredes.

— Dennis, pelo amor de Deus!!!

Sam jamais gritara assim antes; era um som que ela não tinha ideia de que conseguiria produzir. Arranhava sua garganta e ecoava nas paredes metálicas que a cercavam. Em pesadelos, ela nunca poderia gritar.

Assim que seus olhos começaram a se adaptar à escuridão, ela passou a ver os contornos: ferramentas penduradas nas paredes; equipamentos de jardinagem cobertos com lençóis; coisas que se pareciam terrivelmente com um cadáver; um corpo sentado na cadeira; a forma de uma escopeta se projetando para um lado; a cabeça pendendo sem vida para o outro.

— Você ainda está aí? — ela perguntou, parada perto da porta. — Dennis?

A porta finalmente se abriu e ela saiu da garagem, golpeando Dennis com força no peito. Ele produziu um pequeno ruído, que fez Sam querer acertá-lo de novo, com mais força. No entanto, ela continuou correndo direto na direção da casa. Uma vez em seu interior, procurou suas chaves, jogou cartas no chão e arremessou as almofadas do sofá pela sala. Ao escutar Dennis entrando logo atrás, Sam passou a procurar com mais rapidez, com o suor escorrendo pelo rosto. Em seguida, ela correu para a cozinha e desmoronou no chão, abraçando os joelhos.

— Ei — Dennis sussurrou —, eu só estava brincando. Você está bem?

— Não. — Sam olhou para ele e se afastou.

— Não imaginei que você fosse pirar desse jeito — ele disse, como se fosse culpa de Sam.

— Eu te pedi para parar! Eu estava gritando!

— Garotas gritam. — Dennis deu de ombros, num gesto de indiferença. — Achei que estivesse brincando.

— Não estava! — A impressão de Sam era de que Dennis não acreditava nela. — Por que você ainda está... Por que simplesmente não diz que está arrependido?

— Desculpe. — E ele suspirou.

Sam experimentou outro acesso de raiva. Como Dennis podia não entender o motivo pelo qual ela ficara transtornada? Ou ele não se importava?

— É só da boca pra fora.

— Pelo amor de Deus, Sam... Desculpe, ok? Fui longe demais.

Então, Sam cedeu e deixou que Dennis a segurasse.

— Eu não devia ter dito aquilo. Sobre o sangue e tal. Foi uma piada de mau gosto.

— Está realmente assim lá dentro? — Sam verificou as mãos e as roupas em busca de manchas.

— Não, não foi lá que ele se matou. Eu nunca teria... Foi apoiado contra a parede da garagem. Do lado de fora. Já limparam tudo.

— Então por que você quis me enganar?

— Não sei. Você ficou tão pirada. Eu só a estava provocando. Não achei que acreditasse mesmo que ele se matou ali. Mas você agiu como se fosse mal-assombrado ou algo assim. Até certo ponto, é... Quero dizer, é real pra mim, não é um trem-fantasma de um parque de diversões.

Dennis desviou o olhar, com a expressão tensa. Sam achou que ele poderia chorar. Ela estendeu a mão para tocar-lhe o rosto e o virou com delicadeza para que a encarasse.

— Den, desculpe. Não acho isso. Não acho. Sei que é real pra você. Mas eu vi alguém. De verdade. Não um *fantasma*, mas alguém. Acho que estamos sendo vigiados.

— Ok. — Dennis deu um beijo em Sam e manteve os lábios nos dela por um instante antes de se afastar. — Se está tão preocupada, vou cuidar de você.

Dennis preparou um chá verde para Sam, que ela odiava, mas bebeu, só para mostrar que apreciou o gesto. Ele acariciou seu cabelo e a levou a um estado de apatia, à beira do sono.

Então, eles ouviram um miado do lado de fora, entreolharam-se e se dirigiram à porta. Com um gesto, Dennis pediu que Sam ficasse atrás dele e caminhou do modo mais lento e silencioso possível, abrindo a porta alguns milímetros de cada vez. Dennis se agachou e a gata se aproximou, hesitante. Sob a luz da varanda, Sam viu que ela era pequena, com pelo longo cinzento e barriga branca.

— Podemos dizer que ela foi cuidada — Dennis afirmou, penteando os pelos com os dedos. — Até engravidar. Decerto alguém a abandonou aqui perto.

— Não entendo como tem gente capaz de fazer coisas assim.

— As pessoas fazem coisas terríveis.

A gata se estendeu na direção da mão de Dennis, esfregou o focinho no dorso e deu meia-volta, ficando com a cauda apontada direto para o céu. Sam trouxe uma tigela de ração e eles ficaram vendo a gata comer. Ao verificarem debaixo da varanda, constataram que a mãe pusera seus filhotes na cama. Estavam todos aconchegados, como meias enroladas.

Sam e Dennis pegaram a cama com os gatinhos e a levaram para dentro da casa, esperando que a mãe os seguisse. De início, a gata ficou ansiosa, miando e andando de um lado para o outro, mas acabou se acalmando e se serviu da ração que eles puseram perto da cama. Durante toda a noite houve barulho, o chiado dos filhotes e o arrastar de suas patinhas se movendo e sendo trazidos de volta para a cama pela mãe.

24

DENNIS ACORDOU COM O NASCER DO SOL E DEIXOU A porta principal aberta, para que a gata pudesse entrar e sair à vontade. Ele bateu na tigela com uma colher para chamá-la para o café da manhã e, com um sorriso no rosto, viu-a comer.

— Você é tão bom nisso. — Sam também sorriu. — Seria um ótimo pai.

Dennis fez uma careta e Sam desejou não ter dito nada.

A gata voltou para a cama para alimentar seus filhotes. Descoordenado, um deles se esforçou para se livrar da ninhada, pisando desajeitado sobre os demais.

— Ele é o nanico — Dennis disse. — Espero que cresça logo.

Em vez de sair para sua corrida matinal, Dennis permaneceu em casa e apontou um ponteiro laser para o chão, observando os movimentos frenéticos do gatinho enquanto a mãe o perseguia.

— Precisamos dar um nome pra gata, Sam.
— Que tal Mancha?
— De jeito nenhum. Atum?
— Talvez.
— Atum.

A manhã era quente e lenta. Dennis jogou enfeites e roupas em sacos de lixo e os colocou num canto. Sam sugeriu levá-los para uma instituição de caridade, mas ele rejeitou a ideia, mostrando-lhe os enfeites lascados e as axilas amareladas das camisas.

— Quem vai querer essa porcaria? — ele perguntou, sem esperar por uma resposta.

O som de um motor se aproximou e Dennis enxugou a testa.

— Devem ser as caçambas.

Ele carregou um saco pesado em cada mão, com os braços se retesando por causa do esforço. Ao olhar pela janela, Sam avistou uma viatura policial, com três homens em seu interior. O motorista era um jovem de cerca de 30 anos e os outros dois pareciam estar com quase 80 e não usavam uniforme. Um dos mais velhos pareceu familiar e logo Sam lembrou tratar-se do oficial de polícia Harries.

Tenso, Harries estava inchado e indisposto, como se tivesse bebido muito. Dennis deixou cair os sacos de lixo perto da porta principal e se manteve parado, apoiado contra o batente, observando-os atravessar casualmente o quintal na direção da casa.

— Bom dia, Dennis — Harries o cumprimentou.
— Meu Deus, oficial Harries, é o senhor? Quase não o reconheci.
— Sim. E esses são os policiais Gacy e Cole.

Algo no tom de voz de Harries deixou Sam nervosa. Eles não iriam receber uma boa notícia.

— Sam, venha aqui. Esses caras já eram policiais quando eu era moleque.

Sam parou atrás de Dennis e esperou o que estava por vir.

— Sabe por que estamos aqui, Dennis? — Harries perguntou.

— Vocês querem autógrafos? — Dennis retrucou, irônico.

— Onde você esteve ontem à noite?

— Aqui. Na verdade, estamos muito satisfeitos pelo fato de vocês terem parado em nossa propriedade, pois Sam está muito assustada. Achamos que alguém vem rondando a casa, olhando pelas janelas. O senhor sabe algo a respeito?

— Ele ficou aqui durante toda a noite, senhora? — Cole, o policial mais jovem, perguntou.

Sam assentiu.

— Tem certeza?

— Tenho certeza, sim — Sam afirmou, muito calma. Ela pigarreou e disse, com toda a firmeza que conseguiu reunir: — Meu marido ficou comigo aqui durante toda a noite.

— Então, do que se trata? — Dennis estendeu os braços e segurou o topo do batente.

Sam notou o som de madeira lascando quando ele puxou para baixo.

— Bill Landry nos ligou hoje cedo. Ele encontrou seu cão morto. Disse que foi destroçado. Ele estava muito triste. Eu nunca vi nada parecido.

— O que significa "destroçado"?

— O cão foi rasgado em pedaços. Parecia algo feito por um outro animal.

— Então, outro animal fez isso?

— Não, não foi um animal, Dennis. Vasculhamos as redondezas e descobrimos uma lata de lixo queimada contendo uma cabeça de cachorro. Bill disse que teve um incidente com você há alguns dias em sua loja.

— Você quer dizer quando a mulher dele nos ameaçou com uma arma porque tentamos comprar uma revista? Sem dúvida, isso aconteceu.

— Não foi bem essa a história que ele nos contou. Bill afirma que você o ameaçou. — Depois de uma pausa, Harries prosseguiu: — Você matou o cachorro, Dennis?

Sam olhou para as costas de Dennis e viu como seus ombros estavam tensos sob a camiseta.

— Exatamente como nos velhos tempos, não é? — Dennis meneou a cabeça. — É claro que não matei cachorro nenhum.

— Tem certeza? — Gacy o encarou.

— Sem dúvida. Fiquei aqui o tempo todo, separando os objetos pessoais de meu pai. Tenho que sumir daqui o mais rápido possível, antes que eu enlouqueça, como o resto da sua gente.

— Esse tipo de coisa parece persegui-lo, Dennis. Seria ótimo se você conseguisse acelerar tudo por aqui e cair fora antes de os moradores ficarem aborrecidos de verdade.

— Escute, vocês estão bloqueando o acesso para a casa e eu estou esperando a entrega de algumas caçambas. Portanto, seria melhor que partissem antes de o caminhão chegar. Se me querem longe daqui, tudo bem, mas primeiro preciso resolver isso.

— Você continua o mesmo, Dennis — Harries afirmou. — A gente se vê.

— Foi um prazer. — E Dennis se virou e voltou para dentro da casa.

— Senhora — Harries murmurou, hesitando.

Sam esperou que ele prosseguisse.

— Não sei o quanto você sabe a respeito de Dennis ou de sua situação...

— Eu sei tudo.

— Há muita história por aqui e me pergunto por que Dennis quer voltar pra uma cidade onde todos o odeiam se ele pode escolher o lugar que quiser.

Sam se impediu de contar a Harries sobre a casa e como eles estavam limpando e arrumando tudo, porque nem ela entendia o motivo de eles precisarem estar ali. Tinham bastante dinheiro para pagar pelo serviço de outras pessoas. A casa em si não tinha valor comercial: a madeira estava apodrecendo e o telhado, furado. Seria melhor demoli-la e deixar a vegetação crescer.

No exato momento em que Harries se virou para partir, ela perguntou:

— O cachorro... Por que o senhor acha que foi Dennis?

Harries suspirou.

— Não é a primeira vez que algo assim acontece para alguém que irritou Dennis. Parece muita coincidência pra mim. — Ele olhou por sobre o ombro de Sam e assentiu.

Ela se virou e viu Dennis junto à janela, imóvel e tenso, bastante concentrado.

— Se pensar bem e se lembrar de que ele não estava com você ontem à noite, ligue pra delegacia. — Harries entregou-lhe um cartão, que Sam pegou com relutância.

— Ele estava comigo — ela reafirmou, olhando o policial nos olhos. — Durante toda a noite.

Harries sorriu.

— Vocês são todos iguais. — E ele caminhou na direção do carro.

Sam ignorou a isca e permaneceu firme esperando que Harries olhasse para trás, sabendo que ele seria incapaz de resistir a lançar uma última ameaça ou insulto antes de partir. Mas ele não o fez. Harries se curvou, entrou na viatura, com uma lentidão que demonstrou sua idade, e fechou a porta atrás de si. Sam ficou parada ali até o carro da polícia se afastar.

Assim que ela entrou, Dennis quis saber o que Harries dissera.

— Ele quis saber de novo onde você esteve ontem à noite.

— O que ele te deu?

Sam tirou o cartão do bolso e Dennis riu.

— Devo jogá-lo fora?

— Faça o que quiser — ele respondeu e continuou tirando tudo das prateleiras e atirando nos sacos de lixo.

— Sei que você não faria isso de que estão te acusando, Den, mas...

— Mas? — Dennis parou de trabalhar. A poeira subiu atrás de sua cabeça e se acomodou em seu cabelo.

— Você não ficou aqui ontem à noite.

— Sim, fiquei.

— Não a noite toda. Você saiu pra correr.

— Perto daqui. Como eu iria pra cidade e voltaria sem carro?

— Claro, eu sei.

— Quer que eu agradeça por você ter mentido por mim ou algo assim? Eu fiquei aqui, Sam. Saí pra correr na floresta. É isso. Estão apenas me incomodando como sempre fizeram. O cachorro deve ter sido atropelado por um maldito carro, essa é que é a verdade.

— Mas disseram que a cabeça...

— Mentira. Estão tentando assustá-la.
— Acho... — Sam tentou falar.
— Acho? Você não acredita em mim?
— Lógico que acredito.
— Não parece. Sabe, ou você está do lado deles, ou está do meu lado.
— Estou do seu lado. — De repente, Sam sentiu-se péssima, como se estivesse traindo seu marido.
— Você é minha mulher — ele disse, num tom mais suave. — Preciso que confie em mim.
— Eles só me assustaram, Den. Sempre estarei do seu lado.

25

SAM PRECISAVA DE UM TEMPO SOZINHA. ENTÃO, PEGOU O carro e foi até a cidade. Entrou numa confeitaria e escolheu dois donuts cobertos com glacê e um café gelado enorme. Tirou uma foto de tudo e a postou no Instagram, incluindo as *hashtags* "paleo", "refeição saudável" e "saúde". Sorriu para si mesma e comeu, ficando saciada e um pouco enjoada.

Lembrou-se de Dennis e Atum, o quão delicadamente ele a chamava e como segurava os filhotes numa mão, pondo o nariz em seus focinhos para esfregá-los. Ela sabia que Dennis não machucaria um animal. Sam voltou a pensar na figura que vira, alguém espreitando ao redor da casa. Sabia que alguém estivera ali. Sentiu os olhos em si antes mesmo de enxergá-los. O olhar, como unhas, arrastou-se suavemente por sua espinha. Quantos canalhas existiam naquela cidade?, ela se perguntou.

Duas semanas, Sam decidiu, e ela iria embora.

Quando voltou para casa, encontrou três caçambas amarelas alinhadas ao longo da frente, uma já meio cheia com sacos pretos e móveis quebrados, que eles tinham amontoado no quintal no dia anterior. Dennis pintara sobre a pichação na lateral da casa, embora as letras vermelhas aparecessem através da tinta branca. Também havia uma caminhonete, que ela não reconheceu, e um menino de cerca de 10 anos — magro e com os joelhos sujos —, sentado emburrado na escada.

Assim que Sam desembarcou do carro, escutou uma risada rouca de fumante e os altos e baixos da voz de Dennis. O menino não se deu ao trabalho de olhar para Sam quando ela passou. Ele puxou o catarro pelo nariz e escarrou na relva.

— Estou de volta! — Sam gritou.

Dennis não respondeu. Sam escutou o riso de duas pessoas em uníssono. Sem dúvida, um, era de mulher. Dennis estava na cozinha, com as roupas manchadas de tinta branca, apoiado contra a bancada, segurando uma garrafa de água Pellegrino. Diante dele, com a espinha curvada e a virilha projetada em sua direção, achava-se ninguém menos que Lindsay Durst.

— Como vai? — Lindsay a cumprimentou.

— Uau, ei, como você está? — Sam procurava manter o tom animado.

— Muito bem, muito bem. É incrível ver este cara de novo. Não achei que ele voltaria pra cá tão depressa.

— Você conheceu Lindsay, não é, Sam? Na filmagem?

Por que Dennis fingia que eles não tinham falado dela antes? Sam cerrou os dentes e sorriu.

— Sim — ela respondeu, com a voz bem alta e estridente. Ordenou a si mesma que se acalmasse. — Rapidamente. É muito bom revê-la.

As sacolas escorregavam de suas mãos suadas. O plástico começava a cortar a pele. Sam ficou parada ali, imóvel e calada, observando Lindsay e Dennis compartilharem um sorriso. Ela olhou para os pés de Lindsay, calçados com chinelos de dedo. As unhas estavam pintadas de cereja e Sam notou o dedinho curvado para dentro e sob os demais dedos, feio e retorcido.

Lindsay devia ter sentido o olhar de Sam ali e, então, moveu o pé para atrás, tirando-o do alcance da visão de Samantha.

— Você não quer largar as sacolas? — Dennis indicou as articulações brancas de Sam em torno das alças.

Ela começou a baixá-las.

— Não aqui — ele disse. — Estamos ocupados aqui. Por que não as leva para a sala?

Aflita, Sam deixou a cozinha. Fantasiou Dennis e Lindsay compartilhando um olhar, zombando dela em silêncio. Imaginou um sorriso indistinto de Lindsay e o sorriso malévolo de Dennis, com sua feiura disfarçada pela beleza dele. Do lado de fora da janela da frente, o menino fazia marcas nas tábuas do assoalho com uma pedra afiada.

Sam voltou para a cozinha e interrompeu a conversa deles:

— É seu filho lá fora?

— Sim — Lindsay respondeu desleixadamente. — Não pude deixá-lo em casa. Ele está resfriado. — E acrescentou: — Ele não está fazendo nada.

— Sim, deixe o garoto. Ele está bem — Dennis afirmou.

— Só estava perguntando. — Sam fez uma pausa, sentindo a boca seca. — Por que ele não entra?

— Ah, não... — Dennis respondeu. — Ele vai tocar nas coisas e está contagioso agora. Tenho muita coisa pra fazer e não posso ficar doente.

Lindsay deu de ombros, num gesto de desdém.

— O ar fresco fará bem a ele.

Sam ficou calada e houve um silêncio pesado. Ela sentiu que os dois esperavam que ela fosse embora de novo. No fim, Sam se virou e saiu.

— Ei, você está bem aí fora? — Sam quis saber.

O menino se virou, surpreso.

— Está com fome? Quer beber alguma coisa?

Ele assentiu com um gesto de cabeça.

— O que quer? Comida ou bebida?

— Os dois. — Ele enxugou o nariz com o braço.

— Que tal um sanduíche?

— Tanto faz. — E ele voltou a riscar a madeira com a pedra.

O garoto estava sujo e seus modos eram pavorosos. Mais tarde, ela comentaria isso com Dennis, como aquilo tudo era um sinal de criação insatisfatória. Sam sabia que preparar um sanduíche era apenas um pretexto para voltar à cozinha, mas a conversa parou assim que ela entrou.

— Você está preparando algo para Ricky? — Lindsay perguntou. — Ele come o tempo todo. Ricky é como um depósito de lixo. Devora tudo que lhe oferecem.

— Ele come carne? — Sam indagou.

— Ah, sim. — Lindsay deu risada.

— É alérgico a alguma coisa?

— Nem imagino.

Lindsay observou Sam fazer um sanduíche de peito de peru e queijo suíço. Na geladeira, Samantha pegou um refrigerante orgânico feito de suco de cacto; o único refrigerante que Dennis não ridicularizara quando ela o escolhera. Em seguida, levou tudo para o menino.

Ricky olhou para o sanduíche, para a lata de refrigerante, para Sam, e balançou a cabeça negativamente.

— Não como essa coisa marrom. — Ele empurrou o prato de papel de volta para ela com um dedo.

— Não temos outra coisa. — Sam entregou-lhe o refrigerante.

Rick observou a lata e enrugou a testa, sem reconhecer a marca.

— O que é isso?

— É um refrigerante, mas feito de cactos e mais alguma coisa. É bom. É honesto. — Sam pôs no chão o prato de papel com o sanduíche e sentou-se ao lado dele.

Rick torceu o nariz e fez menção de devolver a lata para Sam. Então, ela disse:

— É isso ou água. Dennis não deixa entrar Coca-Cola em casa.

— Por que não?

— Ele fala que tem muito xarope de milho.

Ricky deu de ombros, indiferente.

— Mas eu gosto. Sempre compro quando estou fora — Sam revelou.

Eles ficaram em silêncio e, atrás deles, ela podia ouvir risos abafados vindos da cozinha. A lata assobiou quando Rick a abriu e tomou um gole hesitante.

— Tem gosto de Diet. — Rick parecia decepcionado.

— Sim, não é uma maravilha. Mas é melhor do que nada.

— Acho que sim. — O garoto tomou goles imensos, estremecendo enquanto engolia. A ponta de seu nariz estava vermelha, esfolada e ele a enxugou de novo com o dorso da mão.

— Há quanto tempo está resfriado? — Sam quis saber.

— Sei lá. A semana toda.

— Você já foi a um médico?

— Não. — Ele bufou. — Nem sei por que estamos *aqui*. É assustador este lugar. — Então, deu uma olhada rápida em Sam. — Desculpe...

— Também acho assustador. — Ela suspirou.

— Todo o mundo acha isso. Certa vez, estive aqui com meu irmão Aaron. Ele desafiou seu amigo a entrar na garagem, mas nem ele mesmo conseguiria. E, uma vez, Aaron comeu um verme.

— Um verme?

— Sim. Meu irmão faz qualquer coisa se for desafiado.

— Ele parece meio rude.

— E é. — E Rick começou a rir.

Sam podia ouvir o ronco grave do catarro no peito do menino. Então, ele teve um pequeno ataque de tosse.

— Ele fez mesmo tudo aquilo? — Rick olhava para Sam com esperança e horror, esperando ouvir uma história de fantasmas, mas não querendo sentir medo.

— Dennis? Ele nunca fez nada. Por isso não está mais na prisão.

— Na escola dizem que há corpos enterrados aqui. Que se conseguissem encontrá-los, ele não poderia sair da prisão. Mas ele os escondeu muito bem.

— Não há nada disso aqui. Essa gente está apenas tentando te assustar. A polícia vasculhou tudo na propriedade. Procurou em todo canto. Não há nada. Ninguém consegue esconder algo tão bem.

— E lá fora? — Rick apontou para a floresta, tão densa de folhagem que Sam não conseguia imaginar sua vastidão.

— Também procuraram lá.

— E se... — Rick se deteve e balançou a cabeça. — Alguns dizem que ele comeu os corpos.

Sam olhou Rick nos olhos.

— Isso não é verdade. Você tem medo dele?

Rick voltou a dar de ombros.

— Pois não deve ter medo dele. Dennis não fez nada. — Sam perguntou-se como poderia provar para o menino que tudo não passava de histórias e mitos. — Além do mais, sou casada com ele. Eu saberia se ele fosse um cara mau. Dennis nunca machucaria ninguém.

Rick a fitou e assentiu com um gesto tímido.

Sam pegou o sanduíche não comido e voltou para dentro, parando para escutar às escondidas a conversa deles na cozinha.

— Lembra-se do senhor Jeffries, Den? Bem, ele era dono de uma locadora de vídeos na cidade, mas a polícia deu uma batida em... 97 ou 98 e encontrou todo tipo de vídeos ilegais; crianças, animais, estupros.

— Argh, eu sabia disso.

— Sério? De qualquer forma, ele ficou preso até 2002, morou no Fiddler Park por um tempo e agora está de volta à cidade. Ninguém quer saber dele. Entende o que estou dizendo?

— Ele sempre foi um canalha.

— E está ali agora, ninguém o incomoda, e você é um belo de um pa...

— Pária?

— Isso! Meu Deus, eu estava tentando ser *inteligente*. Estou tão envergonhada!

— É bom vê-la tentar.

— Ah, obrigada! — Lindsay deu uma risada prejudicada por anos de fumaça de cigarro.

Sam entrou na cozinha como se não houvesse ninguém ali, segurando o sanduíche a sua frente como um escudo.

— Oi, Sam! Rick não comeu? — Lindsay perguntou.

— Não. — E ela jogou-o na lata de lixo. — Não acho que ele esteja muito bem pra ficar fora da casa. Talvez você devesse levá-lo ao médico.

— Por causa de um resfriado? Rick vai sarar em dois dias. Ele só está tentando ficar longe da escola o máximo de tempo possível. Só não pode se divertir muito ou nunca mais conseguirei que ele volte às aulas. Como Aaron. Já lhe falei de Aaron, Dennis? Meu Deus, ele é muito parecido com você. Foi suspenso por duas semanas por causa de uma briga e por mandar a professora pra aquele lugar. Mas ela o tratou com grosseria e eu lhe disse que se algum adulto encostasse as mãos nele, ele precisava lutar, porque só alguém de nosso próprio sangue pode encostar a mão na gente.

Dennis sorriu.

— Eu o batizei em sua homenagem. Não o primeiro nome, claro. — Lindsay tornou a rir. — Apenas o nome do meio. Ele se chama Aaron Dennis.

— Aaron Dennis Durst? — Dennis fez um ar de espanto.

— Sim. — Lindsay se virou para Sam. — Den foi muito importante na minha vida. Sempre digo para os meninos que ele é o tio deles, porque Den é como um irmão pra mim. Bem... Até certo ponto. — E piscou.

— Você é o fim da picada. — Dennis ganhou um soquinho de Lindsay. — Você é terrível, Linds, o *fim da picada*.

Lindsay enxugou lágrimas de riso e sua maquiagem pesada borrou um pouco.

Sam achou que Lindsay gostou da consideração, da provocação.

— Bem — Lindsay disse, por fim, sem fôlego. — Preciso ir, mas vejo vocês no domingo à noite.

— Domingo? — Sam olhou para o marido.

— Vão passar o primeiro episódio da série — Dennis disse, irritado. — Você sabe disso. Devia ser a estreia.

Sam procurou ignorar o sorriso de Lindsay quando ela pendurou a bolsa em seu ombro. Sam notou como a bolsa estava rota e desgastada. Uma grande quantidade de chaveiros com animais de pelúcia ocupava a alça.

— Ah, e não se preocupe. — Dirigindo-se a Dennis, Lindsay levou o dedo indicador à boca, como se guardasse algum segredo. — Eu não esqueci.

Dennis não respondeu, mas Sam o flagrou movendo os lábios para ela antes de ele perceber que era observado.

Dennis acompanhou Lindsay até a porta principal, com a mão em sua lombar. Sam sabia que a intimidade deles era construída sobre uma história da qual ela nunca faria parte.

26

ASSIM QUE O SOM DO MOTOR DO CARRO DESAPARECEU, Sam se voltou para Dennis, perguntando:

— O que significa isto? — Levou à boca o dedo indicador e fez uma imitação grotesca de Lindsay. Sabia que era uma atitude feia, mas não se importou.

— Ela cuidou de alguns pertences pessoais pra mim enquanto estive longe. Pra que meu pai não pudesse vendê-los.

Com isso, Dennis se dirigiu ao próximo aposento para continuar esvaziando a casa. Sam escutou os barulhos dos móveis sendo quebrados em pedaços. Estaria ela errada ou não? Mark sempre a chamou de grudenta, paranoica, possessiva e desagradável. Sam se imaginava como alguém diferente, o tipo de mulher que gargalhava, que dizia "Cala a boca!" para os outros e empurrava os homens de brincadeira, em vez de ficar aborrecida e brigar. E por que ela não podia ser essa pessoa?, Sam se perguntou. Talvez devesse tentar.

Dennis se achava em seu antigo quarto e Samantha foi até lá. O aposento permanecia quase intocado, como se Lionel o tivesse preservado, não tanto por sentimentalismo, mas por curiosidade. Um museu mórbido do qual ele selecionou alguns pertences para vender quando precisou de dinheiro. Sam observava Dennis examinando as prateleiras que se estendiam pelas paredes. Os refugos tinham sido comprimidos nelas com tanta força que ele teve de segurar tudo com uma das mãos enquanto, com cuidado, movia algo solto com a outra.

Sem se virar para Sam, Dennis indagou:

— O que você quer?

— Desculpe.

— Tudo bem.

— Desculpe mesmo. Não confio em você o suficiente. É difícil pra mim, vendo como você fica com Lindsay, porque... nós não somos assim, acho.

— Não sei por que você está com ciúme dela.

— Não estou, mas vejo como vocês brincam um com o outro e têm tanta história.

Dennis suspirou:

— Somos apenas amigos, Samantha. Acho que você gostaria dela se a conhecesse. Você não é tão diferente. Ela apenas gosta da aprovação masculina, como você.

Sam buscou no rosto de Dennis os indícios de que ele estava brincando, mas seus olhos se escondiam atrás das lentes e sua expressão era impassível.

— Faça-me um favor. — Dennis segurou a mão de Sam e ela se inclinou para ele, com a cabeça encostada em seu ombro. — Veja se a tinta está seca e se já podemos dar outra demão.

— Pra que tudo isso, Dennis?

— O quê?

— Toda essa limpeza, a pintura. O que estamos fazendo aqui? Você pretende vender a casa? — Sam quis saber, sem conseguir imaginar que alguém quisesse viver ali. Sem dúvida, ela não conseguia imaginar algum morador local desejando adquirir a propriedade.

— Ainda não sei — ele afirmou, irritado. — É o que se faz. Quando alguém morre, quem fica tem de lidar com o que essa pessoa deixou pra trás. Não se larga tudo pra apodrecer. E não quero mais viver com essa maldita pichação na parede. Entendeu?

Sam não entendeu, mas disse:

— Desculpe. Entendi.

Estava muito quente do lado de fora e os mosquitos grudavam na pele úmida de Sam. Ela deu um tapa no pescoço e trouxe uma mancha negra de um inseto na palma da mão. Passou a ponta do dedo na tinta: ainda não estava seca. Não queria voltar para o interior da casa e limpá-la, por isso, sentou-se na varanda e devaneou a respeito de aonde ela e Dennis iriam a seguir. Nova York, Sam esperava, mas sabia que ele não concordaria. Talvez uma casa nos Canyons, em Los Angeles, com uma piscina imensa, que faria os corações dos dois dispararem quando nela entrassem, iluminada de verde à noite, quando eles se abraçariam e escutariam a água se mover a seu redor.

Era possível mudar. *Você não é uma má pessoa, porque você quer ser boa.* Se ela fosse má, não ficaria acordada à noite lembrando-se do grito de Mark, do vidro estilhaçado e daquele barulho horrível que ecoava em sua cabeça.

Na varanda, Sam bebia água com gás. Então, algo passou voando por sua orelha e quebrou a janela atrás dela. Por um instante, ela ficou imóvel e se perguntou o que poderia ter causado aquilo. Em seguida, algo atingiu seu ombro e rolou por seu corpo. Era uma pedrinha, seguida por outra, que ricocheteou no mata-insetos elétrico quebrado havia muito tempo. Protegendo o rosto com as mãos, ela correu para dentro da casa chamando por Dennis. Seu braço, onde a pedra a atingira, estava doendo e ficando vermelho.

— Há alguém lá fora de novo jogando pedras. Uma me acertou!

Dennis não estava em seu quarto. Sam se dirigiu aos aposentos de Lionel, à cozinha, ao banheiro, mas ele desaparecera. Então, ela escutou a porta dos fundos se abrir e viu Dennis entrar, com uma escopeta pendurada no ombro pela alça, com a bandeira americana estampada em toda a superfície. Ele estendeu uma das mãos para ela e gesticulou para que ficasse encostada na parede, quieta. Sam o viu destravar a arma e atravessar a porta da frente. Achou que estava sonhando até que dois tiros a fizeram estremecer e bater a cabeça na parede logo atrás. Sam tapou os ouvidos e se preparou para novos disparos, mas eles não vieram.

Dennis reapareceu e apoiou a arma contra a parede.

— Garotos... — resmungou.

Sam esperou que ele falasse mais alguma coisa, mas Dennis foi lavar as mãos na cozinha.

— O que houve? — ela perguntou, com a voz trêmula.

— Dei dois tiros pro alto. Eles saíram correndo das moitas, decerto com as calças mijadas.

— De onde veio isso?

— A arma? Finalmente encontrei o esconderijo do meu pai. Ele nunca teve porte, mas tinha cerca de dez dessas coisas num baú debaixo da cama. Você ficou assustada? Não fique, pois não virão mais espiar você. — Ele a abraçou. — Vá se arrumar. Precisamos ir à loja e, depois, podemos sair pra jantar.

O nanico da ninhada ainda não se alimentava bem. Assim, antes do jantar, Dennis comprou um leite em pó para gatos e uma seringa para alimentação. Eles iriam ficar com ele, Dennis decidiu, e com Atum, mas tentariam doar os demais antes de partirem.

Sam apreciava que Dennis estivesse sendo gentil com ela. Ele insistiu para que fossem comer um hambúrguer, mesmo detestando. Dennis pediu um hambúrguer de frango sem maionese, mas veio com maionese. Sam o observou remover a alface cheia de maionese do sanduíche e embrulhá-la num guardanapo.

— Você pode pedir pra trocar — Sam afirmou, sentindo-se culpada.

— Tudo bem. De verdade, não se preocupe com isso.

O garçom voltou com um acompanhamento de brócolis, mole e cozido demais. Dennis pareceu desapontado, mas não reclamou. Ele até comentou a respeito de onde eles poderiam viver depois da estada em Red River e sorriu educadamente quando Sam descreveu a casa na Nova Inglaterra com que sempre sonhou. Sam sabia que ele se sentia mal por causa do susto que ela levou e admitiu que se sentia um pouco melhor porque aqueles garotos não a espreitariam mais.

Quando voltaram para casa, Sam observou Dennis segurar o gatinho, tão pequeno que cabia em uma única mão. A respiração do filhote vinha em aspirações pequenas seguidas por exalações curtas e intensas.

Sam adorava o quão gentil Dennis era com aquela coisinha frágil, sua paciência ao dar o leite em pó com a seringa e enxugar a boca do gatinho com a manga da camisa. Quem quer que tivesse matado o cachorro, ela sabia que não fora Dennis.

— Não está parecendo promissor pra este rapaz. — Dennis levou o gatinho para perto do rosto e tocou o focinho dele com sua cabeça.

— Vamos chamar um veterinário?

— Veremos como ele se sente amanhã. — Dennis recolocou o gatinho entre seus irmãos.

Sam notou como ele era menor e menos agitado do que os demais. O gatinho se enrolou com força e continuou respirando pesadamente.

— Espero que ele comece a melhorar amanhã.

Sam foi escovar os dentes e olhou-se no espelho, percebendo as sardas que apareceram após um dia ao sol.

— Meu Deus... — Dennis disse por trás dela.

— O que foi? — Ela cuspiu a água com pasta de dente, mas impediu-o de ver isso com uma das mãos.

— Você está usando minha escova...

— Quê? Desculpe! — Sam a virou em sua mão e constatou que Dennis tinha razão. Ela a enxaguou e a recolocou no porta-escovas de dente.

— Qual eu vou usar?

— Use esta mesma. Desculpe, tá bem?

— É desagradável. Não posso usar essa escova.

— Não seja ridículo. Somos casados. Até parece que é grande coisa.

— Você tirou comida dos seus dentes com ela. Precisamos voltar pra loja e comprar uma nova.

— O quê?

— Ainda está aberta. Fica aberta durante toda a noite. Vamos.

— Estou muito cansada. Trabalhei o dia todo.

— Você trabalhou menos de duas horas. E sejamos francos... O que você faz além de tirar fotos de tudo que come e postá-las on-line?

Sam o encarou. Durante todo o dia ela deu o seu melhor. Permaneceu calma, tolerante e cooperativa. Dennis disparou uma escopeta, ela pensou. Em crianças, pelo amor de Deus. E ela não disse nada.

— Você me odeia, Dennis?

— Hein?

— Às vezes acho que você me odeia.

— Olhe, esqueça. Apenas estou um pouco cansado hoje.

Dennis pegou sua escova de dentes e a manteve debaixo da água por um longo tempo. Parada atrás dele, Sam percebeu a mesma relutância teimosa em se desculpar que ela tinha. Em vez de brigar, ela o enlaçou pela cintura e lamentou por usar sua escova de dentes. Ele aceitou com um resmungo e ela foi se acomodar no colchão inflável na sala de estar.

Minutos depois, Dennis apareceu, ainda mudo, mas não tão tenso. Calado, ele dobrou os óculos e os deixou na mesinha de centro, abraçou Sam, desajeitado, e a puxou para si. Beijaram-se timidamente. Sam conseguiu ouvir a respiração dele e o guincho do colchão debaixo dos dois. Ela começou a deslizar a mão pela cueca dele, mas Dennis se afastou dela.

Eles se beijaram e ela tentou de novo, com a mão deslizando sobre Dennis.

— Não. — E ele tornou a afastar-se.

— Eu só...

— Pare com isso, ainda não. — E Dennis deu-lhe as costas.

Sam o queria tanto que quase doía. Ela se amoldou às costas de Dennis e ele pegou as mãos dela e as segurou. Parte de Sam queria lhe perguntar qual era o problema. Ela pensou nele na prisão, 18 anos de idade e tão bonito, naqueles meses com presos comuns antes de ser transferido para o corredor da morte. Algo aconteceu na ocasião? Ou foi antes? Ela se lembrou de como ele odiava o pai. Imaginou as noites, os passos trôpegos de um bêbado pelo corredor, aproximando-se. Ela o segurou com mais força. Não era algo que ela achava que conseguiria perguntar.

Enfim, Dennis relaxou, e Sam adormeceu abraçada nele. Mais tarde, ainda durante a noite, quando ela acordou, ele havia desaparecido. Embora Sam tentasse se manter acordada até o retorno dele, seus olhos se fecharam e ela se deixou levar pelo sono. Acordou de manhã para vê-lo deitado a seu lado, com cheiro do lado de fora da casa e a camiseta um pouco fria ao toque.

27

NA MANHÃ SEGUINTE, SAM PERGUNTOU AONDE DENNIS tinha ido à noite.

— Precisei sair, não conseguia dormir. — Ele deu de ombros.

Quando ele foi correr, Sam, na cama, apoiou o laptop no colo e procurou por notícias na região de Red River. O cachorro morto era a notícia principal, embora o artigo relatasse que ele fora morto num arrombamento. Não havia nenhum detalhe a respeito da cabeça e nada em relação à estripação. A polícia mentira, Sam concluiu, exatamente como Dennis dissera. O artigo sugeriu que o cachorro fora atingido por um bastão de beisebol. Ela não conseguiu ler mais nada, pois aquilo a perturbou demais. Em vez disso, Sam deitou-se e pensou em Dennis, imaginou as mãos dele dentro de seu vestido, com os dedos puxando sua calcinha para o lado.

— Dia cheio! — Dennis gritou ao retornar. — Tenho de planejar o funeral. E preciso encher as caçambas pra quando virem pegá-las. Depois, é melhor nos organizarmos pra quando Lindsay vier, pra estreia. — E ele se dirigiu ao chuveiro antes que Sam pudesse responder.

Eles retomaram a rotina. Sam limpava os aposentos que Dennis esvaziava, enrolando as teias de aranha ao redor de um espanador e usando uma escova de dente velha nos interruptores de luz amarelados. Não importava o quanto ela limpasse, pois tudo parecia sujo, com a imundice e a miséria absorvidas profundamente nas superfícies. Toda a madeira estava frágil e pegajosa ao toque e Sam sentia como se ela houvesse se transmitido para sua própria pele, até que ficasse coberta pela mesma camada invisível de sujeira.

O som de um carro do lado de fora a assustou. Dessa vez, dois deles, o oficial Harries e o mesmo jovem policial num uniforme marrom imaculadamente passado, vinham caminhando devagar até a porta da casa. Sam saiu antes de Dennis e o jovem policial inclinou seu quepe numa mesura e sorriu de leve.

— Bom dia. O seu marido está em casa?

Então, Dennis apareceu e parou atrás de Sam, apertando o ombro dela com uma mão, o que enviou faíscas de prazer e ansiedade pelas costas dela.

— O que é agora, pessoal?

Tem a ver com ontem à noite, Sam pensou. Ela olhou para os dois policiais, decidindo o que faria ou diria se lhe perguntassem onde Dennis estivera.

— Temos relatos de alguns tiros aqui, lá pelas quatro e meia da tarde de ontem. Vocês sabem algo a respeito?

Sam deu um suspiro de alívio.

— Não. — Dennis deu de ombros. — Você escutou alguma coisa, querida?

— Nada. — Sam ergueu as mãos com as palmas para cima. Era um gesto absurdo, ela notou.

— Temos alguns garotos que ficaram bem abalados. Disseram que você atirou duas vezes para o alto quando os pegou bisbilhotando.

— Parece que poderia ter sido muito pior. E quanto à lei Defenda o seu Espaço? Talvez os garotos devessem tomar mais cuidado com onde se metem. Algumas pessoas por aqui levam esse tipo de coisa muito a sério.

— Você tem o porte dessa arma? — o policial mais jovem quis saber.

— Só estou falando hipoteticamente, é claro. Não há armas aqui. Talvez esses garotos tenham se perdido. Eles podem ter estado em alguma outra casa perto daqui.

— Não há outras casas perto daqui. Nenhuma num raio de três quilômetros.

— Bem, talvez eles estejam apenas contando histórias.

— Nós podemos conseguir um mandado de busca, Dennis — o oficial de polícia Harries afirmou. — Ou você pode nos deixar entrar e nós pegamos a arma. Acho que seu pai tinha mais armas do que aquela que usou para atirar em si mesmo.

— Olhe, eu gostaria de ajudá-los, mas estamos meio ocupados hoje. Talvez outra hora.

— Então voltaremos a nos ver em breve. — Harries olhou para Sam, saudando-a com uma mesura.

Assim que os policiais partiram, Dennis socou a parede, repetidas vezes, até que a janela rachada expeliu um caco de vidro sobre a varanda.

— Entende? Querem me prender de novo. Eles não desistem.

— Talvez devêssemos arrumar tudo o mais rápido possível e ir embora. Veja como você fica estressado com isso.

Esse comentário incitou Dennis. Ele começou a desfiar uma longa lista de tarefas que precisavam ser concluídas antes que eles pudessem partir de Red River. Disse que Sam não estava sendo solidária e passou a desmantelar sua cama em seu antigo quarto com renovada ferocidade, resmungando acerca de agentes funerários, caixões e malditos reverendos. Quebrou ao meio o estrado pisando-o com a bota e atirou as peças para o lado. Sam as recolheu e as levou para as caçambas, que estavam quase cheias, e parou por um instante para pensar de novo sobre como sua vida mudara em um ano e como poderia ter sido diferente.

Muitas vezes ocorreu a Sam que, se Mark estivesse interessado e disponível desde o início, ela não teria pressionado tanto. Eles não tinham quase nada em comum. Ela se lembrou com amargura das horas que passou vendo-o jogar Call of Duty, conversando por meio de um microfone e um fone de ouvido, enquanto ela fazia exames simulados ao lado dele. Ele não era Dennis. Mark era gorducho e indistinto. Havia um bilhão de Marks andando por aí com suas camisetas desbotadas, que homenageavam filmes como *Tubarão*, *Guerra nas estrelas* e *De volta para o futuro*, com seus cabelos castanhos curtos e dizendo às mulheres que não queriam um relacionamento, mas, na realidade, Sam sabia, estavam apenas esperando que algo melhor cruzasse o caminho deles. E algo cruzaria, porque as mulheres eram muito estúpidas. Elas achavam que um homem como Mark as valorizaria mais, pois, pelo fato de ele ser chato e feio, ele as amaria simplesmente por elas o amarem. Mas não era assim que as coisas funcionavam. Ela compreendia isso agora. Mesmo os gordos e enfadonhos achavam que tinham direito a mais.

Com Dennis, Sam sentia-se mais segura. Quase todas as mulheres pareciam invisíveis para ele, mesmo as muito bonitas, que se moviam como felinas ao redor dele enquanto ele falava. Havia apenas Lindsay, que parecia atraí-lo de alguma maneira. Lindsay, cujo antigo delineador ficava manchado sob o novo delineador, cujo rosto estava marcado por rugas finas, que ia deixando um rastro de cheiro de fumaça velha ao caminhar. Os dois compartilharam alguma história, algo antigo e enterrado bem fundo, mas que Sam sentia. Ela sentia isso tanto quanto conseguia sentir o trem antes que chegasse, uma energia que percorria seus ossos.

Sam caminhou até os fundos da casa e se sentou sobre um antigo freezer horizontal enferrujado. Olhou para a floresta escura. Era um mundo completamente diferente. Considerou a maneira como Dennis cresceu, como sua vida teve uma interrupção por mais de 20 anos durante sua estada no corredor da morte. Havia vezes em que ela se esquecia de que ele não era uma pessoa a ser descoberta, uma narrativa a ser desvendada. Dennis era uma pessoa confusa e complicada. Igualzinho a ela.

— Pronta pra irmos jantar? — ele perguntou, assustando-a.

— Claro.

Dennis estendeu a mão para ajudá-la a ficar de pé. Dentro da casa, Sam pegou sua bolsa e procurou as chaves.

— Aqui estão. — Dennis as balançou no ar. — Falando sério, o que você faria sem mim?

28

LINDSAY APARECEU NA NOITE DE DOMINGO, ENQUANTO Dennis e Sam arrumavam pratos com palitos de cenoura e húmus para a estreia do primeiro episódio. Para Sam, pareceu que aquela era a primeira vez que eles faziam algo que um casal normal fazia. Era o tipo de cena de que ela se lembrava de sua infância, observando da escada quando sua mãe e seu pai preparavam pratos com comida de festa embrulhados em filme plástico. Mas a ilusão morreu quando Lindsay tocou a buzina e Dennis correu para fora, para falar com ela pela janela do carro.

Quando Dennis voltou, carregava um saco de papel pardo. Ele olhou dentro e cheirou, antes de fechá-lo de novo. Quando Lindsay entrou, deixou no chão dois pacotes com seis latas de cerveja em cada um. Em seguida, abraçou Dennis com força. Por sobre o ombro dele, ela abriu os olhos e olhou para Sam por um instante antes de fechá-los de novo.

Dennis soltou-se e caminhou rápido pela sala de estar, com seus passos desaparecendo para a direita, para os quartos nos fundos da casa. Sam continuou colocando tigelas de nozes e edamame na mesinha de centro, ao redor do MacBook de Dennis. Nesse dia, seria a estreia do primeiro episódio da série *O garoto de Red River*. O resto da série seria lançado na sexta-feira seguinte.

Carrie ligara para dizer como se sentia triste pela ausência deles na estreia. Sam sabia que ela estava sendo sincera. Os demais da equipe da produção mal tinham entrado em contato desde o incidente no programa *Today's Talk*. Sam pensou na rapidez com que se cansaram de seu bichinho de estimação do corredor da morte.

Dennis voltou sem o saco que Lindsay lhe dera e se sentou no sofá entre ela e Sam. Enquanto assistiam à estreia, ele segurava o gatinho cinzento doente, embrulhado numa toalha de mão, com o leite escorrendo pela boca.

— Você acha que ele vai sair dessa? — Lindsay estendeu um dedo para acariciar o filhote.

— Talvez — Dennis respondeu.

— Se ele não estiver melhor amanhã, vamos levá-lo ao veterinário. — Sam usou o canto da toalha para enxugar a boquinha dele.

— Bem, se vocês estiverem procurando um lar para os outros, tô dentro. Acho que um par de gatinhos seria incrível para ensinar aos meninos alguma responsabilidade.

— Há quatro pra escolher. Dê uma olhada.

— Vocês sabem quais são machos? Não quero fêmeas que voltem pra casa grávidas um dia.

— Não faço a menor ideia.

— É preciso castrá-los, quer sejam machos ou fêmeas — Sam informou.

— Não há nenhum motivo pra castrar se forem machos. — Lindsay inclinou a cabeça para trás, engolindo algumas nozes.

— Ah, há sim. Todos têm de castrar seus gatos. É assim que funciona. Caso contrário, alguma gata vai voltar pra casa grávida e será abandonada como essa.

Lindsay rolou os olhos, exprimindo aborrecimento.

Um poderoso sentimento de indignação se apossou de Sam, que soube que aquilo era por sua causa, como sempre.

— Você não pode criar os gatinhos. Sem dúvida, não é uma pessoa responsável.

— Ah, vá se foder! Então, vou conseguir gatinhos numa maldita pet shop. Desculpe, Dennis, não sou responsável o suficiente pra seus gatinhos.

— Sam tem alguma razão — Dennis disse, e o sorriso de Lindsay desapareceu. — Desculpe, Linds, mas você é, tipo, um problema.

Eles assistiram em silêncio por um tempo. O primeiro episódio, para decepção de Sam, concentrou-se sobretudo nos principais detalhes do caso. Não falou nada sobre o relacionamento deles, nem apresentou nenhuma filmagem que ela fez com Carrie. De repente, o rosto jovem de Dennis encheu a tela. Tinha a aparência tremeluzente e branqueada dos antigos vídeos reproduzidos em fitas VHS.

— Meu Deus, Dennis — Lindsay disse em voz baixa. — Você parece tão *jovem*... — Inclinou-se para chegar mais perto do laptop. Talvez ela se aproximasse para tocá-lo. — É tão... É tão... — E, cobrindo o rosto com as mãos, ela começou a chorar.

Sam não sabia para onde olhar.

— Não chore, Linds. — Dennis enfiou o gatinho debaixo de um braço e abraçou Lindsay com o outro.

— Sinto muito, sinto muito mesmo. Isso é muito absurdo. — O choro dela emergia aos soluços.

— Estou aqui agora, não estou? — Dennis disse.

Sam desejou não ter sido tão rude com Lindsay a respeito dos filhotes e saber o que dizer nesse momento.

— Eu sei. — Lindsay fungou. — Só perdi o controle por um instante. Quando penso em quanto tempo você esteve... — Mas calou-se, baixou a cabeça de novo e continuou a chorar.

Sam procurou lenços para oferecer a Lindsay, mas se deu conta de que eles não tinham. Saiu da sala e voltou com um rolo de papel higiênico, pedindo desculpas quando o entregou a Lindsay.

— Tudo bem. Obrigada, Sam. Estou tão envergonhada...

— Não tem nada a ver — Sam foi sincera. — Faço isso o tempo todo, não é, Dennis?

— Sam não está mentindo — Dennis confirmou. — Ela chora por qualquer coisa.

Lindsay forçou uma risada.

— É louco, não é? Achei que nunca estaria aqui de novo, Den. E cá está você.

Os créditos passaram sobre um fundo musical melancólico e imagens em preto e branco de Holly Michaels, do córrego e de fotos de fichamento de Dennis. Lindsay e Sam aplaudiram e Dennis sorriu.

— Vai ser incrível — Sam afirmou.

— O que as pessoas estão falando no Twitter? — Lindsay quis saber.

Sam evitara olhar o Twitter durante todo o dia e ficou irritadíssima com Lindsay por ela mencionar o assunto. Dennis pegou o celular e começou a ler as reações. Como Sam esperava, havia muitos comentários negativos.

— É apenas o primeiro episódio — Sam disse. — E foram usadas muitas imagens antigas. Só que as pessoas estavam esperando algo novo. Depois que os demais episódios forem lançados, tudo vai mudar.

— Ouçam — Dennis pediu. — "É a história mais branca já contada" — ele leu. — O que isso significa mesmo?

— Ignore — Sam pediu-lhe.

— Tudo bem, o que ser branco tem a ver com isso? — Lindsay perguntou. — Desculpe, mas isso é apenas um comentário racista.

— Não é mesmo? — Dennis bufou.

— Na verdade, não. — Sam meneou a cabeça. — Espere, o que você está digitando?

Dennis digitava furiosamente em seu celular.

— Nada — ele afirmou.

— Sério, não responda!

— Por que não, Sam? — Dennis olhou para a tela por um momento e pressionou a tecla uma vez.

— O que você escreveu? — Lindsay dava risada.

— Perguntei pra mulher o que ser branco tem a ver com isso.

— Apague — Sam pediu. — Você não entendeu. Ela não está dizendo que...

— Ela respondeu! — Dennis exclamou. — "Verifique seus privilégios."

— Ela não consegue explicar isso porque é uma besteira — foi a opinião de Lindsay.

— Apenas diga que você entende o que ela está dizendo, mas... O que está escrevendo agora?!

— "Eu era o garoto mais pobre da cidade, meu pai me batia, mas sou privilegiado?"

— Ah, meu Deus! — Sam exclamou.

— Dennis tem razão. Você não acha que ele tem razão? — Lindsay franziu as sobrancelhas. — Essa merda parece privilégio?

Dennis continuou digitando. Sam pegou seu próprio celular e leu o que ele postou:

Durante um ano fui o único cara branco no meu bloco do corredor da morte. Não é nenhum privilégio.

A garota respondeu:

Ah, exato, a questão é essa. Por favor, saia dos meus comentários.

Dennis tuitou sobre seu próprio feed:

Não existe privilégio branco no lugar de onde venho. Pare de vomitar isso. Se você não gosta de mim, não assista #GarotodeRR.

— Dennis! — Sam falou em voz alta, perdendo a paciência. — Você precisa apagar isso! Agora!

— Esqueça. Posso ter minha opinião sobre toda essa merda que dizem.

— Mas você não *entendeu*!

— Acho que *você* não entendeu, Sam — Lindsay interveio. — Dennis veio do nada.

Lindsay decidiu ir embora quando as cervejas acabaram, cansada de ver Dennis curvado sobre o celular. Para indignação de Sam, ela embarcou cambaleante em sua caminhonete e partiu pelos caminhos escuros, tocando sua buzina.

— É exatamente o que todos fazem aqui — Dennis murmurou sem erguer os olhos.

— Ela pode matar alguém!

— Provavelmente apenas outro bêbado.

— Não quero dirigir aqui à noite de novo. Não se todos ficam tão bêbados assim.

— Você é quem sabe.

Carrie ligou para Dennis várias vezes. Nick também. No entanto, Dennis não atendeu a nenhum dos dois e continuou a defender sua posição. Mas quanto mais Dennis brigava, mais perdia, e ele não conseguia entender. Era como um homem sedento bebendo água do mar e Sam não era capaz de fazê-lo parar.

Dennis prosseguiu tuitando ao longo da noite até a bateria do celular acabar. Foi quando ele atirou longe o aparelho, puxou o colchão inflável e o ajeitou sob o aparelho de TV.

— Vamos dormir. — Sam massageou os ombros de Dennis. — De manhã, não vai parecer tão ruim.

Sam esperava que fosse verdade, que tudo passasse ou que Nick tivesse as palavras certas para corrigir as loucuras da noite.

Dennis pegou o gatinho e o enfiou de novo debaixo do braço.

— Não que eu não entenda o que diz, Den. Mas acho que você também não entende o que estão dizendo. De certo modo, ambos estão certos. Você não precisa levar pro lado pessoal.

— Não estou levando pro lado pessoal — Dennis afirmou, irritado, e foi ao banheiro.

Sam o seguiu, ainda tentando tranquilizá-lo, quando ele se sentou na beira da banheira, observando a água correr. Ele parecia cansado. Sam experimentou uma onda de amor quando ele beijou a cabeça do gatinho e o colocou no bolso dianteiro de seu agasalho de moletom.

— Tudo ficará bem — Sam mentiu. — Amanhã haverá outra coisa com que todos ficarão bravos e ninguém se lembrará disso.

Dennis sorriu e pôs a escova de dentes sob da água.

— Eu te amo, Den.

— Também te amo.

Sam voltou para a sala de estar e começou a remover a maquiagem. Por meio de um espelho de mão, ela examinou os poros e as sobrancelhas, puxando pelos errantes quando os encontrava. Consultou seu celular e se perguntou por que Dennis estaria demorando tanto.

— Den? — Sam gritou. — Você está vindo para a cama?

Ele não respondeu.

Ela se levantou e olhou para o banheiro, que estava com a porta entreaberta. Bateu nela uma vez e a abriu. A pia estava cheia, com a torneira pingando. Dennis, de costas para ela, olhava para a banheira.

— O que você está fazendo? — ela perguntou, tocando de leve o ombro dele.

Dennis estremeceu e algo caiu na banheira com um baque suave.

— O que é... — Sam começou a falar e parou, horrorizada: o gatinho estava quieto, com o corpo sem energia, inanimado. — O que houve?!

— Ele morreu. Eu o segurava e ele simplesmente...

— Mas ele parecia bem. Quero dizer...

— A respiração piorou. De repente, começou a se debater. No fim, apenas... parou.

Sam tentou olhar para o corpo, mas Dennis se colocou na frente dela.

— Ele está molhado? — ela perguntou.

— O quê? Não sei. Não olhe pra ele. Você vai se chatear.

— Ele parou de respirar?

— Sim, depois de um tempo. Como eu disse, ficou se debatendo. Piorou antes de parar.

Algo não parecia certo. Sam achou que o gatinho estava piorando, mas não imaginou que isso pudesse acontecer tão rápido. A menos que ele estivesse mais doente do que ela supusera.

— Estou me sentindo péssima. — Sam começou a chorar.

— Fizemos o melhor que pudemos. Isso acontece.

Ele a abraçou. Ao fazer isso, virou-a, impedindo que visse a banheira. Quando Dennis enrolou uma mecha do cabelo dela em torno de um dedo, Sam sentiu o punho da manga do agasalho dele em seu rosto, úmido. E um calafrio subiu por sua espinha.

— Você acha que fomos egoístas tentando mantê-lo vivo por tanto tempo? Ele deve ter sofrido.

— O que mais poderíamos ter feito, Sam?

— O veterinário poderia tê-lo sedado.

Dennis a soltou e olhou para ela, com o rosto contraído de raiva.

— Sedado?! Isso teria sido mais compassivo?

— Pelo menos ele não teria sofrido.

— Como sabe? Como você sabe que isso não faria mal? Você deixaria que me sedassem?

— Não foi isso o que eu disse...

— Você não sabe se isso não causa dor. Não pode garantir que isso teria sido mais compassivo do que...

Do que o quê?, Sam pensou. O que acontecera? Ela olhou para trás e viu o corpo na banheira, mas Dennis puxou-a de volta para si e a abraçou com força.

— Sinto muito não termos conseguido salvá-lo, Sam. Nós o enterraremos amanhã. Vamos pra cama. Vou encontrar algum lugar pra deixá-lo até amanhã.

Dennis a beijou e, com jeito, colocou-a para fora do banheiro, fechando a porta entre eles. Sam disse a si mesma que estava sendo paranoica, que estava contrariada. Mas algo no silêncio atrás da porta fechada provocou-lhe arrepios. Ela imaginou o gatinho como pensava tê-lo visto tão brevemente, com os olhos vidrados, o pelo escorregadio e a água se acumulando ao redor de sua cabecinha.

29

NA MANHÃ SEGUINTE, QUANDO DENNIS SAIU PARA CORRER, ela entregou os pontos. Teve pesadelos que atravessaram seu cérebro como fogos de artifício, cada um rapidamente substituído pelo seguinte. Viu Dennis segurando o gatinho debaixo d'água. Em seguida, Dennis segurava um cachorro uivante pela nuca e com uma faca cortava sua garganta. Por fim, viu Dennis sobre Lindsay, segurando as mãos dela acima da cabeça, olhando fundo nos olhos dela.

Sam precisava ver o gatinho, o corpo dele. Tinha de constatar que estava errada, que o pelo do animalzinho estava seco e seus olhos, fechados. Era absurdo, disse a si mesma, acreditar que Dennis o afogara. Mesmo que tivesse feito isso para acabar com o sofrimento dele, como ela acreditava. Porém, ao procurar na casa, não encontrou nenhum sinal do gatinho. No banheiro, verificou todos os cantos, para ver onde Dennis poderia tê-lo escondido enquanto ela permanecia acordada, escutando e passando a cena repetidas vezes na cabeça.

Naquela manhã, ao buscar de aposento em aposento, Sam viu o saco de papel pardo amassado que Lindsay trouxera para ele. Estava colocado cuidadosamente entre seus antigos pertences, no quarto de sua infância, como se Dennis o tivesse colocado de volta ao lugar a que pertencia. Sam sabia que não devia olhar, mas a curiosidade foi mais forte. Se Lindsay cuidou daquilo durante todos aqueles anos, então, sem dúvida, não faria mal se ela desse uma olhada.

Assim, com cuidado, ela abriu o saco de papel. No interior, havia uma caixa verde de metal enferrujado. Para Sam, parecia um tipo de lancheira do exército. Quando Sam a ergueu, fez barulho. Ainda que estivesse trancada, ela deslizou as unhas na fenda e tentou forçá-la. Mas não deu certo. Então, Sam bateu a caixa de metal contra a parede e gemeu de frustração. Recolocou-a no saco e o papel rasgou. Então, ela o pôs entre as outras coisas. *Foda-se ele. Fodam-se seus segredos. Foda-se Lindsay. Fodam-se os dois!*

Depois que se acalmou, Sam se sentiu nauseada de remorso. Não era assim que ela queria ser: a mulher louca que bisbilhotava os pertences do marido. Fantasias paranoicas sobre gatinhos afogados e casos amorosos com antigas namoradas. Por que se empenhava em destruir tudo o que a deixava feliz?

O saco estava rasgado e ela não poderia esconder isso. Assim, embrulhou a caixa de novo com o máximo cuidado e recolocou o saco no lugar de onde o tirara. Era um novo começo. Quando Dennis perguntasse a respeito, ela seria honesta, eles esqueceriam tudo e seguiriam em frente.

Porém, quando Sam escutou Dennis voltar sentiu um frio na barriga e começou a entrar em pânico. As justificativas atravessaram sua mente, mas nenhuma pareceu verossímil. Ela não podia esperar que ele descobrisse, teria de encará-lo primeiro.

Quando Dennis terminou de se alongar, Sam o escutou indo para a cozinha e abrindo a geladeira. Ela se preparou para o inevitável, envergonhada e constrangida. Ao se cruzarem no corredor, Dennis tomava um gole longo de uma garrafa de Smartwater, com a cabeça jogada para trás, e Sam começou a confessar:

— Eu...

O celular dele tocou na sala de estar. Dennis o desconectou do carregador e atendeu:

— Carrie, desculpe, eu ia ligar...

Sam respirou fundo e entrou na cozinha, onde podia escutar às escondidas. Ouviu Dennis tentar se defender, mas, com o tempo, ele ficou quieto, e Sam invejou Carrie por conseguir fazê-lo entender de uma maneira que ela não era capaz. Por fim, ele recomeçou a falar:

— Você tem razão, fiz uma puta besteira. Acho que devia aceitar que não enxergam as coisas do meu jeito. Ok. A gente se fala. Sim, você também. Sam! — ele chamou, segurando o celular para ela. — Carrie quer falar com você.

— Está tão aborrecida com ele quanto eu? — Carrie perguntou.

— Foi uma noite estranha. — Sam se certificou de que Dennis estava fora do alcance de sua voz. — Tentei detê-lo, mas ele não desistiu. — O quanto deveria contar a Carrie sobre a noite passada?

— Ele é teimoso quando quer. Sinceramente, não é bom pra série, mas...

— Como foi a estreia?

— Houve protestos. Até certo ponto, foi um show de merda. Ainda bem que Dennis não estava presente. Mas aí eu vi o Twitter...

— Sinto muito. — Sam suspirou. Tudo parecia que estava dando errado.

— Não importa. Dennis está livre. Você está feliz. Certo?

— Sim — Sam disse sem muito entusiasmo. — Sim, estamos bem. Quero dizer... Odeio isto aqui. Estou isolada. Aquela Lindsay vem aqui o tempo todo.

— Argh... — Carrie gemeu.

— Eles têm essa coisa estranha de irmão e irmã rolando, mas também rola um tipo de paquera. — Sam precisava falar com alguém. — Ou talvez eu esteja imaginado isso. Mas Lindsay está sempre aqui. Ela veio ontem à noite e deixou Dennis nervoso com aquele tuíte estúpido. — Em seguida, explicou o que acontecera. Parou na parte em que Lindsay foi embora para casa bêbada.

— Se serve de consolo, Dennis me disse que mal pode esperar pra escapar de Red River. Falou que tem pressa de começar de novo com você em algum lugar. Ele só quer que você seja feliz.

— Ele disse isso?

— Sim. Sempre que converso com Dennis, ele só fala de você. Escute, tenho de ir. Mas estarei no funeral. Então, poderemos conversar mais.

— Obrigada. Só quero falar com alguém normal. As pessoas aqui são... — Mas Sam não conseguiu se expressar a contento. — De qualquer jeito, conversamos no funeral.

Após desligar, Sam procurou Dennis. Encontrou-o na sala de estar, com o saco de papel amassado e rasgado no colo. Sam começou a explicar, mas ele a interrompeu:

— 20 anos e Lindsay nunca me perguntou o que havia dentro. Sabe por que, Sam?

— Porque ela confia em você? — Sam afirmou, lembrando-se da noite anterior, e se sentiu constrangida.

— Não. Porque ela quer que eu confie nela. Você não quer isso?

— Claro que sim.

— Acha que há algo aí dentro que preciso esconder de você? — Dennis sacudiu a caixa, tirou uma pequena chave do bolso e tentou colocá-la na fechadura.

A chave já não encaixava, pois a fechadura estava enferrujada. Então, ele pegou uma chave de fenda, que enfiou do lado da caixa, e forçou a abertura da tampa. Ele foi bem-sucedido.

— Veja, Sam.

Lá dentro havia fotos: dele quando bebê, de sua mãe e de seus avós. E a escritura da propriedade, um ingresso de cinema, um pequeno crucifixo folheado a prata com uma corrente quebrada e um caderninho de endereços. Devagar, ele tirou cada item e foi colocando sobre a almofada do sofá vazia a seu lado. Coisas de nenhum valor real, Sam percebeu, apenas objetos cuja falta ele sentiria se os perdesse.

Sam nem podia lhe dizer que estava arrependida. Em vez disso, ajoelhou-se no chão, perto dele, e pegou as fotos: havia uma de sua mãe segurando-o na maternidade; outra dele quando menino, não mais do que cinco anos, parado de pés descalços na escada da casa. Por fim, uma fotografia dele quando adolescente, com o braço em torno de uma jovem Lindsay usando miniblusa, calça boca de sino e trancinhas no cabelo. Sam sorriu. E havia mais alguém, um garoto que apoiava a cabeça no ombro de Dennis, de cabelo comprido e bigodinho.

— Quem é ele? — Sam quis saber.

— Howard. — Dennis pegou a foto da mão de Sam. Por um momento, ele a olhou, e a recolocou na caixa.

— É uma bela fotografia. Vocês pareciam felizes.

— Acho que estávamos. Não consigo lembrar.

30

DENNIS QUIS ENTERRAR O GATINHO EM UM LUGAR LONGE da casa, na floresta além da cerca. Logo após o almoço, ele entrou na sala de estar segurando uma caixa de sapatos que Sam imaginava que devia conter o corpo do filhote. Ele pôs a caixa em uma sacola e a entregou a Sam enquanto se aprontava para sair. Era muito leve, ela notou com tristeza, lembrando-se de como o gatinho era pequeno e frágil. Sam experimentou um frio na barriga e ficou feliz quando Dennis pegou a sacola de volta. Eles saíram a caminho das árvores, com Dennis dizendo que queria enterrá-lo perto de Ted, seu antigo gato, num lugar que seria significativo.

O chão afundava sob os pés de Sam e ela sentia as solas dos sapatos desaparecerem na camada de musgo e ervas daninhas que cobriam tudo. Dennis pediu que ela ficasse logo atrás dele, enquanto ele testava a terra com um galho comprido, cutucando áreas onde existiam buracos profundos ou raízes de árvores. Tudo se achava coberto por uma manta verde.

Eles caminhavam fazia mais de meia hora. Olhando por sobre o ombro, Sam não conseguia mais ver a casa, nem nenhum sinal de civilização. Dennis jurou que conseguiria se lembrar do caminho e a conduzia com confiança, parando de vez em quando para se orientar. Porém, Sam se deu conta, se ele a deixasse lá, ela não saberia como encontrar o caminho de volta.

Eles começaram numa trajetória diagonal, virando à direita e, depois, fizeram uma curva fechada à esquerda. Em seguida, contornaram um declive pronunciado e seguiram em frente novamente. Não houve nada distintivo desde o declive e, em pouco tempo, a paranoia começou a se apossar dela. Ele a deixaria ali, Sam sabia, e, quando escurecesse, ela cairia num buraco e ficaria presa nele e morreria em algum poço sem fundo.

O ar estava denso, tão úmido e claustrofóbico quanto o vestiário de uma piscina. Ainda assim, Sam caminhou em silêncio atrás do marido, com as roupas grudando no corpo, tomando um gole de água morna de uma garrafa, observando uma mancha de suor se espalhar nas costas da camiseta de Dennis enquanto serpenteavam entre árvores caídas e folhagem pesada.

— Estamos quase chegando, Sam. Lembro-me de tudo isso.

Sam não achava que alguém conseguisse se lembrar de algo tão caótico quanto aquilo, mas Dennis se encontrava mais em seu habitat ali do que em qualquer outro lugar em que ela já o vira.

Ela olhou ao redor, desorientada, e tropeçou. O tornozelo se torceu debaixo dela, preso num emaranhado de raízes. A dor foi imediata e Sam gritou.

Dennis se virou para ela.

— O que foi?

— Meu pé. Acho que quebrei o pé.

— Droga. Por que não ficou atrás de mim? — Dennis soltou seu galho e descalçou o sapato de Sam. — Tudo bem, só estou vendo se é uma fratura ou uma entorse.

Segurando o calcanhar, ele moveu o pé para a direita. Instintivamente, Sam gritou e se afastou dele, e Dennis apoiou o pé dela, para que não caísse no chão. Ele repetiu o movimento para a esquerda e ela gritou de novo.

Eles ficaram sentados no chão por algum tempo. Dennis pediu a Sam que ela o atualizasse sobre a dor, numa escala de 1 a 10, e, com o tempo, ela achou que diminuíra um pouco. Ele encontrou outro galho para ela usar como bengala e a convenceu a continuar até o túmulo de Ted, situado a cerca de dez minutos de distância.

— É só uma entorse, Sam. Você não ficaria de pé agora, nem caminharia se estivesse quebrado.

Cada passo provocava um choque de dor na perna de Sam. O galho quebrou em sua mão e ela quase suspirou de alívio quando Dennis finalmente disse:

— É aqui!

Na próxima clareira, Sam conseguiu ver uma tira de plástico azul amarrada em torno de uma árvore. Debaixo dela, uma pedra plana com uma inscrição pintada em azul: "Ted 1990." Ao redor, viam-se objetos decorativos que um corvo poderia coletar: cacos de vidro verde balançando numa corda; um gato de cerâmica desbotado; estrelas, corações e diamantes feitos de galhos finos curvados e amarrados com arames. Dennis se agachou perto da pedra e arrancou as ervas daninhas que tinham crescido ao redor.

O tornozelo de Sam doía e ela olhou em volta em busca de algum lugar para se sentar. Ao dar um passo para trás, sentiu a borda de algo debaixo do calcanhar. Ao baixar os olhos, viu o canto de outra pedra, coberta com um emaranhado do que pareciam veias: pedaços de vegetação rasteira, vermelha escura e verde. Ela passou os dedos do pé sobre a pedra e afastou a vegetação para ver a data, também pintada: "1987."

Começou a perceber mais formas de vidro, que cintilavam quando giravam e a luz incidia nelas. Sam se deslocou, tentando achar um lugar para sentar-se e tropeçou em outras pedras planas, cada uma com uma data, algumas com a palavra "Cachorro" ou "Rato" escrita com tinta, que parecia se fundir com a superfície da pedra e outras onde os detalhes foram esculpidos, com as letras preenchidas com mais tinta. Na desordem da natureza, sua visão captava mais pequenas áreas de interferência humana. Para ela, parecia quase um santuário. Sam se arrepiou inteira.

— Dennis? — Sam apoiou-se contra uma árvore para aliviar o peso no tornozelo direito. — O que são todas essas coisas?

Ele percorreu com o olhar, como se estivesse vendo pela primeira vez.

— Todos esses eram animais de estimação?

— Não. Apenas animais que eu encontrava pelo caminho.

— Animais mortos?

Dennis estava chutando uma tábua do tamanho de uma mesa. Quando ela se moveu para trás, insetos escaparam em todas as direções. Alguns ele esmagou com a bota.

Ele deu de ombros, num gesto de indiferença.

— Tudo merece seu próprio túmulo. Até meu pai, certo? — Então, Dennis sorriu para ela.

Sam olhou para trás, insegura. Devia haver cerca de 30 pequenos túmulos ali.

Debaixo da tábua, havia uma caixa de ferramentas rudimentar, também repleta de insetos. Dennis tirou dela uma espátula enferrujada, achou um lugar no chão perto do túmulo de Ted e começou a cavar.

A terra era fofa, tão esponjosa quanto um bolo, e Sam observou-o remover meticulosamente a terra e amontoá-la ao lado do buraco. Por fim, bateu as mãos contra o jeans para limpá-las e pegou a caixa de sapatos. Tirou a tampa e olhou para o gatinho por um tempo. Sam deu as costas; ela vira o corpo rígido do filhote, com o rosto contraído como se se preparando para levar um soco, e não queria vê-lo de novo. Ouviu a terra golpeando a tampa da caixa de sapatos e olhou para trás. Dennis fungou e enxugou o nariz com o dorso da mão. Ela se perguntou se ele estaria chorando.

Dennis pediu para Sam ajudá-lo a procurar uma pedra, mas após mancar sobre o terreno traiçoeiro por um tempo, ela decidiu descansar para a longa caminhada de volta a casa. Encontrou um tronco caído, sentou-se e verificou o celular. Não havia sinal. Começou a ficar preocupada com o sumiço de Dennis, achando que ele a deixara ali.

Mas ele voltou carregando uma pedra com as duas mãos. Não era plana como as outras, mas tinha uma superfície lisa e ele a enterrou até que apenas o lado liso emergisse da terra. Do bolso, tirou um vidro de esmalte para unhas de Sam. Ela o observou pintar em vermelho "2015" e, em seguida, "S+D". Ela não saberia dizer se se sentia lisonjeada ou assustada.

Dennis passou algum tempo dobrando e amarrando galhos finos, torcendo arames ao redor das articulações, enquanto Sam observava o céu começando a ficar acinzentado através das árvores. Se chovesse, a jornada para casa se tornaria ainda mais difícil. Ela queria que Dennis terminasse aquilo logo, para que ela pudesse voltar e tomar algum analgésico. Em pouco tempo, um trovão ribombou e gotas grossas de chuva atingiram seu rosto e rolaram como lágrimas.

— Droga! — Dennis deu um passo para trás e observou o túmulo. Em seguida, deu um tapinha na terra perto da lápide do gatinho. Antes de partir, cobriu a caixa de ferramentas com a tábua de madeira e acenou para que Sam o seguisse.

Sam caminhava devagar, tentando não pressionar demais o tornozelo direito.

— Quanto falta? — ela perguntou, erguendo a voz para ser ouvida sobre o som da chuva que caía sobre as grandes folhas de palmeiras ao redor.

— Mais de uma hora — Dennis respondeu, gritando.

— Em que direção está a estrada? Há algum outro caminho que podemos seguir?

Dennis fez que não com a cabeça e apontou para a floresta à frente deles.

— Por aqui há apenas floresta por quilômetros. Por ali, voltaremos para o lugar de onde partimos. E por lá, leva aos manguezais, ao lago e para muito perto do território dos ursos.

— Ursos?! — Sam exclamou, com a voz trêmula.

— Não vi muitos aqui, mas, sim, ursos. Melhor permanecermos nesta rota.

O mais próximo que Sam estivera da natureza fora no Center Parcs, passando os feriados com a família quando garota. Ali, ela pedalava uma bicicleta alugada ao longo de uma trilha supersinalizada e fazia piquenique sob uma sequoia. Era difícil imaginar uma floresta na Grã-Bretanha grande o bastante para que se pudesse perder-se nela.

Dennis voltou-se para Sam.

— Você consegue?

— Não sei. Acho que não.

Com um suspiro, Dennis deu as costas a Sam, se agachou e deu um tapinha nas costas. Ela ficou acanhada, relutante em subir nele; não se sentia mais frágil, e sim grande, robusta e imóvel. Ignorando a hesitação de Sam, Dennis enganchou os braços atrás das pernas dela e começou a erguê-la, forçando-a a se agarrar a ele para parar de escorregar para trás. Enfim, ela ficou ereta, com pernas ao redor dele, tentando não o sufocar com seus braços.

Isso os retardou, de modo que o sol estava se pondo no momento em que chegaram. Dennis afastou a cerca de arame, contornou os detritos espalhados pelo quintal e pôs Sam no chão quando este ficou plano. Ele alongou as costas e ela se dirigiu mancando para a casa e tirou o sapato.

O tornozelo estava inchado e o que parecia um hematoma leve se espalhava como tinta na água. Incapaz de entrar no chuveiro sozinha, Sam pediu ajuda ao marido. Ele a auxiliou, mas sem olhar para o corpo dela. Quando Sam saiu, Dennis estendeu-lhe uma toalha e baixou os olhos para o lado, o que só a fez se sentir pior.

A dor não passou com o analgésico e Sam não conseguia ficar deitada ao lado de Dennis na cama, pois cada movimento enviava ondas de choque ao longo da perna.

Durante a noite, Sam o acordou.

— A perna deve estar quebrada, Den. Tenho de ir ao hospital.

Porém, ele insistiu para que ela esperasse até a manhã seguinte, dando uma chance para o inchaço diminuir. Mas de manhã estava pior.

— Devo chamar uma ambulância? — ela perguntou. — Não acho que possa dirigir.

— Não tenho habilitação e, você sabe, os policiais daqui estão procurando qualquer desculpa para me enquadrar. Mas você não pode chamar uma ambulância apenas por causa de um tornozelo torcido. Não consegue usar o pé esquerdo? — Dennis percorreu o corredor e voltou com as chaves do carro. Ele não poderia ir com ela, explicou, porque precisava se encontrar com o agente funerário. — Não se preocupe. Lindsay vai me dar uma carona.

Antes que Sam partisse, ele pediu-lhe que não dissesse ao médico onde machucara a perna.

— Esse lugar na floresta é meio o meu pedaço. Entende o que quero dizer? Você é a única pessoa com quem o compartilhei. Não preciso de ninguém pisoteando aquele lugar, tentando vender uma história a meu respeito. Você pode dizer que se machucou enquanto trabalhávamos na casa?

Sonolenta por causa da noite maldormida e ansiosa para se pôr em movimento, Sam concordou.

Ficou claro que ela não deveria estar dirigindo quando passou o pé esquerdo do freio para o acelerador, muitas vezes pegando a ponta do pedal com a lateral do sapato, enquanto o pé direito latejava lateralmente.

Uma hora depois, Sam via-se de novo no hospital onde eles assistiram à morte de Lionel. O pronto-socorro era mais barulhento. Ela preencheu os formulários com a mão trêmula e seu nome foi chamado mais rápido do que ela esperava. Sam olhou para trás com culpa para um menino com febre agarrado à mãe.

Não se tratava de perna quebrada, o médico informou. Porém, era uma entorse grave, com algum dano aos ligamentos. Ele enfaixou o tornozelo com gaze e sugeriu que ela descansasse o máximo possível.

— Volte em oito semanas se ainda estiver sentindo alguma coisa. — O médico prescreveu-lhe um remédio.

Pelo celular, ela transmitiu a notícia a Dennis, já num barato de Vicodin, apoiada sobre uma muleta do lado de fora do hospital. O seguro de saúde de Sam expirara meses atrás e o susto da conta do médico e do hospital só foi amortecido pelo frasco laranja de analgésicos que lhe entregaram, junto com uma receita para duas recargas. O carro teria de ser recolhido pela locadora no estacionamento do hospital e ela teria de achar um jeito de voltar para casa.

Por um minuto, Sam se horrorizou com a possibilidade de Lindsay vir buscá-la, mas, em vez disso, Dennis disse "Vou chamar um táxi pra você" e desligou sem dizer para ela quando chegaria. No caminho de volta, Sam cochilou e sonhou com eles indo embora de Red River. *Quando isso acabar*, ela pensou, *Dennis será diferente*. Havia algo naquele lugar que fazia com que seu marido mudasse; e Sam podia sentir que a mudava também.

31

COM SAM INCAPACITADA, DENNIS PASSOU A DEPENDER muito de Lindsay para organizar tudo para o funeral. Sam administrava a frustração tomando seu Vicodin a cada quatro horas, com as pílulas entorpecendo tudo a seu redor, deixando-a sonolenta e aquecida.

No dia do funeral de Lionel, Sam decidiu que tomaria sua dose quando estivesse no carro fúnebre, esperando atravessar o serviço num barato opiáceo. O terno que Dennis usava fora feito sob medida e dado a ele em um dos primeiros dias deles juntos. Dennis nunca o usara e, para Sam, ele parecia alguém diferente.

Ela se sentiu acanhada ao lado de Dennis e tentou desajeitadamente arrumar a gravata dele, enquanto o marido alisava uma mecha de seu cabelo loiro na parte posterior da cabeça. Sam ainda se surpreendia com a beleza de Dennis, mesmo depois de todos aqueles meses juntos. A força do desejo que ela sentia se manifestou quando ele roçou sua mão.

Do lado de fora da casa, o céu era cinzento e as condições climáticas, preocupantes. Alertas de furacão estavam em vigor e a velha casa tremia na expectativa, com correntes de ar atravessando as rachaduras e aberturas das janelas e do telhado. Sam não sabia como a casa resistira a tantas tempestades antes. Talvez essa fosse ser aquela que a colocaria no chão e, assim, eles poderiam partir. Dennis não acreditava em alertas de furacão e disse que eles discutiriam isso depois do enterro.

Enquanto esperavam do lado de fora pelo carro funerário, Dennis olhava para a frente, com o maxilar trabalhando em outra pastilha de chiclete de canela, condimento que fez os lábios de Sam formigarem quando ela lhe beijou os lábios.

O carro chegou, atrasado, e o agente funerário, no assento do passageiro, saiu para manter a porta aberta para Sam e Dennis, apertando as mãos deles quando embarcaram. Por sobre o ombro, Sam avistou o caixão atrás deles. Pareceu absurdamente pequeno, até que ela se lembrou de que Lionel era amputado. Aliviada por ser um caixão fechado, ela tirou uma pílula da bolsa de mão e abriu uma das garrafas de água apoiadas nos porta-copos a seu lado.

Dennis a observou de canto de olho. Em uma curva, o carro deu um solavanco e balançou no caminho irregular, movendo as coroas de flores na traseira e tirando-as de seu arranjo perfeito. Quando o veículo passou por um buraco, houve um som deslizante e uma pancada suave, como se o corpo de Lionel tivesse se mexido, com a cabeça batendo na extremidade do caixão. Sam ficou um pouco enjoada e, então, abriu uma fresta da janela e se inclinou em busca de ar puro, respirando em ritmo ofegante.

O motorista pediu desculpas profusamente no fim da jornada: seus carros funerários simplesmente não eram adequados para caminhos como aquele, ele disse enquanto o agente funerário reorganizava as coroas de flores.

A igreja era pequena, branca, com uma grande cruz de madeira pendurada na entrada. Do lado de fora, Sam conseguiu ver Carrie e alguns integrantes da equipe do filme. Havia algumas pessoas que Sam nunca vira antes e alguns policiais uniformizados.

— Pelo amor de Deus, porra... — Dennis murmurou, estendendo a mão para Carrie quando ela veio cumprimentá-lo, com Dylan logo atrás, com sapatos de salto alto que afundavam no chão macio.

— Idiotas! — Carrie meneou a cabeça. — Não acredito. É o funeral de seu pai. Merda! Seja como for, vocês estão bem? — E abraçou Sam com força.

— Legal ver vocês dois de novo. Pena não ser em melhores circunstâncias. — Dylan deu de ombros.

— Fico feliz que tenham vindo. — Ver aquela gente de quem tanto gostava fez Sam perceber o quanto estava sozinha.

— O que houve com sua perna? — Carrie quis saber.

— Torci no quintal — Sam mentiu.

— Tadinha!

Sam apontou para a muleta e fez um gesto como se estivesse superando o problema. A verdade era que ela estava quase gostando da situação: as curtidas que conseguiu quando postou uma foto de seu tornozelo no Facebook, a maneira como Dennis lhe estendia a mão toda vez que ela se punha de pé, o ritual de enfaixar seu tornozelo todas as manhãs, o hematoma em todos os seus amarelos e roxos e que mudava dia a dia, as pílulas...

— Dói de verdade. É duro na hora que acordo e em situações assim, mas o remédio ajuda — Sam garantiu.

Atrás deles, o grupo de pessoas que ela não reconheceu observava Dennis com expressões hostis.

Dennis cumprimentou os parentes do defunto antes de conduzi-los ao interior da igreja. Carrie, Sam e Dylan sentaram-se na primeira fila. Alguns outros se acomodaram mais atrás: conhecidos de Lionel e o restante da equipe. Sam se sentiu deprimida ao notar a grande quantidade de assentos vazios.

O reverendo entrou, segurando uma Bíblia vermelha junto ao peito. Os carregadores do caixão entraram depois, com Dennis entre eles, apoiando um canto do caixão sobre o ombro. Os outros carregadores eram da casa funerária; estranhos que fizeram uma mesura solene para Dennis depois que colocaram o caixão num carrinho simples na frente do altar. Uma cortina vermelha pendia ao redor dele, mas as rodas douradas se sobressaíam.

O reverendo começou. Dennis sentou-se ao lado de Sam e segurou-lhe a mão. Ela olhou para ele, que se virou para ela e balbuciou:

— O quê?

Sam levou a mão dele à boca e a beijou.

Houve algumas orações e, depois, Dennis levantou-se para fazer o discurso fúnebre.

— Obrigado a todos por comparecerem. — Ele abriu uma folha de papel dobrada. Ergueu os olhos e sorriu, antes de baixá-los de novo. E leu, quase sem parar: — "Meu pai era um alcoólatra que destruiu a maior parte de seus vínculos durante a vida. Ele não era uma pessoa fácil de se relacionar. Se ele soubesse que eu faria este discurso fúnebre, na certa daria um tiro na cabeça, de novo."

Dennis fez uma pausa para risadas, mas a igreja permaneceu em silêncio. Ao lado de Sam, Carrie e Dylan sorriram para ele, que prosseguiu:

— "Seja como for, não tivemos um grande relacionamento, mas ele era a única família que me restou. Assim, sem dúvida, isso não é fácil. Eu não sabia quem estaria aqui hoje. Havia algumas poucas pessoas para convidar. Mas tenho sorte de ter alguns amigos e uma mulher que se importam o suficiente para vir."

Sam balbuciou um *Eu te amo* e ele assentiu com um gesto de cabeça.

— "A única coisa que achei que poderia dizer aqui foi isso: ele não era um cara legal, não era um homem amável, enchia a paciência dos outros e nunca conseguiu nada. Mas..." — Dennis empurrou os óculos para o alto do nariz e concluiu: — "... ele era o único pai que eu tinha." Obrigado.

As pessoas tossiram e se remexeram nervosamente nos bancos. Então, alguma conversa começou na parte de trás da igreja. O reverendo acrescentou algumas frases a respeito de como os pais são insubstituíveis e de como é difícil expressar em palavras o que sentimos quando eles morrem, mas os murmúrios prosseguiram.

Pouco depois, eles voltaram ao pátio externo da igreja, onde os policiais permaneciam observando os espectadores, como se aguardassem algum tipo de ataque. Sam examinou os rostos em busca de Harries, mas não o viu. Ao menos isso era um alívio.

— Não sei como essa gente ficou sabendo. Não pus nenhum anúncio fúnebre no jornal — Dennis comentou.

— Metidos — Carrie disse.

— Ignore-os — Dylan sugeriu.

O agente funerário e os carregadores levaram o caixão para o lado da cova aberta no pequeno cemitério perto da igreja. O grupo se aproximou e começou a recitar alguma coisa.

— Que merda estão dizendo? — Dennis franziu a testa.

Todos esticaram os pescoços para ver o que estava acontecendo.

Com a aproximação do grupo, eles começaram a compreender as palavras. "Onde estão as meninas? Onde estão as meninas?" Uma mulher segurava uma foto de Lauren Rhodes acima da cabeça. Debaixo da foto, estava escrito: "Os pais de Lauren enterraram um caixão vazio!!!".

— Inacreditável! — Carrie exclamou. — Doidos varridos!

— Onde elas estão, Dennis? — um homem gritou. — Onde elas estão enterradas?

Os policiais observaram a movimentação, mas não avançaram para impedi-la.

— Já aguentei o suficiente dessa porra! — E Dennis começou a avançar na direção dos manifestantes.

— Dennis! Pare! Não faça nenhuma estupidez! — Carrie correu atrás dele.

Sam viu quando Dennis se aproximou do homem na frente do grupo e apontou o dedo para o rosto dele. O homem se assustou e instintivamente recuou, mas se forçou a permanecer encarando Dennis, apoiado pela aproximação dos policiais.

Carrie começou a puxar Dennis para trás, suplicante. Um policial se colocou entre os dois homens e o manifestante voltou para o seu grupo. Dennis e o policial iniciaram uma discussão, até que a polícia formou uma barreira entre os manifestantes e os participantes do funeral.

Dennis e Carrie voltaram para a área ao lado do túmulo e Dennis assentiu para o reverendo, que parecia nervoso, com as mãos trêmulas segurando a Bíblia diante de si. Sam tentou segurar a mão de Dennis, mas ele recusou o gesto, cerrando o punho.

Dennis havia reservado uma mesa num restaurante nos arredores de Red River para depois do enterro. Lindsay apareceu quando todos já estavam sentados e pediu uma vodca dupla e Coca Zero. Carrie se inclinou e perguntou:

— Quem aparece até no velório, mas ignora o funeral?

— Acho que ela está pondo as bebidas na nossa conta e na certa vai voltar dirigindo pra casa depois — disse Sam.

As duas sorriram uma para a outra.

— Meu Deus! — Lindsay falou tão alto que todos paralisaram com os garfos a meio-caminho de suas bocas abertas. — Olhem! — E ela apontou para a janela.

A mesa inteira se virou e se deparou com um homem que apoiava as mãos no vidro, espiando o interior do restaurante. Ele era magro, com o cabelo preto e comprido, despenteado. Quando Dennis ergueu o olhar, o homem acenou lentamente.

— Não é... Howard? — Lindsay perguntou.

Subitamente pálido, Dennis empurrou a cadeira para trás e se levantou. Ele se desculpou e o grupo o observou em silêncio passar pelas janelas já do lado de fora do estabelecimento. Ao ver Howard, Dennis estendeu a mão, mas este recusou o cumprimento.

Carrie desviou o olhar, constrangida, e começou a conversar com Dylan. Sam achou que não deveria ficar observando, mas não se conteve, tanto quanto Lindsay, tentando em vão ler os lábios deles. Howard estava sem dúvida zangado com alguma coisa, mas era impossível dizer com o quê. Por fim, Howard empurrou Dennis e se afastou às pressas enquanto Dennis tropeçava para trás alguns passos.

Dennis pôs as mãos nos bolsos e olhou para as pessoas no interior do restaurante. Sam e Lindsay se voltaram para seus pratos, embora soubessem que ele as vira a observá-lo. Pouco depois, Dennis voltou, com uma camada de umidade sobre a pele e os olhos avermelhados. Quando lhe perguntaram qual era o problema, ele respondeu que não era nada, mas Sam notou um ligeiro tremor quando o marido pegou sua bebida e Lindsay, do outro lado da mesa, lançou para ela um olhar de quem conhecia a situação.

— Quanto tempo vocês vão ficar? — Sam perguntou a Carrie ao saírem do restaurante.

— Voltaremos de avião pra casa hoje à noite... Essa tempestade... Não podemos nos arriscar.

— Mas vocês dois *têm* de nos visitar! — Dylan acrescentou.

— Puxa, nós iremos sim... Mas, sabe, ainda temos algumas coisas pra fazer na casa. — Sam deu de ombros.

Carrie olhou para Dennis, parado ao lado da caminhonete de Lindsay. Os dois conversavam, tensos.

— Sam, você sabe que pode ir sozinha, não é?

— Acho que ele precisa de mim agora. Está passando por um momento muito difícil.

— Só estou pensando no que *você* precisa. Essa situação aqui não é nada legal. Você não parece bem. Não mesmo.

— Estou bem, sim. São os remédios. Sinto-me cansada.

— Não quero que se preocupe com alguns *haters* estúpidos, ok? Eles fazem barulho, mas são minoria. Lembre-se disso.

— Eu sei — Sam afirmou, embora acreditasse no contrário.

— Obrigado por terem vindo — Dennis disse atrás de Sam. — Foi ótimo ver vocês duas, maravilhoso. Têm certeza de que não podem ficar?

Ao redor deles, o céu estava ainda mais cinzento. Por causa do vento, o cabelo de Dylan cobria seu rosto, enrolando-se em torno de seu pescoço como uma corda.

— Nessas circunstâncias, teremos sorte se nosso voo não for cancelado. — Carrie meneou a cabeça. — Esse furacão deve ser dos grandes.

Dennis riu.

— Sempre dizem isso e nunca dá em nada. Vocês, californianas, poderiam experimentar um pouco de mau tempo de vez em quando.

— Ainda assim, acho que vamos embarcar, Dennis. — Carrie o abraçou.

— Assim que terminarmos aqui, iremos visitá-las. Prometo.

Sam se perguntou o que Dennis queria dizer com "terminar". Conforme o tempo passava, ficava cada vez menos claro qual era o objetivo da visita. Sua expectativa era de que, após o funeral, Dennis percebesse o quão inútil era limpar a casa para tentar vendê-la. O que quer que ele estivesse fazendo em Red River, parecia que só ele sabia quando o objetivo seria alcançado.

* * *

Dennis ajudou Sam a entrar na caminhonete, jogou as muletas na caçamba e se sentou ao lado dela, de modo que Sam ficou bem próxima de Lindsay enquanto ela dirigia. No caminho de volta para casa, Sam descansou a cabeça no ombro do marido e deu alguns cochilos.

— Ela parece bem grogue. O que está tomando? — Lindsay quis saber, sem tentar baixar a voz.

— Não sei. Analgésicos. A perna dela ficou muito mal. Deixa pra lá, Linds.

— Tudo bem. Só estou perguntando.

Sam sentiu a mão de Dennis apertar seu ombro e escutou o som do motor durante o resto do percurso, feito em silêncio. Os solavancos na estrada a mantiveram acordada e seu tornozelo lesionado dava pulos sobre o piso da caminhonete.

No caminho de entrada para a casa, havia pilhas de grama cortada e pequenas quantidades de lixo das caçambas espalhadas pelo jardim. Soprados pelo vento, embalagens e papelões voavam pela relva. A bagunça fazia o lugar parecer abandonado, como se os moradores tivessem partido às pressas.

— Droga! — Dennis abriu a porta da casa e voltou para ajudar Sam. — Vai entrar, Linds?

Sam vacilou nos braços dele.

— Claro. — Lindsay tirou outro pacote com seis latas de cerveja da caçamba da caminhonete e ofereceu a eles.

Dennis fez que não e ela deu de ombros.

Sentaram-se na varanda, com Lindsay jogando as cinzas do cigarro na lata de cerveja vazia enquanto bebia a seguinte.

— Howard, hein? Dá pra acreditar? — ela comentou depois de um tempo.

— Não acho que voltarei a vê-lo. — Dennis torceu os lábios.

— Eu o vejo por aí. Nunca diz oi. Está sempre com o pai. É patético.

— Eles moram juntos? — Sam perguntou.

— Até recentemente. — Lindsay prendeu uma mecha de cabelo atrás da orelha. — Dois homens feitos. Nunca os vi com alguma mulher, com alguma companhia.

— Onde ele está morando agora? — Dennis quis saber.

— No estacionamento de trailers, onde ficava a antiga fábrica. Porra! — Lindsay pôs os pés sobre o banco e abraçou os joelhos.

Sam se agarrou a Dennis.

— O que foi? — Ele examinava o jardim em busca de intrusos.

— Olhe pro tamanho desta coisa! — Lindsay apontou para o chão, onde uma imensa aranha marrom caminhava devagar.

Sam gritou e também pôs os pés no banco. Lindsay deu risada até que se convertesse em tosse. Dennis pegou o cigarro de entre os dedos dela e se inclinou sobre a aranha. Encostou a brasa no corpo do animal, que ficou presa na ponta incandescente, com suas pernas se debatendo na tentativa de se libertar. Então, Dennis levou o cigarro à boca, com a aranha ainda se contorcendo na ponta, e deu uma tragada. As pernas do bicho se enrolaram, se contraíram e, depois, ficaram imóveis.

Chocada, Sam observou a fumaça escapar da boca e das narinas de Dennis. A aranha queimou, ficou preta e encolheu.

— Brutal, Den — Lindsay disse.

Ele sorriu e lhe ofereceu o cigarro de volta.

— Que nojo! Nem a pau! — Lindsay fez uma careta.

Sam se sentiu mal. Quando Dennis deu outra tragada, ela pensou menos na aranha e em suas convulsões do que no fato de que Dennis não tossiu quando tragou. Era como se ele tivesse fumando a vida toda sem que ela soubesse. De repente, Sam se sentiu muito só, como se o homem com quem se casou nunca tivesse existido e ela tivesse acordado para uma vida que não reconhecia, no meio de uma história que não entendia.

32

NAQUELA NOITE, A INTENSIDADE DO VENTO AUMENTOU E rajadas fortes de chuva batiam com estrondo nas janelas.

Dennis cuidou das caçambas no quintal, amarrando enormes plásticos sobre as pilhas de refugo que poderiam voar e atingir a casa. Os gatinhos miavam sem parar, enquanto a mãe permanecia sentada, com as orelhas em pé, emitindo um grunhido enquanto observava a porta de tela vibrando no batente.

Da garagem, Dennis trouxe dois recipientes de água imensos, amarelados e empoeirados, lavou-os no chuveiro e os encheu com água das torneiras.

— Acho que essa tempestade aumentou de nível — ele disse, erguendo a voz sobre as rajadas de chuva que golpeavam as paredes. — Talvez seja melhor deixar um garrafão no abrigo.

Sam não estava gostando do jeito como as persianas batiam, abrindo e fechando por causa do vento, nem do modo como a chuva fustigava as janelas. Então, ela não questionou o que Dennis disse; apenas assentiu, e se permitiu ser levada para a porta dos fundos e descer a escada, ensopando-se no minuto em que ficou do lado de fora, com as roupas grudando na pele. Ainda havia a constante pressão do ar, que nunca parecia ceder, mesmo depois da chuva mais pesada.

No pé da escada, Dennis chutou para trás algumas ervas daninhas, revelando um alçapão de madeira, que levava ao abrigo. Ele ergueu a porta e ela se deu conta da escuridão, incapaz de distinguir qualquer coisa.

— Não há eletricidade! — Dennis berrou. — Precisamos de lanternas. Vou levá-la lá para baixo e, depois, vou pegar as coisas.

— Eu não quero ir, Den.

— Prefere ser esmagada quando a casa cair?

— Achei que você tinha dito que essas tempestades nunca são tão violentas quanto as previsões.

A distância, Sam conseguiu ouvir os estalos e gemidos das árvores se curvando ao vento. Ela tornou a olhar para Dennis.

— Confie em mim, Samantha, você vai ficar mais segura aí embaixo.

No interior, o ar era frio e úmido. Depois que os olhos de Sam se adaptaram à escuridão, ela conseguiu ver alguns detalhes ao redor: um catre, um sofá velho e um balde de plástico grande.

— Vou trazer alguma roupa seca pra você usar. Do que mais precisa? Talvez passemos toda a noite aqui.

— Minhas pílulas — Sam disse, mais rápido do que pretendia. — Ah, meu Kindle também.

Dennis estava ficando impaciente, parado no alto da escada pronto para sair.

— Posso usar seu suéter? Aquele que eu gosto, o cinza?

— Claro. Algo mais?

— Volte logo, por favor. É estranho aqui embaixo.

— Certo.

Quando Dennis saiu, fechou a porta atrás de si e Sam se viu sentada numa escuridão tão plena que não conseguia enxergar a mão na frente do rosto. Forçou-se a respirar devagar. Ocorreu-lhe que ele nunca antes mencionara o abrigo contra tempestade. Por um instante, lhe ocorreu: *E se eu nunca sair daqui?*

Sam levantou-se e estendeu os braços, dando pequenos passos, em busca da escada. Se conseguisse alcançá-la, seria capaz de abrir a porta. Tocou na parede, sentindo o concreto na ponta dos dedos. A escada não era ali. Ficou desorientada. O pânico começou a tomar conta. Sam nunca soube que tinha medo de espaços escuros e fechados. Afinal, nunca estivera em um antes. As paredes eram grossas. O som da tempestade acima era apenas um sussurro. Se Dennis tivesse trancado a porta do lado de fora, ninguém saberia que ela estava lá, independente do quanto gritasse. Ela se perguntou por que estava pensando nisso.

Enfim, a porta se abriu, e Dennis voltou com uma sacola e um lampião.

— O que você estava fazendo? — Ele a ajudou a voltar para o sofá.

— Fiquei um pouco assustada — Sam afirmou, constrangida.

Dessa vez, Dennis deixou a porta aberta enquanto trazia as coisas para baixo: garrafas de água, uma caixa de comida, a caixa com os gatinhos miando, a mãe contorcida e irritada deles, uma caixa de areia e, finalmente, um saco de areia para gatos. Sam dobrou suas roupas úmidas e se trocou, vestindo o que Dennis trouxera: o suéter que tinha o cheiro dele e que ficou imenso, fazendo-a se sentir muito pequena. Ela puxou a gola até o nariz e cheirou.

— Pare de esticar — ele disse.

Sam consultou a hora no Kindle e se sentiu desalentada ao ver que ainda faltavam duas horas e meia para que pudesse tomar outro Vicodin.

De costas para ela, Dennis tirou as roupas úmidas e vestiu secas. Cada vez que ela se mexia no sofá, as molas enferrujadas rangiam.

— Pare de se impacientar — Dennis pediu.

Os gatinhos exploravam desajeitadamente o espaço, enquanto Atum se mantinha parada no meio da escada, com as orelhas em pé. Sam verificou a hora de novo e sentiu um surto de angústia e irritação. Por fim, decidiu que tomaria apenas um comprimido extra por enquanto, para ajudá-la a resistir até mais tarde.

Dennis jogava areia para gatos no balde.

— Se você tiver que fazer alguma necessidade, faça aqui. Depois, jogue areia por cima. Tudo bem?

Sam assentiu, embora já estivesse decidida a não beber nada durante a noite. Felizmente, o Vicodin a deixava com prisão de ventre e ela se sentiu segura ao saber que não teria de fazer cocô no canto, com Dennis reclamando disso do outro lado do recinto.

— Este lugar me causa arrepios, Den.

— Você se acostuma. Meu pai me trancou aqui uma vez. Fui pego roubando algumas coisas num asilo de velhos. Quando ele descobriu, me bateu e me jogou aqui, onde fiquei um dia inteiro, sem luz e sem nada.

Acima deles, o mundo estava em fúria. No abrigo silencioso e abafado, a sensação era de que aquele mundo tentava entrar à força.

De vez em quando, chegavam esses lembretes da vida horrível que Dennis levou antes dela. Isso fazia Sam sentir-se impotente, incapaz de fazer qualquer coisa em relação ao que tinha acontecido. Não, pior do que isso: Sam se odiava por tudo o que fazia para arruinar a vida que Dennis tinha agora: sempre que não confiava nele, sempre que começava uma discussão, sempre que tentava fazê-lo ser algo que ele não era ou fazer algo que ele não queria.

— Desculpe, Den.

— Pelo quê?

— Por ser insistente, por tentar forçar você... quando você não está pronto.

— Samantha...

— Não. Eu sempre te pressiono ou começo essas brigas. Sempre faço isso, sempre.

— Tudo bem...

— Não está tudo bem. Eu sempre ferro com tudo. Não sei o que há de errado comigo.

— Não há nada de errado com você.

— Há, sim. Sou uma pessoa terrível. Fiz coisas horríveis, mas acho que isso é ainda pior.

— Ainda pior? Do que está falando?

Sam balançou a cabeça, querendo não ter dito nada, mas também querendo dizer tudo, enfim, para alguém que não mentiria para ela.

— Pior que o quê, Sam?

— Eu... Quando Mark terminou comigo, eu...

— Seu ex-namorado?

— É. Costumávamos brigar muito. Eu era ciumenta. Às vezes, Mark bagunçava minha cabeça de verdade, sabe? Num minuto, dizia que me amava, e no outro, que não queria um relacionamento. Foram três anos! Quando penso nisso agora... não sei se o amei mesmo. É como se eu estivesse louca. Certa noite, estávamos no meu carro, voltando de um jantar. Mark deveria dormir na minha casa, mas, então, ele disse: "Não sei se devo. Acho que precisamos dar um tempo." Mark me disse isso depois de uma noite inteira de "O que há de errado?" "Nada." "O que há de errado?" "Nada." Ele me falou aquilo no meio do caminho. Eu tinha tomado uma taça de vinho. Estava cansada. Perguntei-lhe: "Por quê? Por que agora?" Ele respondeu: "Não posso continuar machucando você." Dá pra acreditar? Era como se ele estivesse me fazendo um favor. Falei: "Tudo bem, tudo bem." Em seguida, Mark me pediu pra deixá-lo em sua casa. Ele ainda morava com os pais. Mark sempre dizia que estava economizando dinheiro, mas... Na realidade, ele era um filhinho da mamãe. A mãe dele nunca gostou de mim. Isso me deixava louca. Então, eu o levei pra casa. Achei que conseguiria lidar com isso, mas quando chegamos lá... Mark saiu do carro na maior tranquilidade. Eu poderia dizer que ele nunca me amou, que mentiu pra mim o tempo todo. Eu o segui até a porta, gritando. Ele se preocupou com a possibilidade de os vizinhos ouvirem, acho, e me deixou entrar. Entrei; seus pais não estavam, o que só me fez gritar ainda mais alto. Então, subi pro quarto dele. Mark era muito presunçoso a respeito daquele quarto ridículo. Ele tinha um monte de brinquedinhos. Bonecos. Coisas que ele pintou. Comecei a quebrar tudo. Ordenei: "Me diga, seja honesto. Você nunca me amou, não é?" Finalmente, Mark confirmou: "Eu não te amo. Desculpe." E em seguida: "Conheci uma garota..." Eu não esperava por aquilo. Estava ali, procurando algo mais pra quebrar, apenas pra tentar magoá-lo, só um pouco. Então, peguei um copo e atirei. Ele bateu numa prateleira e a quebrou em pedacinhos. Havia estilhaços de vidro em todos os lugares. Mark gritou, segurando o rosto. Entrei em pânico. Tentei afastar suas mãos, mas ele não me deixou chegar perto, como se estivesse com medo de mim. O sangue escorria pelo pescoço dele. Continuei dizendo: "Sinto muito! Sinto muito!" Mas Mark me mandou cair fora. Falou que ia ligar pra polícia e eu implorei pra que ele não fizesse aquilo. Não pretendia machucá-lo daquele jeito. De verdade, não mesmo. Só quis que ele sentisse alguma coisa. Prometi que iria embora se ele me deixasse ver o seu rosto. Mark não conseguia abrir o olho esquerdo. Havia muito sangue. Falei que ele precisava ir ao hospital, mas ele não quis que eu o levasse. Em vez disso, chamou uma ambulância. Esperei ali, porque não queria que ele ligasse pra polícia. Mark voltou a pedir pra eu ir embora. Garantiu que se eu fosse embora, se o deixasse em paz, se não ligasse de novo para ele, iria dizer que foi um acidente. Então, fui embora. Dirigi o carro até a esquina e chorei. Esperei até ver a ambulância e, aí, fui pra casa.

Sam tomou fôlego. Não sentiu alívio ao revelar tudo, a história completa. Sentiu-se suja e errada.

— Alguns dias depois, a mãe de Mark me ligou. Disse que ele iria perder a visão de um olho. Ela quis ligar pra polícia, mas ele a impediu. Acho que porque tinha medo de mim, mais do que qualquer coisa. Não porque ele se importasse comigo.

Depois de um certo tempo, Dennis indagou:

— É tudo?

— Sim — Sam respondeu, confusa.

— Preste atenção: Lindsay tentou me atropelar com o carro do pai quando eu disse que só queria ser seu amigo. Lauren jogou uma garrafa de cerveja na minha cabeça. Isso é exatamente o que as garotas fazem quando se enfurecem.

— Lauren? — Pela primeira vez desde o acidente, Sam começava a sentir-se um pouco melhor.

— Sim, Lauren Rhodes. Eu disse a ela que não queria ir dançar. Lauren insistiu que queria ir. Então, falei pra ela ir com outro cara. Acho que não falei a coisa certa, pois ela atirou a garrafa em mim. Poderia ter quebrado e ter acontecido algo como o que aconteceu com... Como é mesmo o nome dele?

— Mark. — Sam deu risada, apesar de tudo.

— Certo. Nada muito importante. Foi apenas um acidente.

— Você acha que sou louca?

— Acho que todas as garotas são um pouco loucas.

Era algo em que Sam adoraria acreditar. Desde que aconteceu, tudo o que sentiu foi vergonha e culpa. Agora, sentia-se absolvida e aliviada.

— Você nunca falou de Lauren antes — ela comentou após um tempo.

— Não há muito a dizer, na verdade. Na época, mal nos conhecíamos. Não sei por que ela ficou tão furiosa.

Sam imaginava como Dennis devia recordar de si mesmo e de Lauren naquela época: o jogador de futebol americano e a animadora de torcida. Fazia todo o sentido para ela e Sam entendeu por que Lauren ficou louca por ele.

— Seja como for... depois que ela... Não posso falar nada em relação a essa coisa sem que os outros tenham uma opinião a respeito.

— Espere... Lindsay tentou atropelá-lo? — Sam deu risada.

Então, Dennis caiu no sofá ao lado dela e a puxou para si.

— Olha quem fala! — Dennis a provocou. Então, segurou Sam e beijou-lhe a cabeça, o que causou nela um arrepio. — Você está tão fria... — Ele a segurou com mais força, movendo a boca para sua nuca, mordendo sua pele.

Dennis passou as mãos pelas coxas de Sam e sob suas roupas. Ela permaneceu imóvel, deleitando-se com isso, sem pressioná-lo. Dennis beijou-lhe a orelha, segurou seu seio, correu as unhas por sua pele e suas costas. Ela virou o rosto para que ele pudesse beijá-la e ele mordeu seu lábio com um pouco de força, e ela recuou, mas ele a puxou para a frente.

Sam colocou a perna no colo de Dennis. Então, as carícias cessaram, as mãos dele se imobilizaram.

— Quer beber alguma coisa? — Dennis ficou de pé para pegar uma garrafa de água.

— Não — ela respondeu, com todo o corpo quente de excitação.

Dennis não voltou ao sofá. Ele se deitou no catre, de costas para ela, muito quieto para estar dormindo. Sam ouviu os sons fracos da tempestade limpando o ar. Imaginou-se abrindo o alçapão de manhã e encontrando o ar leve e revigorante, mas sabia que não estaria assim. Ele já estaria carregado, com a pressão atmosférica subindo na expectativa da próxima tempestade.

33

NA MANHÃ SEGUINTE, QUANDO DENNIS FINALMENTE abriu a porta do abrigo contra tempestade, a luz estava ofuscante. Ele e Sam correram para dentro da casa, desesperados para escovar os dentes e vestir roupas limpas.

Num primeiro momento, a água das torneiras saiu amarronzada e, em seguida, mais clara, e Sam hesitou em pôr a escova de dentes debaixo do jato. Por ela estar cansada e dolorida da noite passada no abrigo, Dennis sugeriu-lhe que se deitasse na cama do quarto de Lionel — a única coisa deixada lá —, e não no colchão inflável. Embora Sam resistisse, Dennis colocou lençóis limpos, e ela estava cansada demais para discutir.

Antes de deixá-la dormir, Dennis colocou uma xícara de chá verde no chão ao lado da cama. Sam estava determinada a aprender a gostar de beber aquilo. Em vez de cafés com quatro colheres de açúcar, ela beberia os chás insossos que Dennis apreciava. Eles purificavam, e ela sabia que precisava ser purificada. Por dentro, Sam se sentia escura como o pulmão de um fumante, com o ciúme, o ódio e o desejo se infiltrando fundo em todas as suas partes.

Quando Sam acordou, o chá havia sido substituído por um copo de água e dois Vicodins, empilhados um sobre o outro. Ela se inclinou sobre a borda da cama, olhou para eles e segurou um entre os dedos. Lembrou-se da noite anterior de modo nebuloso e queria ficar mais alerta agora. No entanto, a cabeça doía, a perna estava inflamada e assim — prometendo a si mesma que reduziria a dose mais tarde —, ela jogou os dois comprimidos na boca. Como engoliu em seco, uma ficou presa na garganta e Sam sentiu ânsia de vômito. Com outro gole, soltou a pílula e se deitou.

Sam soube de imediato que ruído era aquele que a acordou. Era o som de um programa de TV. Parecia estranho que Dennis estivesse assistindo à TV, ela pensou, e ainda por cima um programa de entrevistas. Então, começou a entender que Lindsay talvez estivesse na casa. Um tanto hesitante, levantou-se da cama e saiu mancando pelo corredor.

Da porta, avistou a lateral da cabeça de Lindsay, com o cabelo aderindo ao material barato do sofá por causa da eletricidade estática. Ela comia Doritos, que deixavam as pontas dos dedos alaranjadas.

Sam considerou voltar para trás, mas, antes disso, Lindsay percebeu sua presença.

— Cacete, você me assustou! O que estava fazendo? — ela disse.

Havia um quê de provocação naquilo: "O que está olhando? Está obcecada por mim?" Sam sentiu fundo aquilo. Quis revidar, mas se conteve.

— Onde Dennis está? — Sam quis saber.

— Correndo, acho. Ele disse pra não acordá-la, que você estava doente.

— Estou bem agora.

— Graças a Deus. — E Lindsay voltou a assistir ao programa de entrevistas.

— Ele falou quando voltaria?

— Não. — Em seguida, Lindsay inclinou o pacote de Doritos sobre a boca aberta para capturar os fragmentos do fundo. Sua lata de cerveja tinha um arco laranja abaixo da tampa. Ela olhou para Sam com o canto do olho e suspirou: — Você pode sair agora. Vou ficar por aqui.

— Eu não tenho de sair. Esta é a minha casa — Sam retrucou.

— Como é? — Lindsay forçou uma risada, com os olhos arregalados.

— É a nossa casa. Minha e de Den. E ele é meu marido. Então, você não pode me dizer pra sair. — Sam se aproximou do sofá e cruzou os braços.

Lindsay deixou cair no chão o pacote vazio que segurava.

— Tudo bem. — E ela tornou a olhar para a TV. — Não saia. Faça o que você quiser. Não dou a mínima.

— Qual é o seu problema? Quero dizer, qual é o seu problema comigo? — Sam tentou disfarçar o tremor na voz. Ela só discutia com pessoas que conhecia intimamente, aquelas com ações que podia prever.

— Meu *problema*?

— Sim. Você está sempre tentando se intrometer entre mim e Den... Lindsay rolou os olhos, exprimindo impaciência.

— Você quer dizer seu marido?

— ... mas não vai funcionar. Nós iremos embora logo.

— Quando? — Lindsay pareceu perturbada de repente.

— Logo — Sam repetiu, desejando muito ter uma data.

— Que se dane. Dennis e eu temos uma história. Não importa pra onde ele vá, ele sempre volta.

Sam quis eliminar o sorriso complacente do rosto dela.

— Bem, é engraçado, porque, ontem à noite, ele me contou como você pirou quando ele te disse, sem rodeios, que só queria ser seu amigo. — Mas se arrependeu na hora, pois parecia uma traição.

— O que ele disse?! — Lindsay se levantou do sofá e chegou tão perto de Sam que esta pôde sentir o cheiro forte de cerveja.

— Desculpe. — Sam se afastou.

— Que merda ele disse?! — Lindsay perguntou de novo, agarrando o braço de Sam. — Me diga!

— Ele... estava apenas brincando. Falou que você tentou atropelá-lo com seu carro. Só isso. Disse que foi engraçado.

— Somos amigos. — Lindsay apertou ainda mais o braço de Sam. — Somos praticamente irmãos de sangue. Acha que esse casamento de vocês é mais profundo do que isso? Dennis não gosta tanto assim de você. Acredite em mim. Já vi de tudo, sei o que acontece quando ele gosta de alguém e, adivinhe só, você não vai querer isso.

— O que você quer dizer com isso?

— Que ainda sou a única aqui. É isso o que significa.

Sam tentou se soltar, mas Lindsay cravou as unhas em seu antebraço. Elas ficaram paralisadas quando escutaram a porta dos fundos, Dennis estava de volta.

— Você está me ameaçando! — Sam afirmou em voz alta, esperando que Dennis ouvisse.

— Cala a boca! — Lindsay rosnou. — Não tente se aproveitar da situação. — E soltou Sam.

Sam esfregou o braço. As unhas de Lindsay tinham deixado marcas profundas em sua pele.

Lindsay sentou-se de braços cruzados, com os olhos fixos na TV, como se nada tivesse acontecido.

— Você precisa me levar ao Target e ao Wholefoods — Dennis gritou da cozinha. — Não agora. Mais tarde. Tenho coisas pra fazer aqui primeiro. Recebi um telefonema de...

Sam olhou para o braço e pensou em mostrar ao marido. *Olhe, olhe, o que essa megera fez. Ela é louca.* Mas algo a deteve. A maneira como Lindsay parecia tão serena, como alguém que tivesse acionado um interruptor. Era como se nada daquilo tivesse acontecido.

— Claro! — Lindsay gritou de volta.

— Ah, oi! — Dennis disse quando entrou na sala de estar. — Você está acordada.

Sam achou que ele pareceu quase desapontado por vê-la.

34

NAQUELE ENTARDECER, ANTES DE SAÍREM PARA FAZER compras, Dennis ajudou Sam a tomar banho e se vestir, preparou um sanduíche para ela e separou duas outras pílulas de Vicodin.

— Está terminando, vou comprar mais na farmácia — ele disse, beijando-lhe a cabeça.

Enquanto isso, Lindsay chocalhava as chaves impacientemente ao fundo.

Depois que as luzes e o ruído da caminhonete desapareceram, Sam se levantou do sofá e se apoiou na muleta. Estava entediada, inquieta. Andou mancando de aposento em aposento, sozinha, procurando algo para ocupar seus pensamentos.

Na cozinha, viu o MacBook de Dennis com o canto do olho. Ao abri-lo, sentiu um frio na barriga. O computador era protegido por uma senha. Ela se perguntou por que, se Dennis não tinha nada a esconder, precisava de uma senha. Procurou ignorar o sentimento, mas aquilo a incomodou, exatamente como no passado. *Você está entediada*, disse a si mesma. *Você é paranoica*. Porém, antes de se dar conta do que fazia, ela sentou-se à mesa da cozinha tentando descobrir como desbloqueá-lo.

Sam digitou "SENHA", "senha" e "Senha" sem esperar que alguma dessas escolhas funcionasse, mas ainda assim se decepcionou com a confirmação de sua expectativa. Tentou seu nome, experimentou variações e experimentou uma renovada sensação de insegurança ao fracassar de novo. Digitou Lindsay e bufou quando o nome foi rejeitado. Então, tentou o nome dele, o aniversário dele e o nome e o aniversário dele juntos e, de repente, funcionou, exatamente quando ela estava prestes a começar a digitar de novo. Num instante de espanto, não conseguiu se lembrar do que digitara. Ela usara um D maiúsculo? Foi apenas o ano do nascimento dele? E então ela se lembrou. Rasgou um pedaço do envelope próximo e escreveu "Dennisdanson1975", e guardou o papel no bolso do cardigã. Sentiu-se um pouco frustrada com a falta de imaginação do marido.

Na tela, apareceu o livro de Dennis, a autobiografia que ele vinha escrevendo para seu editor, com o cursor piscante no meio de um parágrafo. Ela examinou a página em busca de seu nome, mas se viu lendo:

> *Os anos que passei na infância na floresta, praticando jogos solitários e falando comigo mesmo, prepararam-me sob vários aspectos para a solidão do corredor da morte. Em minha cela, lembro-me de olhar para o descampado sem fim e a sensação de insignificância que me dava...*

Prometendo-se que leria o livro quando fosse publicado, Sam minimizou a janela e abriu o navegador. Estava limpo. Verificou o histórico, mas não encontrou nada ali. *Quando ele aprendeu a fazer isso?*, ela se perguntou.

A área de trabalho tinha três arquivos: "Livro", "Livro2" e "Livro3". Eram rascunhos da autobiografia. Em suas notas, havia uma lista de suas senhas, que Sam escreveu no verso do envelope, por precaução.

Então, Sam reabriu o arquivo do Word e espantou-se ao ler:

Eu sabia que nunca deveria deixar de acreditar em mim, porque, se isso acontecesse, eu realmente perderia minha liberdade.

Sam fechou a tampa do MacBook e olhou ao redor, procurando outra coisa — qualquer coisa — que lhe desse uma pista quanto ao que ele estava pensando, quem ele era, se Lindsay tinha razão ao afirmar que Dennis não gostava tanto assim dela. Sam vasculhou a mala dele, abriu o zíper de cada bolsa, e encontrou coisas que pareceram inicialmente tentadoras, mas acabaram se revelando maçantes: um recibo dobrado do pagamento do aluguel das caçambas, uma carta escrita à mão do seu editor de Nova York, uma agenda Moleskine vazia, exceto pelo nome e número do celular dele escritos na frente, e a promessa de uma recompensa de vinte dólares em caso de devolução por perda.

Sam se dirigiu ao antigo quarto de Dennis e abriu as gavetas e os armários, todos vazios, até que encontrou a caixa de que Lindsay cuidara durante todos aqueles anos. A tampa estava quebrada e agora havia um elástico ao redor da caixa para impedir que o conteúdo caísse. Sam removeu o elástico e espalhou as fotos no chão, uma por uma, conforme terminava de vê-las de novo. Era diferente dessa vez, ela disse a si mesma. Como já tinha visto tudo, aquilo não era exatamente bisbilhotice.

No meio da pilha, ela encontrou uma página arrancada de uma revista. Era uma foto de página inteira retratando Dennis e ela logo após a libertação dele. Dennis, sorridente, estava atrás dela, usando camisa branca com o colarinho desabotoado, mangas arregaçadas e braços apoiados sobre os ombros dela. Então, Sam se sentiu péssima, enjoada e culpada, e começou a guardar as fotos, apressada.

Ao recolocar o elástico na caixa, escutou o rangido enferrujado da porta dos fundos. Procurou guardar a caixa atrás dos jogos de tabuleiro o mais silenciosamente possível, mas ouviu passos pesados vindo rápido na direção do quarto e soube que fora pega.

— Sinto muito. Eu estava entediada. Achei que ainda não tínhamos limpado este quarto...

O homem parado à soleira era grande, com longo cabelo preto e seboso. Quando ele deu um passo à frente, Sam percebeu a expressão de raiva em seus olhos.

Sam deixou escapar um grito cristalino e afiado como vidro quebrado. Howard protegeu os ouvidos com as mãos e Sam ergueu sua muleta e o golpeou na barriga. Ele se inclinou para o lado e se agachou junto à estante de livros. Sam projetou-se para a frente, sobre seu pé machucado, alimentada pela adrenalina. Mancando, desceu a escada da varanda, com a muleta afundando na relva muito macia. De vez em quando, olhava para trás, esperando vê-lo em seu encalço. Por um momento, achou que o machucara de verdade. Em seguida, lembrou-se de que tivera a intenção de machucá-lo. Então, tudo bem.

Estava escuro na estrada e Sam não conseguia enxergar muito atrás ou adiante de si, mas continuou seguindo em frente, respirando muito alto para poder escutar se Howard se aproximava ou não, sem saber para onde estava indo.

O tornozelo começou a latejar. Assim, Sam precisou andar mais devagar. Tinha certeza de que Howard estava perto e esperava sentir as mãos dele ao redor de seu pescoço, mas não havia nenhum sinal de sua presença. Sam precisava caminhar no meio da estrada, pois as margens estavam um lamaçal. Não havia iluminação ali, mas a lua estava cheia. Sam olhou para o céu, que mostrava uma quantidade de estrelas que ela nunca vira na vida. Algo zuniu perto de seu ouvido e, então, ela se assustou, tropeçou e caiu na lama da margem da estrada.

Por algum tempo, Sam ficou no chão, com o fundilho da calça legging molhado de água suja. Experimentou uma sensação de cócegas no pescoço, deu um tapa em si mesma, fincou a muleta no chão e se ergueu. E soltou um grito, que cortou a escuridão. Prosseguiu, sem saber se Howard a perseguia ou se a esperava voltar para casa. O tornozelo não parava de latejar e a atadura que enfaixava o local ficara encharcada.

Sam escutou o barulho de um motor, mas não conseguiu ver nenhum carro. Ficou parada no meio da estrada, esperando as luzes surgirem na escuridão. Elas enfim surgiram diante dela e a cegaram à medida que se aproximaram. Quando o veículo chegou mais perto, Sam acenou com o braço livre e, então, ergueu a muleta quando o veículo não fez menção de parar. Vinha em alta velocidade e até pareceu acelerar. Espantada, Sam ficou paralisada por um momento, mas logo saltou desajeitada para a esquerda, mergulhando na relva e caindo de bruços. A caminhonete se desviou, com os pneus derrapando no piso escorregadio, e o motor parou. A risada que Sam escutou ficou mais alta quando a janela foi baixada.

— Sam? O que você está fazendo? — Dennis se inclinou para fora da janela.

— Você não parou! — Sam sentou-se com as pernas estendidas.

— Por que está aqui? — ele perguntou, num tom mais sério agora, algo que beirava a preocupação.

— Na casa... Howard entrou lá. Eu estava limpando e...

O motor foi ligado abruptamente e o carro se moveu. Sam se ergueu com dificuldade.

— Espere! Não me deixe!

A caminhonete se afastou e as luzes desapareceram na distância. Chocada, Sam permaneceu imóvel. Podia ser outra brincadeira. Porém, à medida que os segundos passavam, a hipótese pareceu-lhe menos provável.

Seu corpo começou a doer de ódio. Lindsay, que achava que era engraçado fingir atropelá-la. Lindsay, que arrancou velozmente, deixando-a no escuro outra vez. Ela se perguntou se Dennis rira e dissera para Lindsay que ela era o *fim da picada*.

A muleta machucava seu braço, com cada pulo sobre um pé lesionando mais sua pele. Além disso, a cabeça começava a doer. No exato momento em que ela se resignou a percorrer todo o caminho de volta para a casa, escutou a caminhonete de novo, aproximando-se devagar. Os faróis piscaram para lhe mostrar que fora vista. O assento do passageiro estava vazio.

— Dennis me pediu pra vir buscá-la — Lindsay informou.

— Onde ele está? — Sam embarcou com alguma dificuldade.

— Não sei. Anda logo, porra!
— Howard ainda estava lá? Eu bati nele.
— Não com muita força, imagino. Ele não estava mais lá.
— Bem, onde ele está? O cara não me seguiu na estrada.
— Sério? — Lindsay ironizou.
— Ele apareceu do nada. Não havia nenhum sinal de um carro...
— Howard conhece este lugar tão bem quanto Dennis. Talvez até melhor, agora. Há um atalho que sai do estacionamento de trailers. Se a pessoa não se importar em ficar imunda.
— Através da floresta?
— Você pode cortar caminho. Não precisa pegar a estrada. Leva talvez metade do tempo.
— Acho que ele vinha nos observando. — Sam se deu conta de que era a primeira vez que ela admitia isso. — Escutei barulhos e uma vez alguém ficou me observando pela janela do banheiro.
— Howard é repulsivo.
— Ele é um estuprador?
Lindsay começou a rir.
— Você achou que ele ia te estuprar? Meu Deus, Dennis vai gostar disso.
Sam prendeu a respiração. Imaginou-se agarrando Lindsay pelo cabelo e arrancando punhados dele.
— Então, o que ele ia fazer? — Ela deu de ombros.
Lindsay suspirou.
— Howard não quer saber de você. Ele sempre teve uma puta obsessão por Dennis. Como uma espécie de filhote. Dá nojo, de verdade.
— Obsessão?
— Howard devia estar tentando pegar pra si algumas coisas de Dennis. Ele costumava fazer isso na escola. Pegar coisas, principalmente de Dennis.
— O que Dennis tem que Howard pudesse querer?
Depois de pensar por um tempo, Lindsay respondeu:
— Era ótimo ter Howard por perto, porque ele fazia o que a gente quisesse. Seu pai lhe dava muito dinheiro. Assim, ele sempre comprava cerveja, gasolina ou o que quer que precisássemos. Porém, depois que Dennis

começou a levar a vida sem Howard ao lado, o cara não conseguiu suportar. Ele simplesmente queria Dennis para si. Parece que nada mudou.

35

ESTAR DE VOLTA ÀQUELE LUGAR DEIXOU SAM PERTURBADA.
Embora ainda parecesse a mesma casa, com as luzes deixadas acesas e a televisão ligada sem som, parecia um ambiente alterado, como se tudo tivesse se movido um centímetro. Sam percorreu o corredor e olhou para o antigo quarto de Dennis.

— Howard levou a caixa de lembranças de Den — Sam afirmou ao perceber que ela havia desaparecido entre os outros objetos espalhados pelo chão.

— Sua o quê? — Lindsay perguntou atrás dela.

— A caixa de metal. Aquela de que você cuidou.

— É melhor que Dennis alcance Howard ou ele ficará puto.

— Por que aquela caixa é tão importante? Não há nada de especial nela.

— Você olhou o conteúdo? — Lindsay arregalou os olhos.

— Dennis me mostrou. Algumas fotos antigas, a escritura da propriedade... Mas não vale nada. — Então, Sam olhou para Lindsay, que a observava com uma expressão de raiva. — Você nunca olhou?

— Nunca. Dennis me pediu pra cuidar dela e pra eu nunca abri-la. Prometi que não abriria.

— Você nunca ficou curiosa?

— Estava trancada. — Lindsay deu de ombros.

Sam se perguntou sobre isso. Nas mesmas circunstâncias, sabia que não teria cumprido a promessa. Após a condenação de Dennis, o que impediu Lindsay de abri-la? A trava era bastante frágil. Dennis a arrombou sem dificuldade com uma chave de fenda. De novo, ela pensou em quão inócuo era o conteúdo para ser tão sigiloso.

— Eu prometi — Lindsay voltou a dizer, antes de se dirigir à cozinha.

Sam achou que Lindsay ficou enciumada pelo fato de que Dennis lhe permitiu ver o que escondera dela. Quando começou a empilhar as coisas de volta nas prateleiras, Sam sorriu. A subserviência de Lindsay era um exagero, ela concluiu.

Ao voltar, Dennis fechou a porta dos fundos com força. Ele trazia a caixa e Sam ficou aliviada. Porém, logo percebeu que o marido estava transtornado, com a pele pálida e os olhos vermelhos. Dennis atirou a caixa no sofá e Lindsay a fitou de relance antes de desviar o olhar.

— O que aconteceu? — Lindsay quis saber.

— Nada — Dennis afirmou.

Sam notou as manchas de relva no jeans dele.

— Desculpe — ela disse.

Dennis se sentou no sofá e ela o viu tremer um pouco.

— Suas mãos... — Sam indicou as articulações dos dedos, com a pele descamada e com tons de vermelho e roxo.

— Não é nada. Os dentes dele...

— Precisamos limpar isso.

Dennis assentiu para Sam e ficou de pé.

No banheiro, ela passou água fria nas mãos do marido e viu sangue em seus pulsos.

— Venha aqui. — Dennis a puxou para si de repente.

Sam sentiu o suor do marido em sua pele.

— Ele me assustou — ela disse, como que se desculpando.

— Eu sei. — Dennis beijou o cabelo de Sam.

— Você acha que era Howard que ficava olhando pelas janelas, rodeando a casa?

— Tenho certeza. — Dennis a segurou com mais força e tornou a beijá-la. — Está tudo bem agora.

Na manhã seguinte, em vez de sair para correr, Dennis ficou em casa. Aqueceu um *bagel* na torradeira para Sam e o cobriu com manteiga de amendoim e mirtilos. Em seguida, colocou as pílulas de Vicodin de Sam bem ao lado. Depois, eles aplicaram um antisséptico nas feridas dele.

— Acho que as bocas humanas são ainda mais sujas do que as dos cães ou algo parecido. — Sam enfaixou as articulações com ataduras, procurando mantê-las não muito apertadas para que ele ainda pudesse dobrar os dedos. — Você precisa tomar cuidado pra isso não infeccionar.

Nos braços de Dennis, apareceram hematomas, como se Howard o tivesse agarrado com força. Sam pensou na sorte que teve e receou que ele pudesse voltar.

— Eu estarei aqui — Dennis a tranquilizou.

No entanto, o nervosismo se apossou de Sam. Ela saltava a cada barulho e achava que olhos a seguiam pela casa.

No meio da manhã, um carro encostou diante da casa. O oficial de polícia Harries, pai de Howard, desembarcou. Deixou a porta da viatura aberta e o motor ligado. Dessa vez, estava sozinho, e para ele não houve necessidade de fingir civilidade.

— Danson! — ele gritou, ainda que Dennis já estivesse atrás da porta de tela, esperando. — Você encostou as mãos no meu garoto de novo. Vai se arrepender amargamente disso! Você me escutou?!

Sam observava da janela da sala de estar.

— Se o seu filho encostar a mão na minha mulher de novo, ele vai receber mais do que uma surra. Você me escutou? — Dennis imitou a fala arrastada de Harries.

Então, Harries chegou mais perto da casa, o suficiente para que Sam notasse o suor escorrendo e a quantidade de veias rompidas que deixavam seu nariz e rosto vermelhos.

— Ele não fez isso. Guarde minhas palavras: ele não vai voltar aqui outra vez. Mas meu garoto não tocou em ninguém.

— Samantha? — Dennis gritou.

Sam abriu um pouco a janela e disse:

— Ele entrou furtivamente na casa ontem e me agarrou por trás. Eu bati nele com a muleta, para poder escapar. — Ela esperou por uma resposta, mas Harries permaneceu calado, e olhou para ela com as feições contorcidas.

— Está vendo? Eu falei pra minha mulher que ela precisa se proteger por aqui.

— Mentirosos. Vocês se merecem. — Harries cuspiu na relva. — Malditos mentirosos! — Ele embarcou na viatura, fechou a porta com força e partiu cantando os pneus.

Dennis entrou na sala de estar, pôs os braços ao redor de Sam e afirmou que ela foi perfeita.

— Achei que Harries fosse te prender ou algo assim — ela disse, enquanto ele arranhava de leve as costas dela.

— Ele não vai. Não se preocupe.

Dennis a beijou, passou a mão pelas costas de Sam, sobre a camiseta, com os dedos pegando a alça do sutiã. Quando ele a soltou, ela se sentiu embriagada, quente.

— Espere aqui, Sam. Só preciso verificar uma coisa rapidinho.

Sam se deitou no colchão inflável e passou as pontas dos dedos pelo abdome, pensando nele. Dennis saíra por um instante, mas ela podia ouvi-lo do lado de fora: o rangido enferrujado do alçapão do abrigo contra tempestade sendo baixado e o som dos detritos sendo chutados. Quando Dennis voltou, Sam cerrou as pálpebras, fingindo estar dormindo. Ela o ouviu abrir o cinto, descalçar os sapatos, tirar o jeans e deixar os óculos sobre a mesa. Dennis se deitou ao seu lado e se encostou nela.

— Sei que você está acordada — Dennis murmurou.

Ela sorriu. Ainda mantendo os olhos fechados, deixou que ele a abraçasse, sentindo tesão até adormecer.

Sonhando, Sam se encostava nele e Dennis a empurrava. Então, não era mais sonho, e ele se pressionava nela. Sam se apoiou contra ele para puxá-lo para mais perto, mais fundo. Dennis a colocou de bruços, com os braços dela imobilizados sob si, com o rosto colado no travesseiro, com seu peso por cima dela. *Estou sonhando?*, Sam se perguntou. Com os membros pesados por causa do Vicodin, ela gemeu.

— Silêncio — Dennis pediu, com os lábios na orelha dela. Ele apoiou a cabeça nela, pressionando-a contra o travesseiro de novo.

Sam quis pedir para que ele fosse mais devagar. Então, ela tentou se virar, mas Dennis pôs a mão nas costas dela e sussurrou:

— Fique quieta.

Sam estava sentindo dor. Dennis se impeliu mais fundo dentro dela e ela sentiu uma mistura estranha de dor e prazer. Então, ele ficou tenso e ofegou. Ela o sentiu se contorcer dentro dela e parar. Por um tempo, Dennis ficou por cima dela, respirando fundo, com os dedos no cabelo de

Sam. Quando Dennis a virou, ela ficou de lado. Ele a segurou contra si e Sam afundou de novo no sono, dolorida e sorridente, sem ter certeza de que fora real.

O calor da tarde os despertou. O sol verteu diretamente sobre eles, deitados ali. Os dois se afastaram um do outro, confusos por causa do sono.

— Nunca tiro um cochilo. — Dennis pôs os óculos, se afastando do sol do meio do dia como um vampiro. — Preciso dar alguns telefonemas.

Sam se sentia quente e pegajosa no meio das coxas. Ajeitou a calcinha e permaneceu enrolada nos lençóis. Tocou-se e percebeu que ainda estava dolorida. Finalmente acontecera. Era tudo o que ela queria.

Lindsay chegou ao final da tarde. Dennis esvaziava uma caixa de revistas numa lata de lixo metálica do lado de fora, pronto para queimá-las. Sam, sentada no banco da varanda, consultava preguiçosamente seu celular.

— Você não respondeu a minha mensagem de texto. — Lindsay sombreou os olhos com a mão.

— Eu estava dormindo. — Dennis esmagou o lixo para abrir mais espaço.

— Às 11h?

— Nós adormecemos — ele repetiu.

— Você precisa de alguma coisa do Wholefoods? Podemos preparar alguma coisa.

— Na verdade, não, Linds. — Dennis apontou para Sam. — Nós estamos um tanto ocupados.

Nós. Sam adorou que Lindsay não fizesse parte daquilo.

— Eu vou de qualquer jeito. Então, se precisar de alguma coisa...

Dennis enxugou a testa.

— Está tudo bem. De verdade.

— Tá. — Lindsay chocalhou as chaves na mão. — Te vejo amanhã. Ligue se precisar de algo.

— Claro. — Em seguida, ele e Sam viram a caminhonete se afastar. — Ela está tão grudenta e estranha...

— Sim, isso foi esquisito.

— Como se ela não tivesse nada melhor pra fazer.

— Ela não tem filhos? O que houve com eles? — O comentário de Sam fez Dennis rir e ela sentiu algum prazer nisso. — Pra ser franca, me sinto mal por ela.

— Eu não — Dennis afirmou, e os dois riram de novo.

Foi um dia perfeito, Sam decidiu depois, ao escovar os dentes. Na cesta de papéis, ela viu as bolinhas de algodão manchadas de sangue que usara nas articulações lesionadas dos dedos de Dennis. Pegou uma e a segurou na palma da mão. O sangue estava ficando marrom. Sam se lembrou do vermelho intenso do momento em que escapou dele. Foi quando decidiu guardar a bolinha de algodão, para começar uma caixa própria, para se lembrar de dias como esse.

36

POR ALGUNS DIAS, SAM SENTIU COMO SE DENNIS E ELA fossem as únicas pessoas no mundo. Eles se sentavam em silêncio na varanda, com as pernas dela no colo dele, observando a luz do dia desaparecendo, com o céu igual a um grande hematoma. Dennis trabalhava com energia renovada, esvaziando a garagem e emergindo com teias de aranha no cabelo que o deixavam cinza. Sam os imaginava envelhecendo juntos e se perguntando onde iriam estar. Dennis garantiu que estariam em Los Angeles até o fim do mês e Sam acreditou nele, pois, desde a noite em que Howard invadiu a casa, Dennis ficou tão ansioso quanto ela para ir embora.

A casa ficou vazia e cavernosa.

— Você vai vendê-la? — Sam perguntou enquanto ele tirava da garagem uma máquina de cortar grama enferrujada.

— Acho que devemos simplesmente demoli-la e plantar algo sobre a fundação, antes que vire algum tipo de atração mórbida. Será como se nada tivesse estado aqui.

Alguma coisa mudara, Sam percebeu. Aconteceu na noite da invasão de Howard. Fosse o que fosse a que Dennis estivesse se agarrando ali, finalmente ele decidiu abrir mão.

Dennis pegou uma marreta na garagem e a cobertura de latão deslizou na direção de sua garganta como uma guilhotina. Ele pulou para trás, rindo do quase desastre. Os caminhões vieram e levaram as caçambas. Dennis deu de gorjeta aos motoristas notas de cem dólares dobradas e eles sorriram para Sam e a chamaram de "senhorita". Isso a fez pensar em sua vida de professora na Inglaterra, com todos os adolescentes levantando as mãos e pedindo sua ajuda. Ela não perdeu nada.

No calor das tardes, Dennis trabalhava dentro de casa, enviando e-mails ao seu editor e organizando os detalhes finais para o lançamento de sua autobiografia. Por causa da reação adversa, Dennis não faria mais uma turnê de lançamento. Pelo visto, o livro seria promovido em sua ausência. Um artigo negativo do site *Buzzfeed* a respeito da nova série documental "*23 coisas que O garoto de Red River omitiu*" foi compartilhado amplamente. Em letras miúdas, no rodapé, a afirmação de que tentaram entrar em contato com Carrie em busca de comentários, mas não receberam resposta.

— Eu respondi — Carrie afirmou num telefonema. — Mandei todo mundo à merda!

Dennis se pegou ligando para Nick, seu empresário, mais do que Nick estava ligando para ele. Dennis deu uma entrevista por telefone para um podcast de grande audiência e ganhou dez mil dólares por uma foto sua para uma camiseta de uma coleção de uma nova tendência de moda denominada *athleisure*, incluindo a legenda "Pronto para embarcar nela". Só conseguiu três mil curtidas.

Frustrado com a falta de oportunidades viáveis, Dennis concordou em gravar um piloto para um reality show, enfocando a mudança dele e de Sam para Los Angeles e a adaptação deles a uma vida de celebridades. Seria aspiracional, mas crível, com acontecimentos estruturados da vida real. Sam se lembrou dos comentários que recebeu quando Dennis fora solto.

— Não tenho certeza de que quero fazer isso, Den.

— Eu não terminei o ensino médio, Samantha. Não posso nem trabalhar no McDonald's sem que as pessoas me vejam como um esquisitão. Se eu estiver na TV, não precisarei *vê-las* olhando pra mim. — E acrescentou: — A não ser que você queira voltar a lecionar.

— Meu Deus, não!

Sam se lembrou de como se sentia ao se levantar todos os dias para fazer algo que odiava. Não era isso o que todos queriam? Fama, dinheiro, uma vida mais fácil? Sam concordou, enfim, e Dennis deu o sinal verde para Nick, dizendo-lhe que estariam de volta a Los Angeles nas próximas semanas.

Certa tarde, os dois estavam sentados na sala de estar, com Dennis respondendo a alguns e-mails e fazendo preparativos para a partida deles quando o telefone tocou. Eles se entreolharam. Era o antigo telefone fixo da casa, pendurado na parede da sala de estar, outrora branco, mas agora amarelado, com manchas cinzentas encardidas de uma marca de mão ao redor do meio. Era um toque antigo, grave, como se não tivesse falado durante anos e sua garganta estivesse seca. Sam atendeu e gesticulou para Dennis, que se virou e franziu a testa, irritado. O telefone não tocara durante todo o tempo da permanência deles ali. Na realidade, Sam mal conseguia se lembrar da última vez em que atendera a seu próprio telefone fixo.

— Alô? — Sam atendeu, sorrindo para Dennis, apreciando a estranheza do momento. — Alô? — ela repetiu, pois ninguém respondera. Sam escutou alguém respirar de modo irregular no outro lado da linha. O sorriso sumiu de seu rosto. Ela achou ter escutado alguém murmurar "filho da puta".

Dennis se aproximou, perguntando:

— Quem é?

Ela gesticulou de novo, pedindo que Dennis falasse mais baixo para que pudesse escutar.

— Se for algum cretino, desligue, Samantha. Achei que esse número não estava na lista...

— Quieto! — Sam murmurou, contrariada.

A pessoa do outro lado da linha pigarreou.

— Diga a ele... — a voz disse, com as palavras abafadas, e Sam escutou um novo pigarro. — ... que, se meu garoto não entrar em contato em breve, vou pegá-lo.

— Quem está falando? — Sam indagou no exato instante em que Dennis pegou o aparelho de sua mão.

— Escute... — Mas Dennis não prosseguiu. Após algum tempo, afastou o telefone do ouvido e o deixou pendurado a seu lado.

— Ele te ameaçou?

— Sim. Era Harries. Howard desapareceu. Ele não voltou pra casa ontem à noite.

— Puxa — Sam balbuciou, sem saber o que dizer. — Bem, você ficou comigo o tempo todo. Posso dizer isso para ele.

Dennis enrolou o fio em torno da mão e arrancou o telefone da parede. Em seguida, jogou-o na sacola de lixo ao lado.

— Eu sei — ele disse a Sam. — Obrigado.

Dennis pareceu desanimado e o silêncio fez Sam pensar que deveria dizer algo mais.

— Você acha que... — ela disse, hesitando. — Será que ele se matou?

— O quê?! — Dennis começou a caminhar na direção de Sam, que deu um passo para trás. — Por que disse isso?

— Bem, você sabe. Ele é um homem de 40 anos que mora sozinho num estacionamento de trailers. Deve ser meio deprimente.

Dennis pegou a sacola de lixo e saiu sem dizer nada. Pela janela, Sam o viu jogar a sacola na lata de lixo, com a chuva molhando sua camisa. Por um momento, ele permaneceu ali, com a cabeça curvada como se rezasse. De repente, Dennis se virou e voltou para casa. Sam se moveu, ficando fora do alcance de visão dele, esperando que Dennis não tivesse visto que ela o observava.

Após o incidente com o telefone, Dennis se mostrou irritadiço e distante. Nesse momento, no celular, lia os tuítes de gente que o irritava ainda mais.

— Veja este. "Antes eu achava que Dennis era inocente, mas agora sinto que ele tem algumas vibes repulsivas rolando..." Diz tudo, não é?

— O quê?

— "Antes eu *achava*... Agora *sinto*..."?

— Não compreendo.

— Quando as pessoas começam a dar mais valor aos sentimentos do que aos pensamentos? É como "Sim, eu costumava considerar objetivamente as coisas e tomar decisões inteligentes, mas agora simplesmente sigo qualquer bobagem de que tenha vontade". É estúpido.

— Certo — Sam concordou. — Por que não apaga sua conta, Den? Ela só te deixa infeliz.

— E então há este tuíte... — ele prosseguiu.

Ao anoitecer, Lindsay apareceu e Dennis falou com ela no corredor, com as vozes tão baixas que Sam não distinguiu suas palavras. Ela imaginou que Dennis estivesse falando do telefonema, de que Howard desaparecera. Quando eles foram para a sala de estar, Lindsay, quieta e pálida, sentou-se no sofá, com os pés sujos enrolados sob si, roendo as unhas incessantemente e olhando com desinteresse para a TV.

Dennis também se mostrava distraído. Nenhum dos dois se queixou quando Sam mudou de canal, embora costumassem protestar muito de qualquer programa a que ela quisesse assistir.

Dennis falou que iria verificar algo do lado de fora e Lindsay não deu a mínima para a saída dele. Sam e Lindsay ficaram sentadas em silêncio durante a ausência de Dennis. Quando ele voltou, Sam não aguentou mais.

— É muito triste essa história de Howard, não? — E olhou para Dennis e Lindsay à espera de que eles revelassem o que estavam pensando.

— O que te importa? — Lindsay perguntou.

— Bem, estou preocupada com ele.

— Deve estar tudo bem com Howard — Dennis afirmou.

Sam não achou que o marido soou convincente.

— Você nem o conheceu. — Lindsay se sentou mais ereta. — Na verdade, você não deu um soco nele ou algo assim? Não o acusou de... Espere, Dennis, você não sabe, não é? — Ela se virou para Sam. — Conte pra Dennis... Conte pra ele o que você achou que Howard ia fazer.

— Cale a boca! — Sam ordenou com rispidez.

— Sam achou que Howard iria *estuprá-la*. Dá pra imaginar?

Sam poderia jurar que Dennis ia rir, mas isso não aconteceu. Ela viu os olhos dele se turvarem e o sorriso desaparecer do rosto de Lindsay.

— Por que isso é tão engraçado? — ele quis saber.

— Você sabe muito bem — Lindsay retrucou. — Howard é uma bicha-louca.

Sam esperou que Dennis dissesse algo, mas ele ficou encarando Lindsay de um jeito nada amistoso.

— Sem essa, Dennis. Ele era... você sabe... obcecado por você — Lindsay acrescentou, nervosa.

— E você não é? — Dennis a encarou.

Sam viu Lindsay enrubescer.

— Vá se foder! Encontre outra vadia pra te levar ao Walmart. Tô fora! — Lindsay saiu batendo a porta da frente.

Em vez de satisfação, Sam sentiu culpa.

— Isso foi meio duro, Den.

— Me deixe em paz. — Dennis se virou para sair da casa, mas os gatos, gemendo, enroscavam-se nas pernas dele enquanto Dennis se dirigia à cozinha. — Ei, saíam do caminho!

Então, Atum entrou entre seus pés e Dennis tropeçou. A gata gemeu sob o pé dele e Dennis colidiu com o batente da porta.

— Porra! — ele gritou. — Cai fora! — E deu um chute nela.

Atum saiu rodopiando pelo chão.

— Dennis! — Sam correu até a gata pra pegá-la, mas Atum se encolheu de medo junto à parede. — Saía! — ela ordenou a Dennis, mas ele já estava saindo, e logo a porta dos fundos bateu atrás dele.

Sam tentou se aproximar de Atum de novo, estendendo a mão, mas a gata tremia, querendo ficar sozinha. Então, ela foi para o quarto, que ainda tinha cheiro de urina, antisséptico e cigarros, mesmo com a janela aberta o tempo todo.

Dessa vez, Sam sabia muito bem o que vira. A crueldade a chocou, mas, em retrospectiva, Sam se perguntou se deveria mesmo ter ficado chocada.

No começo da noite seguinte, Lindsay voltou, silenciosa e ansiosa após a discussão, sem sua habitual fanfarronice.

— E aí, você ainda precisa de uma carona ou... — ela disse, enquanto Dennis permanecia calado.

— Com certeza — ele respondeu.

E Sam sentiu que aquela fora uma briga que eles já haviam tido antes, que, independentemente do que houvesse entre Lindsay, Dennis e Howard, significava que não tinha necessidade de desculpas. A relação era mais profunda do que isso.

Quando Dennis e Lindsay saíram, Sam esperou cinco minutos, e dirigiu-se à cozinha para procurar a chave do abrigo contra tempestade. De início, ela descartou a ideia, considerando-a como loucura, mas algo a respeito do sumiço de Howard continuou a perturbá-la. E, após ver o surto de crueldade de Dennis na noite anterior, Sam se perguntou do que mais ele seria capaz.

Além disso, ultimamente, Dennis vinha passando muito tempo no abrigo, sempre trancando o alçapão depois que entrava. Sam se lembrou de como se sentiu quando ficou lá, tão escondida, tão sozinha. Tinha de verificar, apenas uma vez, para ter certeza de que Howard não estava ali. Por mais estúpida que achasse que estava sendo, precisava confirmar isso agora, apenas para provar a si mesma que Dennis não tinha nada a esconder.

Antes de abrir o alçapão, Sam deu uma batida. Sentindo-se ridícula, gritou:

— Oi? Tem alguém aí embaixo?

Sem receber resposta, Sam pegou uma lanterna e começou a descer a escada, sentando-se e deslizando sobre cada degrau, pousando no seguinte com um som característico de pancada. Ela dirigiu a lanterna para cada canto do espaço e soltou o ar com força. Claro que não esperava encontrar Howard. Fora uma ideia estúpida, mesmo levando em conta o ataque de raiva de Dennis da véspera.

Ainda assim, Sam se perguntou por que Dennis gostava de passar tanto tempo ali. Naquele momento, o abrigo estava praticamente vazio. O catre fora removido, jogado em uma caçamba, e a única coisa que restava era a caixa de lembranças. Ela não conseguia entender por que Dennis a deixara ali. Ele a estaria escondendo dela? Mas ela já tinha a visto, o próprio Dennis lhe mostrara.

Por curiosidade, Sam tornou a abri-la e espalhou as fotos pelo chão. Procurou o significado delas, o motivo pelo qual eram tão preciosas para Dennis, mas foi incapaz de descobrir.

Derrotada, pegou a caixa. Nesse instante, Sam escutou um barulho e sentiu algo se movendo no interior. Ela a sacudiu um pouco e voltou a ouvir o barulho de algo se movendo. Virou a caixa de cabeça para baixo, chacoalhou-a, bateu nela em todos os lados. Por fim, jogou a caixa virada para baixo sobre o piso de concreto. O fundo se soltou e outras fotos se espalharam no chão a seu redor.

Trêmula, Sam se agachou e tocou nos versos das fotos. O abrigo se enchera de outra coisa e ela soube que, independente do que houvesse nas fotos, era algo que ela não queria ver.

Com cuidado, Sam pegou o canto de uma das fotografias e a virou. A garota na foto era jovem, Sam percebeu, com no máximo 16 anos. Estava nua da cintura para cima e deitada de lado, com os olhos fechados, como se dormisse. Havia outras fotos, com poses semelhantes, em diversos estados de nudez. Curiosamente, não eram sexy, Sam concluiu, embora soubesse, com amargura, que eram fotos que Dennis tirara com ex-namoradas. Não era tão estranho que ele guardasse essas fotos quando mais jovem, mas ainda as olharia agora?

Enquanto as examinava, Sam se perguntava a respeito da moralidade disso. Então, uma fotografia a fez parar. A garota ali estava nua, com os braços estendidos e as palmas das mãos para cima, os pés cruzados nos tornozelos e o cabelo espalhado ao redor da cabeça como uma juba. De imediato, Sam não foi capaz de dizer o que havia de estranho na foto, mas, quando olhou de novo, percebeu que os bicos dos seios estavam ausentes. Em vez disso, apenas tecido grumoso vermelho e gordura.

Sam juntou a pilha de fotos e as espalhou rapidamente pelo chão, examinando cada uma em busca de alguma lógica. Porém, ficou ainda mais confusa. Viu aquela garota de novo, mas seus lábios tinham desaparecido e ela sorria. A garota apareceu de novo, mas seu corpo tinha desaparecido, com a medula espinhal se projetando do pescoço e as extremidades de seu cabelo dourado manchadas de vermelho. Então, uma outra garota, loira, com o rosto inchado e os braços e as pernas amarrados, apareceu atrás dela, com a pelve se erguendo obscenamente no ar. A garota seguinte tinha um cabo de plástico enrolado ao redor do pescoço; seu cabelo era curto e escuro, sua pele estava roxa e o cabo parecia que a atravessava direto. Sam se deu conta que prendia a respiração e que seus dedos estavam sobre a garganta da jovem, como se pudesse puxar o cabo para deixá-la respirar de novo.

Ofegante, Sam ergueu os olhos, sentindo ânsia de vômito. Por que ele tinha essas fotos? Como pareciam tão reais? Não podiam ser reais, podiam?

Sam começou a se mexer antes de tomar decisões conscientes. Prendeu o fundo da caixa no lugar, juntou todas as fotos e as recolocou dentro. As fotografias que encontrou por último, enfiou na cintura da calça. Elas pareceram frias contra sua pele, como se estivessem exalando algo tóxico e a contaminando. Lembrou-se de um canto do pátio de recreio da escola primária, onde encontrou uma revista com uma foto colorida de uma mulher de pernas abertas. Um menino a chutara para Sam e ela chorou, por culpa e vergonha, porque, após tocar na revista, achou que se tornara parte daquilo.

Garantindo que tudo dava a impressão de que ela nunca estivera ali, Sam subiu a escada do abrigo, fechou o alçapão e o cobriu. Na cozinha, pendurou as chaves no gancho. Olhou ao redor em busca de um lugar para esconder as fotos, achando agora que devia tê-las deixado no fundo da caixa. Precisava escondê-las, rapidamente, enquanto decidia o que fazer a seguir. No entanto, não havia nenhum lugar seguro. A casa já tinha sido despojada de quase tudo. Havia apenas sua mala e Sam sabia que seria o primeiro lugar em que ele procuraria quando percebesse o sumiço das fotos.

Sam tentou se acalmar. Teria de ligar para a polícia, não havia outro jeito. Pegou o celular, mas digitou a senha incorreta duas vezes, com suas mãos trêmulas. Porém, quando conseguiu acertá-la, descobriu que não era capaz de ligar. Em vez disso, olhou para as fotos de Dennis que ela tirara, que eles tiraram juntos. Não fazia sentido. Olhou para uma fotografia de Carrie. Sentiu uma pontada no coração ao pensar nela. Todos aqueles anos dedicados a provar que Dennis era inocente, lutando por ele. O que aconteceria com ela se constatassem que Dennis tinha...

Então, Sam os escutou. Sem dúvida, era o som de um motor se aproximando no silêncio. Em pânico, ela abriu o zíper da almofada do sofá e enfiou as fotos dentro. Rapidamente, ligou a TV e se deitou. Enxugou o suor da testa e procurou se acalmar, tentando elaborar o que estava fazendo e se queria estar fazendo.

— Não tinham abacate — Dennis gritou da porta. — Dá pra acreditar?

— Você voltou rápido. — Sam tentava parecer animada.

— Bem, não tinham quase nada. Vou precisar voltar amanhã.

Sam sentiu um nó no estômago, em sinal de ansiedade. Se ele saísse no dia seguinte, ela poderia pegar as fotos, chamar um táxi e cair fora.

— A que horas você pretende ir? — ela perguntou.

— Por quê?

— Talvez eu vá junto.

— Não muito tarde — Dennis disse. — Precisamos de produtos frescos. Acho que é melhor ir de manhã.

Sam precisava de um horário específico. Se ela agendasse um táxi, não poderia correr o risco de cruzar com ele na estrada.

— Então... 10? Mais cedo?

Por um momento, Dennis a observou, com os óculos blindando os olhos.

— Você está bem?

— Sim! — Sam respondeu, assentindo vigorosamente.

— Está meio estranha — Dennis afirmou.

Sam o ignorou, embora soubesse que deveria dizer algo. A parte dela que queria sobreviver informou o que ela precisava fazer: incitou-a a juntar suas coisas, no máximo até a manhã seguinte e, depois, correr feito louca. No entanto, havia uma tristeza e uma decepção tão profundas que ela queria morrer. Quando Sam pensou em quão traída se sentia, quis dizer tudo a ele. Quis dizer que o odiava, que queria que ele a jogasse no chão e apertasse seu pescoço até matá-la. Contudo, o pensamento daquelas mãos em seu pescoço causou-lhe náuseas. Durante todo aquele tempo,

Sam desejou ser abraçada por Dennis, beijada, tocada. E estava querendo se submeter ao domínio de um monstro? Como ela não soube?!

— Estava prestes a ligar para Carrie — Sam afirmou, com o celular na mão.

— Mande lembranças — Dennis pediu.

Sam fez uma pausa para ver se ele saía da sala de estar e lhe dava privacidade, mas, em vez disso, ele se sentou ao lado dela no sofá e começou a examinar seu próprio celular. Do lado de fora, Sam conseguiu ver Lindsay, de pé na varanda, com a ponta do cigarro brilhando no escuro.

Por que não ligou para a polícia quando teve a chance? De repente, tornou-se muito real. Não era mais um caso que ela estava seguindo numa tela de computador ou cartas de amor que chegavam em papel ofício amarelo. A história que as fotos contavam não era uma que ela deveria saber.

O que quer que decidisse fazer, Sam queria que Carrie fizesse parte. Devia isso a ela.

— Bem, já está tarde — Sam disse. — Acho que só vou enviar uma mensagem de texto, dizendo que nos falamos amanhã.

— Claro. — Dennis, distraído, digitava um e-mail do seu jeito lento e determinado.

Sam escreveu uma mensagem de texto:

Oi, Carrie. Precisamos conversar. Pode ser amanhã de manhã? Ligo por volta das 10h.

Quase imediatamente Carrie respondeu:

Claro! Tudo bem? 'Precisamos conversar' NUNCA é algo bom...

Sam procurou encontrar o equilíbrio correto. Não queria preocupar Carrie, mas também precisava que a amiga esperasse seu telefonema. Agora, deu-se conta do quanto se isolara desde que se mudara para a Flórida. Se algo acontecesse com ela naquela noite, quanto tempo levaria para que alguém notasse seu desaparecimento? Carrie era tudo o que lhe restara.

Só preciso conversar com alguém. Explico amanhã cedo. Dennis vai sair e, então, podemos falar numa boa!

Sam enviou a mensagem e se sentou, sentindo o peso de Dennis a seu lado no sofá. Tentou não chamar a atenção dele. Temia o momento em que ele poderia se virar, como um gato entediado de ser acariciado, e atacar.

Lindsay sentou-se com eles por algum tempo. A TV estava ligada, mas todos olhavam para seus celulares. Sam sentiu as fotos debaixo de si. Viu as garotas, viu as marcas em seus corpos. Eram marcas de mordidas. Nas coxas, nos seios: pequenas reentrâncias roxas e pele pontilhada. Sam mordeu a mão e olhou para o padrão que seus dentes deixaram. Ainda muito longe de pontilhar a pele.

Será que Dennis as segurara? Será que ele as beijara de cima a baixo até elas sentirem dor? Será que mordera a pele delas, fazendo-as suspirar, e, em seguida, mordera com mais força até que gritassem? Será que quebrara os ossos de seus pescoços ao estrangulá-las? Será que fechara os olhos delas? Será que elas o amaram, do mesmo modo que ela?

O quanto Lindsay saberia?, Sam se perguntou. O quanto ela sempre soube? Contudo, quando Lindsay ficou de pé, alongou-se e disse que estava indo para casa, Sam quase não quis que ela fosse embora. Sentia-se mais segura com ela ali. Lindsay, que sobrevivera, enquanto todas aquelas outras garotas não.

À meia-noite, Sam desligou a TV dizendo que ia dormir. Dennis deitou-se com ela e se apoiou contra suas costas. Sam procurou controlar o desejo de se afastar. Deitada em silêncio, fingiu adormecer. Depois de algum tempo, ele sussurrou para ela:

— Você está acordada?

No entanto, Sam permaneceu imóvel, respirando baixinho, com os olhos fechados. Durante toda a noite, manteve-se paralisada de medo, esperando que ele a despertasse.

Quando o sol nasceu, Dennis ainda estava a seu lado, deixando escapar um pequeno suspiro de vez em quando. O corpo de Sam doía depois de uma noite de músculos tensos e dentes cerrados. Ela se levantou e o observou por um tempo. Cerradas, as pálpebras de Dennis tremiam, e uma narina soltava uma respiração levemente ruidosa. Ele parecia quase humano.

— Você não dormiu — Dennis afirmou, com os olhos ainda fechados.

— Dormi um pouco — ela respondeu, com o corpo tomado de medo de novo. Sentiu-se estúpida, pega em flagrante.

— Você não dormiu — ele repetiu, abrindo os olhos. — Com toda a certeza.

37

SAM PASSOU A NOITE SEM DORMIR, PLANEJANDO SEUS movimentos para a manhã seguinte. Fora uma idiotice ter pego as fotos, percebeu. Era arriscado e tinha de ser cautelosa. Assim que Dennis saísse para sua corrida matinal, ela desceria ao abrigo e as recolocaria no lugar. Precisava fazer isso antes que seu marido descobrisse que tinham desaparecido. Se ela contasse a Carrie ou à polícia e não acreditassem nela, poderia viver com isso, contanto que pudesse sobreviver a isso.

No entanto, Dennis não saiu para correr.

— Escuta só. — E ele se curvou e endireitou a perna. Seu joelho estalou durante o movimento.

— Todas as minhas articulações fazem isso. Não é nada — Sam garantiu.

Dennis não se convenceu. Ele preparou o café da manhã e Sam tomou um banho rápido, apressando-se a voltar ao sofá, sentindo-se com um pássaro protegendo seus ovos no ninho. Toda vez que Dennis saía da sala, ela se preparava para ouvir o rangido do alçapão do abrigo, e toda vez que ele voltava, um intenso alívio se apossava dela: estava segura, por mais alguns minutos. Por outra meia hora, ela ficaria bem.

Lindsay chegou pouco antes das 10 e Sam a viu com Dennis em algum tipo de diálogo no jardim, no fim do qual Dennis pôs os braços ao redor dela e a abraçou, com Lindsay o segurando ainda um pouco depois que ele a soltou. Ao retornar à sala, Dennis perguntou a Sam:

— Pronta pra ir?

— Acho que vou ficar por aqui. — Ela coçou o tornozelo. — Meu pé está doendo muito...

— Mas você ficou me enchendo ontem dizendo que queria vir com a gente.

— Sim, Den, mas estou sentindo muita dor hoje. É melhor ficar e descansar.

Dennis a encarou.

— Acho que você deve vir conosco. Seria bom que saísse um pouco desta casa.

— Não acho que...

— Se está doendo tanto, talvez eu deva ficar com você. Por precaução. Quero dizer, para o caso de Howard resolver reaparecer.

— Ficarei bem. De verdade, não me sinto capaz.

— Então eu fico com você. — E Dennis deu um passo na direção dela.

Sam consultou a hora no celular. Ela poderia ligar para Carrie quando chegassem à loja. E quando estivesse ali, em público, pensou que não precisaria mais voltar.

— Sabe de uma coisa? — Sam começou a se levantar do sofá. — Você tem razão. Tenho passado muito tempo aqui. Estou apenas sendo preguiçosa. Eu irei.

Dennis ficou confuso, olhando ora para a caminhonete de Lindsay, ora para Sam, que sorria.

— Então... você vem?

— Sim. — Sam se mostrava ansiosa para sair, mas ainda sem saber o que faria nessa nova situação. — Mas preciso pegar algumas coisas primeiro.

Dennis suspirou.

— Bem, apresse-se, já estamos mais atrasados do que eu gostaria.

Sam mancou até onde sua muleta estava apoiada contra a parede e olhou pela janela, para ver Dennis sentado no assento do passageiro, com a porta aberta, conversando com Lindsay. Ela deixou cair a muleta e se agachou, engatinhando de volta ao sofá. Tremendo demais, Sam agia de forma instintiva. Ela tirou as fotos da almofada do sofá e engatinhou até sua bolsa. Colocou as fotos no bolso com zíper situado atrás da bolsa, que continha algumas moedas, lenços de papel usados e cartelas de pílulas vazias. Engatinhou de volta, pegou a muleta, ficou de pé e tentou se acalmar ao sair da casa.

Dennis saltou da caminhonete quando Sam se aproximou e a ajudou a embarcar. Segurou sua bolsa e sua muleta enquanto ela se deslocava sobre o assento e se ajeitava ao lado de Lindsay, que olhava para a frente e mantinha as mãos no volante. Sam colocou sua bolsa entre as pernas.

O percurso foi feito em silêncio, com o rádio desligado e as garrafas de vidro ressoando toda vez que o carro passava por um buraco.

Ao lado dela, Dennis parecia sereno, observando a estrada pela janela aberta. Sam procurou por traços de maldade no rosto dele, mas viu apenas o homem que amara. De algum modo, isso piorava tudo. Ela abraçou a bolsa no peito e pensou em todas as garotas das fotos. Apenas elas sabiam o que Dennis era realmente sob a aparência.

Quando chegaram à rua principal, Dennis pediu que Lindsay parasse.

— Preciso comprar algo na loja de ferragens.

Sam viu a delegacia de polícia mais à frente.

— Eu espero aqui — Lindsay disse.

— Eu também. — Sam se reclinou.

— Porra... — Lindsay abriu a porta. — Eu vou com Dennis.

— Você vai demorar quanto tempo? — Sam perguntou pela janela.

— Não sei... 10 minutos, no máximo? — Dennis parecia irritado com ela de novo.

Ao vê-los entrar na loja, Sam ligou imediatamente para Carrie, mas caiu direto no correio de voz. Tensa, tentou mais duas vezes e desistiu. Passava um pouco das 10 horas e Carrie deveria estar esperando sua ligação. Então, por que o celular dela não estava ligado? Sam conteve a vontade de gritar. *Tudo bem*, pensou, *estou sozinha*.

Mais à frente ficava a delegacia de polícia. Tentou imaginar-se dentro dela, apresentando-se: "Sou a mulher de Dennis Danson e descobri estas fotos em sua caixa de lembranças. Preciso de ajuda." Tentou imaginar sua vida depois disso: interrogatórios policiais, tribunal, a corrente de ódio que receberia por sua parte em tirá-lo da prisão.

Então, imaginou outro caminho: voltar para casa, entrar no abrigo e devolver as fotos. Dar uma desculpa e escapar enquanto ele estivesse correndo e voltar para uma vida que ela não queria. Não pareceu muito uma opção. Sam estava dominada pela autocomiseração e detestando a palpitação persistente em seu peito ao pensar em Dennis.

Três dos dez minutos tinham se passado e ela sabia que precisava agir imediatamente. Era óbvio que não seria capaz de devolver as fotos, não agora. Na certa, Dennis ficaria em casa o dia todo, trabalhando no que quer que estivesse planejando dentro da loja de ferragens. Se ela decidisse não devolver as fotos, Dennis descobriria o que ela tirara e tomaria providências. Durante toda a noite, as consequências assustadoras desse cenário se apresentaram para ela.

Sam saiu da caminhonete. Um pouco mais à frente estava a delegacia. À medida que mancava até lá, começou a se apavorar. O que diabos ela diria? Como aquelas coisas aconteceram? O mundo pareceu rodopiar e o calor começou a tomar conta dela. Sam se viu mudando de direção e se aproximando da loja mais próxima. Um sino tocou quando ela abriu a porta. No ar mais frio, tentou organizar as ideias. Uma mulher de cabelo grisalho e sorriso amável a saudou, e Sam assentiu, procurando sorrir de volta, com o ar frio clareando seus pensamentos.

— Com licença. — Um homem que passou roçando por Sam lhe causou um estremecimento.

Ela se virou e encarou uma prateleira. Fechou os olhos e tentou se acalmar, contando as respirações. *Você vai sair dessa*, balbuciou para si mesma. *Apenas respire.*

— Posso ajudá-la? — a mulher no balcão perguntou a Sam.

— Só estou dando uma olhada. Obrigada.

A mulher franziu a testa.

— Avise-me se precisar de alguma coisa.

Sam se voltou para a prateleira diante de si, mas estava vazia. Sentiu enrubescer. Na extremidade da prateleira havia uma caneta presa a uma corrente. Ela percorreu a lojinha com o olhar: paredes nuas e cadeiras de plástico alinhadas. *Que porra de lugar é este?*, ela se perguntou, desorientada.

A placa acima do balcão dizia "Correios". Uma ideia começou a tomar forma e, antes que Sam pudesse ponderar melhor sobre ela, já se aproximava do balcão.

— Você tem um envelope? — ela pediu.

De volta à prateleira, Sam tirou as fotografias da bolsa e as colocou no envelope o mais rápido possível, como se as garotas das fotos pudessem gritar ao ar livre. Ela fechou o envelope e se certificou de colar bem a aba.

Sam começou a escrever o endereço, mas a caneta parecia sem tinta. Rabiscou e pressionou, mas nada saiu. Olhou para o relógio na parede e viu que outro minuto tinha se passado. Se Dennis a encontrasse ali, se ele visse o envelope... Então, ela mancou de volta ao balcão.

— Preciso de uma caneta.

O sorriso da mulher desaparecera havia muito tempo e ela ficou visivelmente tensa com a aproximação de Sam.

Sam sabia muito bem que estava suando, que estava ofegante, rude e confusa, mas nada disso importava. Ela queria que as garotas fossem embora; assim, poderia raciocinar com clareza. Uma coisa de cada vez. Primeiro, ela escaparia; depois, lidaria com as garotas. Assim, escreveu o endereço o mais rápido que pôde e entregou o envelope à mulher, sempre olhando para a porta atrás de si, esperando que Dennis a pegasse em flagrante.

No momento de pagar, as moedas caíram de sua bolsa e se espalharam no chão. Sam não as recolheu e entregou uma cédula para a atendente. Quando a mulher começou a pescar o troco na caixa registradora, Sam fez um gesto com a mão.

— Não precisa. — À soleira, ela concluiu: — Fique com o troco. Tudo bem.

De volta à rua, piscando por causa do sol, Sam esperava ter tomado a decisão correta. Ao pegar as fotos de Dennis, ela mudara sua vida. E ainda doía a lembrança daquelas primeiras semanas juntos, das entrevistas, dos presentes e dos jantares com celebridades. Ela nunca mais seria especial ou invejável. Em um mundo em que ninguém podia cometer erros, Sam cometera um enorme: apoiou o homem errado. Também arruinaria Carrie. Elas seriam odiadas, o tipo de mulheres que louvavam generosamente um homem que matava garotas. Era pior do que elas mesmas serem assassinas.

O tempo que levaria para as fotos chegarem daria oportunidade para Sam pensar e falar com Carrie. Após uma breve reflexão, sentindo-se mais forte, ela decidiu caminhar até a delegacia. Lá dentro, diria que ela e Dennis tiveram uma briga, que estava com medo e não queria ficar com ele. Insinuaria que ele batera nela, mas sem confirmar. Apenas pediria ajuda para recuperar seu passaporte e, depois, poderia ficar com uma amiga por um tempo. Dennis teria de entregar o passaporte quando a polícia chegasse a casa e, quando ele descobrisse o desaparecimento das fotos, teria de guardar isso consigo mesmo. Nesse momento, Sam garantiu a si mesma, ela estaria longe o suficiente e ele não poderia machucá-la.

Se Dennis não conseguisse recuperar as fotos, então que opção ele teria a não ser concordar com as condições dela? A menos que ele não se importasse, ocorreu a Sam, e um calafrio percorreu sua espinha. Talvez Dennis a encontrasse e a matasse, onde quer que ela estivesse.

Sam estava quase no fim da rua quando Dennis chamou seu nome e ela escutou o barulho dos sapatos dele na calçada. Ela olhou para a delegacia, deu outro passo e parou, sentindo frio de repente.

— Aonde você está indo? — Dennis indagou, baixinho, quase como se soubesse o que ela planejava.

— Estou com sede. Estava indo comprar uma garrafa de água — ela respondeu, debilmente.

— A loja fica ali atrás.

Sam tornou a fitar a delegacia.

— Vamos. — E Dennis pôs uma mão delicadamente nas costas dela para guiá-la.

Quando Sam não se moveu, ele pôs a outra mão em seu cotovelo e ela caminhou com ele, embora sem saber por quê. Ao olhar para o extremo oposto da rua, viu um homem arrumando as malas em seu carro e lojas abertas. Se ela gritasse, alguém a ouviria, mas isso pareceu detê-la, como se gritar fosse apenas uma coisa sombria e secreta que se faria quando não houvesse ninguém a quem recorrer.

— Meu tornozelo, Den.

— Quanto mais rápido chegarmos ao carro, mais rápido vamos nos sentar — Dennis sussurrou.

Se alguém olhasse para eles, veria uma mulher apoiada numa muleta sendo ajudada a embarcar num carro por um homem bonito, com outra mulher esperando para levá-los para casa.

Dennis a empurrou para dentro da caminhonete, com as duas mãos em suas nádegas. Sam quase caiu no assento, com a cabeça atingindo a perna de Lindsay. Então, Dennis a empurrou ainda mais para dentro da caminhonete, sentou-se a seu lado e fechou a porta com força.

— Para casa — ordenou a Lindsay.

— E o Walmart? — Lindsay perguntou, um tanto receosa.

— Esqueça.

Voltaram para casa em silêncio. Sam conseguia ouvir o barulho do maxilar de Lindsay mascando seu chiclete e a trepidação do painel de plástico, pois a perna de Dennis não parava quieta. Ninguém perguntou por que ela estava chorando.

Do lado de fora da casa, Dennis disse para Lindsay ir embora.

— Den... — Lindsay não olhava para Sam. — Talvez eu devesse ficar por um tempo...

— Vá — ele repetiu.

— Por favor, não vá — Sam pediu, mas Lindsay a ignorou e se foi.

Lá dentro, Dennis empurrou Sam no sofá e ficou parado diante dela.

— Aonde você estava indo?

— O que quer dizer? Eu ia comprar água.

— Você estava indo para a delegacia, Samantha. E está agindo como... — Ele parou de falar e a encarou de novo. — Está com medo de mim agora?

— Você está agindo como um louco. Está me assustando. — Pareceu um alívio ser honesta e, por um instante, pareceu que ele acreditara nela.

— Algo mudou — Dennis afirmou. — O jeito como você me olha. Começou ontem à noite.

— Você está sendo ridículo.

Então, Dennis dirigiu o olhar para a esquerda de Sam, para a almofada que ela deixara torta com o zíper não totalmente fechado.

— Não se mexa — ele ordenou quando detectou o jeito dela.

Dennis ergueu a almofada e passou a mão debaixo dela, como se procurasse por moedas perdidas. Em seguida, abriu o zíper da capa e procurou algo dentro. Quando tirou a mão, segurava uma única foto. Sam sentiu o estômago embrulhar.

Dennis olhou para a fotografia e, depois, para Sam. Ela viu um lampejo do que as garotas deviam ter visto, apenas por um segundo, quando a expressão dele mudou e Dennis pareceu um estranho.

— Não se mexa — ele tornou a dizer, quase num sussurro, embora para Sam parecesse o rosnado de um lobo furioso.

Dennis se dirigiu à cozinha. Sam o ouviu tirar uma garrafa de água da geladeira. Em seguida, passos e o rangido enferrujado da porta dos fundos. Ela soluçou alto. Do lado de fora, avistou Lindsay encostada na caminhonete, fumando. Portanto, ela não tinha ido embora. E Sam ficou agradecida. Ela notou que Lindsay batia a cinza do cigarro com frequência e pisava forte com um pé sem parar. Ouviu o clangor do alçapão do abrigo sendo aberto, o silêncio enquanto esperava por aquilo que sabia que viria, a pancada quando o alçapão foi fechado, o baque dos pés nos degraus de madeira podre e, finalmente, o som de rachadura da caixa quando atingiu a parede atrás de sua cabeça.

— Onde elas estão?! — Dennis gritou, lívido e furioso. — Onde diabos elas estão?!

38

DENNIS SE AGACHOU DIANTE DE SAM, APOIANDO OS cotovelos nas coxas, tentando olhá-la nos olhos.

— Onde elas estão, cacete?! — Dennis ficou de pé. — Foi por isso que você ficou agindo assim. — Ele balançou negativamente a cabeça. — Estava indo à polícia, não é?

— Não sei. — Sam fungou.

— Onde elas estão, Sam?

— Não estão mais comigo — ela afirmou com voz débil. Sentia-se velha.

— O que quer dizer?

— Eu as enviei pelo correio. Para Carrie... Assim, se algo acontecer comigo...

— Você está mentindo.

Sam conseguiu detectar a incerteza na entonação de Dennis.

— Se algo acontecer comigo, ela vai saber que foi você! Todo o mundo saberá!

Dennis ficou a observá-la por instantes e então disse:

— Elas ainda estão aqui. Cadê sua bolsa?

— Na caminhonete.

Dennis hesitou.

— Não se mexa — ele disse mais uma vez antes de deixá-la a sós.

Pela janela, Sam viu Dennis parar e dizer algo a Lindsay. Em seguida, ele abriu a porta da caminhonete e se inclinou dentro. Sam sabia que era o momento de se mexer. Se não fugisse nesse instante, talvez não aparecesse outra oportunidade. Assim, engatinhou, com os joelhos se machucando nas arestas do piso de madeira irregular. Passou pela cozinha e saiu pela porta dos fundos. Ainda engatinhando, sentiu os detritos que cobriam a área perto do abrigo cortarem-na. As palmas das mãos doíam e os joelhos estavam úmidos por causa do solo molhado.

O espaço entre o chão do quintal e a cerca de arame era de cerca de 30 centímetros. Sam teve de se agachar para passar. A densidade bem-vinda das árvores ficava apenas a um metro de distância. Uma vez na floresta, começou a correr na medida do possível, ignorando a dor no tornozelo ao saltar, tropeçar e cair repetidas vezes. Ela correu na direção que esperava levá-la à cidade. Após um minuto, dirigiu o olhar para a casa, obscurecida pelo emaranhado de folhas e galhos que atravessou com dificuldade. Isso a energizou, ajudou-a a se sentir invisível, e ela correu mais rápido.

Atrás dela, Dennis a chamava, e uma nova onda de adrenalina a fez avançar. Sam virou à esquerda para evitar um arbusto e tornou a virar à esquerda quando se deparou com uma poça de água escura — impossível saber o quão profunda. Ela não tinha mais certeza da direção que seguia ou para onde deveria ir. Ouviu seu nome repetidas vezes. Fugiu da voz, passando por lama espessa, árvores caídas que apodreciam e nuvens de mosquitos que penetravam em suas narinas fazendo-a tossir.

Diante dela, através das árvores, Sam viu o branco da camiseta dele. Ela se deu conta de que corria em um círculo. Então, o chão lhe faltou e ela escorregou na lama, ainda mole por causa da chuva. Quando enfim parou de escorregar, levantou os olhos e viu-se dentro de um buraco, com a entrada coberta por folhas de palmeira. Puxou os pés para se livrar das garras do solo e perdeu um sapato na lama. Acima, ela o ouviu, caminhando em silêncio e passando pelo buraco.

As moscas pousaram em sua nuca e Sam teve de reprimir a ânsia de vômito por causa do fedor da vegetação em putrefação. Respirou pela boca, mas isso não ajudou.

Sam voltou para trás para pegar o sapato, mas, ao erguer o pé para recolocá-lo, sentiu algo emaranhado ao redor dos artelhos. Com a mão livre, tentou se livrar daquilo. *Parece cabelo*, ela pensou. Seguiu aquilo com os dedos e olhou para trás. Dessa vez, o grito surgiu tão naturalmente quanto a respiração. Ela viu um par de óculos, o colarinho aberto de uma camisa cheio de lama e dedos como garras. Então, rastejou para trás para sair do buraco, cravando as unhas na terra para parar de deslizar para trás. Era Howard, inchado e amarelo ceroso. Os músculos apodreciam sob a pele e o rosto, descolado do crânio, dava a impressão de que ele sorria. Os insetos o devoravam de dentro para fora e ver isso causou em Sam uma nova onda de náusea.

A princípio, quando Dennis a agarrou, Sam acolheu a iniciativa positivamente, pois permitiu que ela fosse trazida de volta ao mundo.

— O que foi agora? — ele perguntou quando Sam projetou os joelhos para cima, evitando a sensação arrepiante de que Howard poderia pegá-la e arrastá-la de volta para ele.

— Você o matou! — ela gritou, incapaz de enfrentar o rosto de Dennis. Era real, de repente, e já parecia valer a pena fugir ou lutar.

Dennis fitou o buraco novamente. Com cuidado, ele removeu as folhas de palmeira. "Howard?", Sam o ouviu dizer e, então, tudo ficou em silêncio. Quando ele saiu do buraco, estava pálido e mais gentil.

— Precisamos conversar, Samantha.

39

NA VOLTA, DENNIS CARREGOU SAM NO COLO. ELE AFASTAVA os galhos do caminho com os ombros e tentava impedir que atingissem o rosto dela. Até pedia desculpas quando não era bem-sucedido. Lindsay, que os esperava na porta dos fundos, falou quando eles se aproximaram:

— Porra, Dennis, você está bem? Eu disse que poderia cuidar dela.

Dennis passou por ela.

— Entre, Linds.

Na sala de estar, Dennis pôs Samantha no sofá.

— Você só precisa ficar quieta. Precisa me ouvir. — Ele pegou a bolsa dela e entornou todo o conteúdo. Revirou a carteira e todos os bolsos. Então, atirou a bolsa vazia no chão. — Ok, Samantha, onde elas estão?

— O que ela fez? — Lindsay perguntou da porta.

— E o que *você* fez? — Ele se virou para encará-la.

— O quê?! — Lindsay exclamou, subitamente amedrontada.

— Howard? — Dennis indagou, um tanto rouco.

— Você não entende, Den… Ele jurou que iria confessar. Tudo. Não tive escolha.

— Quando ele ficava desse jeito, você devia me dizer — Dennis afirmou.

— Não podia arriscar. Eu estava vindo para cá e encontrei Howard na estrada. Ele andava como barata tonta. Estava louco. Tentei convencê-lo a conversar, mas ele não parou. Então, eu disse que, se ele caminhasse um pouco comigo, iria se sentir melhor. Mas Howard pegou o celular e ia ligar pra confessar desta vez, tenho certeza. Além disso, você vinha ignorando meus telefonemas, nem respondia as minhas mensagens.

— Então você fez isso pra me castigar? O que Howard te fez?

— Dennis, ele ia contar *tudo*.

— Eu podia ter conversado com ele, Linds. Você não precisava matá-lo.

— Por que se importa tanto? Ele era um esquisitão! Ele era...

— Vá se foder, Linds! — Dennis andou na direção dela como se fosse esmurrá-la, mas mudou de ideia. — Merda!

Sam se deu conta de que Howard significava muito para Dennis. Mais do que todo mundo, talvez. Ela não imaginava que ele pudesse se importar tanto.

— Como vou dizer a ele que seu filho está morto?

— Deixa comigo — Lindsay, resoluta, deixava as palavras saírem rápido: — Pensei muito nisso. Direi a ele que Howard se aproximou de mim na estrada quando eu saía daqui e parei o carro pensando que ele precisava de uma carona. Mas ele me arrastou pro mato e tentou me estuprar. Aí, tive de me defender.

— Defender? — Dennis disse, incrédulo. — Você quase arrancou a cabeça dele!

— Sei lá, vou dizer que estava assustada, que não sabia o que fazia. Só queria garantir que ele não ia me violentar.

— Estamos fodidos. — Dennis meneou a cabeça. — Sem Howard... O pai dele não tem mais motivos pra ficar quieto. No momento em que ele descobrir que seu filho está morto, ele vai mostrar o quintal.

— Olha, nós podemos consertar isso. — Lindsay fitou Sam. — Talvez devêssemos conversar em outro lugar.

— Agora já era. Sam caiu direto na sua cova rasa. Então, e daí? Você vai matá-la?

— Se for preciso, sim. — Lindsay deu de ombros.

Sam estremeceu de puro terror.

— Podemos enviar uma mensagem de texto para Harries do celular dela. — Lindsay apontou para Sam. — Escreveremos o seguinte: "Venha aqui, eu sei o que aconteceu com Howard. Venha rápido." Ele vem, portando sua arma, sem dúvida alguma, porque está pronto pra matar você na mesma hora. Ela atende à porta e diz: "Dennis está lá fora, mas você precisa ser rápido..." E quando ele sair, atiro nele. Então, após matá-lo, pegamos sua arma, matamos Sam, recolocamos a arma na mão dele e dizemos que Harries a matou quando ela confessou ter assassinado Howard porque ele a estava perseguindo e que eu atirei em Harries em legítima defesa.

Dennis encarou Lindsay, ainda pálido.

— Por que Sam o deixaria entrar e o levaria pra fora se vamos atirar nela?

— Porque vou matá-la de qualquer jeito se ela não seguir nosso plano.

— Você não precisa me matar — Sam disse rapidamente. — Não vou contar nada pra ninguém. Nem sequer entendo do que se trata.

Dennis suspirou e esfregou os olhos cansados.

— Se Samantha morrer... Não acho isso uma boa. Acho que precisamos dela.

— Mas ela vai contar para os policiais assim que estiver sozinha — Lindsay afirmou.

— Sam, você enviou mesmo as fotos pra Carrie? — Dennis perguntou.

Sam assentiu.

— E o que disse? Você falou que eram minhas?

— Sim... Disse que encontrei nas suas coisas...

— Meu Deus!

— Que fotos? — Lindsay quis saber.

— Não importa.

— Não me diga que você guardou aquelas malditas fotos, Den!

Então, Lindsay sabia, Sam compreendeu.

— Mas se ela estiver morta, você poderá controlar a história, certo? — Lindsay falava como se Sam não estivesse ali.

— Não acho que consiga.

— Cacete... Quem é Carrie? A garota do filme?

— Sim. Por quê? Também pensa em matá-la?

— Vá se foder!

Dennis aproximou-se de Sam e pôs um braço em torno de seus ombros. Ela se encolheu de medo.

— Samantha, eu gostaria que você tivesse falado comigo sobre isso. Você me fez parecer um cara muito mau. E se eu lhe dissesse que as fotos não eram minhas? Que eu apenas estava protegendo Howard? Que tínhamos um acordo?

— Eu acredito em você — Sam murmurou. — Carrie também vai acreditar.

— Mas é muito tarde. Quando ela receber essas fotos... E você já disse que são minhas... Ela confia em você, Samantha.

— Posso dizer pra ela que eu me enganei. — Sam estava negociando por sua vida, tinha consciência disso. Ela pegou uma das mãos dele. — Mas se você deixar Lindsay me matar, não poderei ajudar. E eu quero ajudar.

— Sei que você quer. Mas você realmente estragou tudo. — Dennis suspirou. — Você era diferente. Quando me escreveu, você não era igual às outras. Era muito carinhosa. Muito *normal*. Você era comum e eu gostei. Quando você está comigo, os outros devem pensar: ele também é comum. E você se manteve fiel a mim quando tudo estava desandando. Assim, eu podia perdoar quando você não era mais normal, quando vasculhava minhas coisas todas as vezes que eu te deixava sozinha. Mas agora... Não sei o que fazer.

— Deixe-me ir, Dennis. Vou confirmar tudo o que você disser. Por favor!

Dennis tornou a suspirar, saiu da sala e voltou com duas armas do pai. Sam achou que ia vomitar.

— Dennis, podemos consertar isso. Não é preciso ir mais longe. — Sam tentava parecer calma e racional.

Ele entregou uma escopeta a Lindsay e ficou com uma para si, que enfiou na parte de trás do jeans.

— Sinto muito. Não era o que eu tinha planejado.

— Não! Por favor! — Sam exclamou.

— Você tem o número do celular de Harries, Linds? — Dennis pegou o celular de Sam de seus pertences espalhados. — Está bloqueado. Qual é o código?

Sam balançou a cabeça e começou a chorar. Dennis se sentou a seu lado de novo, segurou seu pulso, pegou o polegar e o pressionou sobre o sensor de digital. A tela foi desbloqueada.

— Me dê o número dele, Linds.

— Eu não tenho — ela respondeu.

— O quê?

— Eu não tenho. Achei que você tivesse.

Sam se lembrou do cartão que Harries pusera em sua bolsa. Estava virado para baixo entre suas coisas no chão. Ela não disse nada, esperando que o plano deles desandasse.

— Puta merda! — Dennis atirou o celular de Sam no sofá.

— Dennis, a gente pode conseguir. Vamos até Howard e tiramos o seu celular do bolso dele. Ele deve ter o número do pai em seus contatos, certo?

— Com certeza. — Dennis deu de ombros. — Eu vou. Tome conta de Sam pra mim. — Antes de sair, ele olhou para as duas outra vez.

— Por favor, Lindsay… — Sam disse ao sentir que Dennis estava longe o suficiente. — Vamos chamar a polícia. Agora. Enquanto ele está longe.

Lindsay deu risada.

— Acha mesmo que ele vai deixar você ir embora? Sério?

Sam sentiu a fúria se apossar dela.

— Ele vai te matar!

— Não vai — Lindsay retrucou. — Dennis precisa de mim.

— Mas você matou Howard. Eu vi como ele ficou zangado. Dennis não vai deixar pra lá.

Contudo, a expressão de Lindsay revelava que sua devoção a Dennis valia qualquer vida, inclusive a própria.

— E se ele não te matar? — Sam prosseguiu, tentando fazê-la cair em si. — Mesmo que você saia desta com vida, o que acha que vai acontecer? Ninguém irá acreditar na sua história. É uma loucura.

— Dennis tem os melhores advogados de defesa do país — Lindsay afirmou, apesar de Sam achar que ela não pareceu tão segura.

— Ele pode decidir que você é um risco, que você não vai manter a história. Pense…

— Você acha que conhece Dennis? — Lindsay assumiu uma expressão raivosa. — Acha que sou apenas uma cadela idiota que não sabe de nada, mas eu o conheço. Sei que, no momento em que a gente acha que está no controle ou que o entende, é quando está realmente fodida. A única maneira de entendê-lo é saber que não conseguimos entendê-lo e ficar numa boa em relação a isso. Acha que está nos manipulando agora?

Você não tem uma porra de pista. E ele sempre confiou em mim. Sempre. Então, eu não ficaria tão confortável, sua vadia.

— Você ainda tem medo dele. — Sam fitava a arma sobre a perna trêmula de Lindsay.

Lindsay bufou. Pegou um cigarro do maço e se preparou para acendê-lo.

— Dennis não vai gostar se você fumar aqui dentro — Sam advertiu.

Lindsay deu de ombros, mas a chama não tocou na extremidade do cigarro e apagou.

— Levante-se — Lindsay ordenou, pegando a arma. — Fora.

Sam seguiu na frente, com Lindsay apontando a escopeta para as suas costas. Então, Sam se sentou na varanda, pediu um cigarro para Lindsay e as duas fumaram juntas, observando as árvores ao redor do quintal. Nada era igual ao que tinha sido.

— Não sou patética. — Lindsay soltou a fumaça pelo canto da boca.

— O quê?!

— Não sou patética pelo fato de me preocupar com ele.

— Não acho que você seja — Sam mentiu.

— Acha, sim. Foda-se. Eu sei o que os outros pensam. Sei o que Dennis fez, o que ele pode fazer. Mas também sei quem ele é. Por exemplo, Dennis me salvou no colégio. Ninguém se importa com isso. Na escola, aqueles caras... Eu estava numa festa e fiquei muito bêbada. Não foi estupro. Não sei.

— Sinto muito.

— Dane-se. Enfim, depois, todos tinham algo a dizer a respeito daquilo. Agiam como se eu fosse uma puta que ficava bêbada e gostava de orgias. Dennis e Howard foram os únicos que ainda conversavam comigo como se eu fosse normal. Eles disseram aos outros caras que, se tocassem em mim de novo, eles os matariam. Funcionou. Os caras nunca mais tocaram no assunto. Nem sequer olhavam para mim. Mas as garotas continuaram. Então, Dennis me disse que poderia calá-las. Ele deu aquele sorriso tímido quando falou isso. Então, elas começaram a desaparecer.

Lindsay fez uma pequena pausa para dar outra tragada e Sam ouviu o crepitar do papel queimando.

— A primeira vez... A primeira vez eu sei que foi um acidente — ela prosseguiu.

— Quem foi?

— Donna, aquela putinha. Dennis disse que iriam humilhá-la. Na festa, Howard deu aquelas malditas pílulas pra ela. Ninguém queria machucá-la. Íamos embebedá-la, tirar algumas fotos embaraçosas com a câmera de Howie e espalhá-las pela escola... Olha, você não entendeu. Ela me chamou de puta. Disse para todo o mundo que eu tinha aids. Donna nunca deu uma trégua. Éramos crianças! Aí, ela foi embora da festa, saiu com raiva. Então, nós a seguimos no meu carro. Donna estava cambaleante. Dennis baixou o vidro de trás e perguntou se ela queria uma carona. Claro que ela aceitou: você sabe, era *Dennis*, o gostosão. No começo, ela parecia tão desorientada que nem sequer percebeu que eu e Howard estávamos na frente do carro. Então, ela disse: "Por que você sempre anda com esses esquisitões?" Dennis respondeu: "Eles só estão dando uma carona pra gente." Donna adormeceu em cima dele. Todos nós achamos aquilo hilário, sabe? Ela não acordou nem quando toquei a buzina. Então, fomos pra casa de Howard, já que o pai dele estava trabalhando no turno da noite. Só quando nós a deitamos e Howard tirava as fotos que Donna começou a fazer aquele barulho. Sabíamos que ela estava vomitando. Então, nós a viramos de lado, mas ela engasgou no próprio vômito. Howard e Dennis não conseguiam fazer nada. Dois inúteis. Howard só batia nas costas dela como um retardado. Meti meus dedos na maldita garganta da garota. Tentei. Tentei de verdade, sabe? Mas Donna parou de respirar. Me desesperei. Howard surtou. Dennis era o único que conseguia raciocinar direito. Disse para eu ir embora e que eles cuidariam daquilo. Então, eu fui. Não sabia mais o que fazer.

— O que aconteceu então?

— Eles a enterraram. Dennis me contou depois. No quintal da casa dos Harries. Todos nós estávamos ferrados, Sam. Todos nós. Foi como Dennis disse: as pílulas eram de Howard, a ideia foi *minha* e Dennis...

— Ela está enterrada no quintal da casa dos Harries?

— Howard ficou muito assustado pra dizer não. Achou que tudo seria culpa dele — Lindsay disse. — Depois, ele quis confessar. Eu disse pra ele que saberiam que foi ele, que ele tirou as fotos com sua câmera. Achariam que era um pervertido. Eu falei que ele seria executado na cadeira elétrica. Dennis confirmou.

— E... houve outras? — Sam pensava nas fotos das garotas, de seus cabelos e seus lábios.

— Uma por uma, elas simplesmente foram desaparecendo. — Lindsay se virou para Sam de repente. — Não tive nada a ver com as outras. Nada!

Sam pôde perceber o medo de volta à voz de Lindsay, que prosseguiu:

— Ao longo dos anos, Howard me contou algumas coisas. Por exemplo, que ele e Dennis... mas eu não quis acreditar. Não quis. E Dennis sempre cuidou de mim. Sempre. Além disso, o que eu poderia fazer? O que eu poderia dizer que não me colocaria na prisão? Então, fiquei de boca fechada. Era nosso segredo. Estávamos amarrados pelo sangue. Dennis me protegeu. Durante todos esses anos, ele me manteve fora disso.

Lindsay voltou a esfregar os olhos e parou de falar, reassumindo a expressão habitual, uma proteção. Então, Sam pensou, havia coisas que Lindsay não queria saber. Quando Lindsay falou das fotos, não pareceu se dar conta do tamanho da coleção de Dennis. Para Lindsay, tinha sido uma questão de vingança. Sam sabia que era outra coisa. Algo como um desejo. E Lindsay não queria entender isso. Já era muito tarde para ela.

Dennis voltou, ofegante, e as observou com desconfiança ao se sentar na varanda.

— Eu o peguei. — Ele exibiu o celular.

Sam foi levada de volta para a casa, com Dennis na frente dela e Lindsay atrás. Dessa vez, ela desbloqueou seu próprio celular, sabendo que era inútil resistir. Sam ficou olhando Lindsay digitar uma mensagem de texto:

É Samantha. Estou na casa de Dennis. Howard está aqui. Precisamos de ajuda. Venha rápido.

40

OS TRÊS FICARAM ALI, SENTADOS EM SILÊNCIO, COM O DIA começando a escurecer. Consultaram o celular, esperando por uma resposta, mas a tela ficou preta. Encolheram-se com a visão de si mesmos nela.

Então, o aparelho tocou.

— Merda! — Lindsay ficou de pé e pegou a escopeta.

— Você vai ter de atender — Dennis disse. — Rápido. Se for Harries, apenas peça pra ele vir pra cá. Diga que é uma emergência.

Sam recebeu o celular, já pronta para responder. Ela iria ouvir a voz de Harries, rouca e saturada de uísque. Poderia dizer a ele que alertasse seus colegas policiais se Lindsay não estivesse olhando para ela apontando o cano da escopeta.

— Oficial de polícia Harries? Ah, aqui é Sam… Danson.

— Eu sei que é você. O que tem a me dizer sobre Howard? Onde ele está? Onde está o meu garoto?

— Ele está aqui. — Sam fitou Dennis, que assentiu.

— Ele está bem? Maldito seja! O que Dennis fez com meu filho?!

— Ninguém fez nada para Howard, oficial.

— Mas ele desapareceu há três dias e não está atendendo ao celular. Eu conheço meu garoto.

— Howard está do lado de fora da casa, gritando algo a respeito de corpos. É como se estivesse louco ou algo assim. — Sam parou para tentar controlar a respiração acelerada. — Talvez eu deva chamar a polícia…

— Não — Harries retrucou. — Estou a caminho. — E desligou o telefone.

— Você se saiu muito bem — Dennis elogiou.

Lindsay os observou e não gostou nada do que viu.

— Linds, você precisa manobrar sua caminhonete. Harries vai saber que você está aqui. Estacione ao lado da casa. Assim, ele não ficará desconfiado — Dennis afirmou.

Lindsay hesitou.

— Porra! — Ela pendurou a arma no ombro. — Já volto.

Sam não contou a Dennis o que Lindsay dissera na varanda. Não era necessário, ele já sacara.

— Lindsay vai lhe dizer qualquer coisa pra conseguir que você baixe a guarda, Samantha.

— Ela acha que você precisa dela — Sam afirmou, encontrando alguma força dentro de si. — Mas, na minha opinião, você precisa mais de mim. Se você me ajudar a sair dessa, posso recuperar as fotos.

Sam notou as rugas de perturbação na testa de Dennis e a maneira como ele a encarou, com os olhos espreitando por cima dos óculos. Dennis não parecia ele mesmo, ela pensou. Sua frieza fora substituída por algo que ela reconhecera como mais humano.

Lindsay voltou e se escondeu ao lado direito da casa, obscurecida por parte da varanda dos fundos. Sam ficou sentada na sala de estar, enquanto Dennis esperava no corredor, para se certificar de que Sam não daria para trás no último minuto e traria Harries para dentro.

Quando o carro encostou do lado de fora, Dennis foi para a cozinha, com a arma na mão e o dedo no gatilho. Harries correu na direção da entrada, deixando a porta do carro aberta e o motor ligado. Sem esperar que ele batesse na porta, Sam a abriu quando ele se aproximou. Harries segurava sua arma, reforçando a pegada com a outra mão. Sam engoliu em seco. Bastava um pequeno erro de sua parte e sua vida terminaria. De repente, ela sentiu um intenso desejo de viver. Precisaria aguentar firme apenas um pouco mais. *E então o quê?* Ela ignorou a pergunta.

— Onde ele está? — Harries empurrou Sam para o lado quando passou.

— Eu bati nele. Desculpe, fiquei assustada — Sam mentiu.

— Onde ele está?! — ele voltou a perguntar, mais alto.

— Lá fora — Sam informou.

— Vá. Você na frente — Harries ordenou, apontando para ela.

Sam o conduziu para os fundos e parou diante do abrigo contra tempestade. Harries olhou ao redor, mas permaneceu à soleira, cuidando de sua retaguarda.

— Onde ele está?! — perguntou pela terceira vez, desconfiado.

— Não faça nada estúpido agora. — Dennis se aproximou, com as mãos para o alto.

De imediato, Harries apontou-lhe a arma.

— Onde ele está?! — perguntou pela quarta vez, com a voz retumbando no silêncio do anoitecer.

— Tivemos de prendê-lo — Dennis informou. — Howie está no abrigo.

— Abra o alçapão — Harries ordenou a Sam.

Com as mãos trêmulas, Sam obedeceu. Harries ficou parado na porta. Naquela posição, Lindsay não seria capaz de fazer mira, Sam sabia. *Fique aí, não se mexa*, ela desejou.

— Não vou mentir pra você, Harries — Dennis disse. — Ele ficou um pouco machucado. Sabe... Levou uma pancada na cabeça.

— O que você fez com ele?! — Harries deu um passo à frente, mas logo mudou de ideia e recuou para a porta.

— Nada, nada. Howie está bem. Ele só vai precisar de uma ajudinha.

Harries examinou a área de novo.

— Vire-se, Danson.

— Hein?

— Vire-se! Fique com as mãos para cima.

Dennis obedeceu. Sua arma se projetava na parte de trás do jeans.

— Você — Harries falou para Sam. — Pegue a arma. Agora!

Ela obedeceu.

— Dê pra mim. — E Harries tirou-a das mãos de Sam quando ela chegou perto e a encaixou no coldre vazio ao seu lado. — Fique contra a parede, Danson. Fique *encarando* a parede.

Dennis riu e encostou a testa na parede. Harries segurou o braço de Sam quando se aproximou do abrigo, olhando para Dennis de vez em quando.

— Você primeiro — ele disse a Sam, apontando para o alçapão.

— Eu?

— Sim. Vá! Agora!

Sam olhou para a lateral da casa, onde sabia que Lindsay esperava, pronta para a ação. Em seguida, olhou dentro dos olhos de Harries. Estavam avermelhados, nervosos. Um homem cujos segredos o mantinham acordado durante toda a noite, que amava seu filho, que não tinha mais ninguém. Havia esperança ali e isso era o que mais o machucava. Sam deu um passo na direção do abrigo e viu Lindsay se posicionar, com a arma apontada para as costas de Harries.

Quando escutou o tiro, Sam tremeu. O sangue de Harries atingiu seu rosto quando ele caiu para o lado. De modo frenético, Sam enxugou o rosto, e suas mãos ficaram manchadas de vermelho. Harries estava caído a sua frente, o rosto virado para o lado, com as folhas de relva se movendo com a respiração dele.

O tiro rasgou o peito de Harries, deixando um grande buraco, no qual o sangue borbulhava por causa do pulmão arrebentado. Ainda assim, ele continuava respirando, ruidosamente, penosamente. Sam escutou Lindsay gritando e desejou que ela parasse com aquilo e que Harries morresse.

Então, Harries ficou imóvel e o sangue se empoçou pegajoso debaixo dele. Sam olhou para o policial, com a realidade daquilo a atingindo como uma ducha fria. Ele estava morto.

Dennis se agachou ao lado do corpo de Harries e pegou as duas armas.

Lindsay andava de um lado para o outro ao fundo, cheia de adrenalina, com a visão do sangue a excitando ainda mais.

Dennis deu uma olhada rápida para Lindsay e Sam teve a impressão de que ele tomara uma decisão sobre algo. Discretamente, entregou uma das armas para Sam.

— Você tem de dar um tiro em Lindsay, Samantha. Você consegue. — E Dennis se afastou um passo.

Sam segurou a arma. Era mais pesada do que esperava. Será que conseguiria mesmo atirar em Lindsay? Mas havia pouco tempo para pensar, pois Lindsay se virou para encará-la, fazendo pontaria.

Sam ergueu a arma, que tremia de forma terrível. Ela a firmou com a mão livre, como vira Harries fazer.

— Eu sabia! — Lindsay disse quando se deu conta do que Dennis tinha feito. — Sabia que vocês dois aprontariam comigo. — E começou a chorar.

Sam pôs o dedo no gatilho, sem saber o que fazer a seguir. Talvez, quando puxasse o gatilho, ouvisse um clique; ou quem sabe a arma daria um coice em suas mãos; ou a bala cortaria o ar e atingiria a carne. Ela e Lindsay se entreolharam, cada uma com medo de executar o primeiro movimento, esperando que Dennis lhe dissesse o que fazer.

Enfim, ele falou:

— Lindsay...

O som da buzina de um carro que se aproximava soou repetidamente. Buzinadas longas, curtas, longas. Os três se entreolharam. Sam se perguntou se seria código Morse, se uma viatura estava sinalizando para Harries. No entanto, quando o carro encostou na frente da casa, ela reconheceu a batida barulhenta da música, de algo triunfantemente alegre.

Dennis gesticulou para que elas esperassem e se dirigiu para o lado da casa para perscrutar o jardim. Quando voltou, agachou-se para evitar as janelas.

— É Carrie — ele sussurrou. — Ela está lá fora.

— A garota do filme?! — Lindsay mantinha a arma apontada para o peito de Sam.

Sam ouviu uma batida na porta e a ignorância animada da voz de Carrie:

— Estou aqui pra resgatá-la, garota! Vou te levar de volta à civilização!

— O que vamos fazer com ele? — Lindsay indicou o corpo de Harries.

— Oi! Pareço um fantasma ou algo assim? Oiii!

Sam queria correr na direção de Carrie, mas sabia que Lindsay atiraria nela se fizesse isso.

— Precisamos deixá-la entrar.

Dennis umedeceu o polegar e limpou o rosto de Sam, examinando a roupa dela em busca de sinais de sangue.

— Estou indo! — ele gritou.

Dennis caminhou ao redor da casa para encontrar Carrie na frente, e Sam e Lindsay permaneceram onde estavam, escutando a conversa deles. Sam tentou não pensar no que poderia já ter acontecido se Carrie não tivesse aparecido. Escutou Dennis dizer a Carrie que ela não estava em casa, e Carrie respondeu que esperaria. Os braços de Sam começaram a doer por mantê-los diante de si. Lindsay, no entanto, dava a impressão de ser capaz de ficar naquela posição o dia todo, com a arma agora apontada direto para o pescoço de Sam.

— De quem é esse carro? — Carrie quis saber.

— De Lindsay.

— Lindsay? Den... Você *tem* de parar com isso — Carrie sussurrou: — Transtornar Sam... compromisso... casamento...

Sam ficou com os olhos cheios de lágrimas. Carrie estava tão perto. Tudo o que queria era correr até ela. A arma pareceu insuportavelmente pesada em sua mão. De repente, sentiu-se fraca demais. Se conseguisse sair naquele momento, não seria tarde demais.

Sem baixar sua escopeta, Lindsay começou a caminhar na direção da casa. Então, deteve-se perto da porta dos fundos. Olhou para Sam, mas inclinou a cabeça tentando ouvir o que rolava lá na frente.

— Não está acontecendo nada, Carrie. Está tudo bem. Não se preocupe — Dennis dizia.

— Deixe-me entrar. Vou esperar.

Sam cerrou as pálpebras e implorou para que Carrie ficasse, com os lábios se movendo numa oração. Ela sabia que Lindsay não a mataria enquanto Carrie estivesse ali.

— Por que não? — Carrie estava dizendo. — Por favor, cara, eu *confiei* em você, e agora isso?

— Não há *nada* entre mim e Lindsay — Dennis disse, mais alto. — Isso é complicado, Carrie...

Mas Carrie já estava dentro, caminhando pela casa, com Dennis logo atrás, chamando-a de volta. Lindsay ergueu a arma.

— Pare. — Lindsay apontava a escopeta para Sam.

Carrie estacou.

— Sam? — Carrie se virou.

Dennis tentou pegar o braço dela e puxá-la, mas ela o impediu.

— O que diabos está havendo aqui?!

— Isso saiu do controle. — Dennis deu de ombros.

Os olhos de Carrie, arregalados, brilhavam de medo. Carrie, que sempre parecia tão durona e inabalável. A esperança de Sam começou a desaparecer e se transformar em desespero.

— Então, o que acontece agora, Dennis? — Lindsay quis saber. — Como eu fico em tudo isso?

Sam reconheceu a expressão de Lindsay: o coração dilacerado, a raiva e a tristeza. Agora Lindsay era uma mulher sem nada a perder. Sam percebeu que Dennis também vira isso.

— Linds... — Ele se aproximava dela lentamente.

Carrie deu um passo atrás quando Lindsay apontou a arma na direção deles e disse a Dennis:

— Não se mexa.

Dennis pôs o braço na frente de Carrie, direcionando-a para atrás de seu corpo. Ele recuou devagar, protegendo Carrie de Lindsay.

— Não se mexa! — Lindsay gritou.

— Lindsay, por favor, isso não precisa ir mais longe — Dennis afirmou.

Lindsay arfava, tentando conter as lágrimas.

— Lindsay, eu entendo — Sam disse. — Eu sei como você se sente e lamento muito, muito mesmo.

— Você não entende. — Lindsay chacoalhou a cabeça. — Eu sacrifiquei tudo por ele!

— Linds... — Dennis murmurou.

— Não! Já estou cheia disso. Você nunca me tratou direito. — Lindsay encarava Dennis com ódio puro e furioso. — Eu sei o que você realmente é. Eu sei.

— O que está acontecendo? — Carrie perguntou, em voz baixa.

Lindsay olhou para Carrie por sobre o ombro de Dennis.

— Quer saber, garota do filme? Alerta de spoiler, Dennis...

O estampido foi tão alto que, por um instante, Sam achou que tinha sido atingida. O grito de Carrie pareceu distante e débil. Sam fechou os olhos, com o som ecoando em seus ouvidos. Ao abri-los, viu que a bala atingira Lindsay na boca. Pedaços do rosto dela se espalharam ao lado da casa e grudaram na janela, com um brilho vermelho na luz pálida. No chão, havia um dente, pousado sobre uma poça de miolos e sangue. O crânio vazava, com seu único olho ainda intacto tremulando em sua órbita.

Dennis se dirigiu até o corpo de Lindsay e desmoronou. Deixou cair a arma de Harries nas vísceras e contemplou sem expressão o cadáver. O sangue que escapava do crânio aberto era absorvido pela terra fofa, como chuva após a tempestade.

Carrie se virou e vomitou. Sam estendeu a mão e ajudou Dennis a ficar de pé. Ele se ergueu lentamente, como se toda a força tivesse sido drenada dele. Sam não teve medo. Ela o abraçou, apoiando a cabeça em seu peito, sentindo o cheiro da fumaça da arma e o travo do sangue em sua camisa.

— O que diabos acabou de acontecer?! — Carrie tremia.

Por algum tempo, foi como se tudo tivesse parado ao redor deles. O eco do disparo da arma desapareceu, engolfando-os no silêncio. Até o vento deu a impressão de ter parado, enquanto Sam, Dennis e Carrie olhavam ao redor, sem saber o que fazer a seguir. Logo, as cigarras começaram a cantar e as folhas das palmeiras a farfalhar na brisa quente.

Eles tinham de assumir o controle da situação, Sam decidiu. Era preciso resolver o que viria em seguida.

Epílogo

TRÊS MESES DEPOIS

Sam sentou-se em um lado da mesa, tentando não olhar para os demais, concentrando-se na máquina de venda automática no canto mais afastado. Os presidiários entraram sem algemas e abraçaram seus familiares. Dennis atraiu os olhares, como sempre, e recebeu um beijo de Sam sem se queixar.

— Você voltou — ele disse. — Como foi na Inglaterra?

— Morri de frio! Acho que me acostumei com a Flórida, finalmente. — Ela acariciava o pulso dele com o polegar.

Sam esteve ausente por duas semanas, apenas o tempo suficiente para alugar um cofre no banco e providenciar que sua casa fosse esvaziada e vendida.

Quando abriu a porta de sua casa, na Inglaterra, as cartas e os folhetos caíram a sua frente como uma pilha de folhas mortas. O ar exalava mau cheiro. Tudo estava congelado no tempo. Ela revirou a correspondência e se desesperou por não encontrar as fotos que havia enviado. Mas então avistou o envelope, com sua caligrafia pouco legível.

Sam precisou se preparar antes de abrir o envelope. Então, lenta e deliberadamente, espalhou todas as fotos e olhou para elas. Olhou de verdade, pela primeira vez. Naquele momento, enfim, ela tinha o espaço e a privacidade para pensar.

As cores estavam desbotadas, mas Sam ainda conseguia visualizar o vermelho intenso da carne rompida e o roxo dos lábios. Os cabelos propositalmente espalhados ao redor das cabeças e os braços descansando ao lado dos corpos, como se as garotas estivessem tomando sol, como se estivessem tranquilas. Sam contemplava as fotografias e tentava entender aquilo. O que ela via não era a raiva de um homem que queria machucá-las, mas a doença de alguém que queria mantê-las. Então, pensou naquele dia na floresta, quando Dennis se curvou e pôs o gatinho na sepultura, dando um tapinha delicado e carinhoso na terra, e se lembrou das decorações que ele pendurara e das inscrições com esmalte para unhas.

Não era culpa dela que ele não a quisesse, Sam compreendeu. Não era o corpo dela, nem os dentes dela. Era o calor do sangue pulsando em suas veias, a subida e a descida de seu peito, o jeito como ela se movia encostada nele quando Dennis a beijava. Recolocou as fotos no envelope, enjoada.

— Você cuidou das... — Dennis perguntou a Sam.

— Elas estão seguras. — Ela guardara as fotografias no cofre de aluguel, na Inglaterra.

— Certo.

Sam beijou a mão dele. Eles não podiam conversar à vontade ali. Por isso, ela não podia dizer a Dennis que sabia, que entendia o que as fotos significavam.

Sam ligou para a polícia pouco antes de embarcar no avião para a Inglaterra. A ligação foi feita de um telefone público, pelo qual teve de procurar muito, e ela fingiu o melhor possível para disfarçar sua identidade.

— Há corpos enterrados no quintal dos Harries — ela dissera. — Dennis Danson é o assassino de todas as garotas. Lindsay Durst e Howard Harries são os cúmplices.

Em seguida, ela desligou, correu de volta para o carro e dirigiu até o aeroporto. Em Bristol, acompanhou o desdobramento da história, enquanto os ossos eram limpos na superfície.

— Meio que senti falta disso — Sam afirmou.

— Do quê?

— Disso. — Ela indicou a sala de visitação. Sentia-se segura ali, mas não diria isso a ele. — Sempre gostei de vir visitá-lo. E é bom poder tocar em você aqui.

— Sim. — Dennis baixou os olhos. — Querem que eu faça um acordo judicial. Se eu confessar que matei as garotas, pego prisão perpétua sem direito a condicional.

— Ah, é?!

Sam esperava que Dennis aceitasse. Se ele lutasse contra as acusações e perdesse, o corredor da morte seria inevitável. Se fechasse o acordo, poderia até mesmo vir a se matricular num curso universitário. Seu rosto estava bronzeado por causa das horas no pátio de exercícios físicos.

Ainda havia quem acreditava que Dennis não matara as garotas. A fé de Carrie nunca vacilou. Carrie o amava, da mesma forma que Howard e Lindsay o amaram. E essa foi a forma, Sam se deu conta, que Dennis usou para controlá-los. Como ele a controlou.

Carrie jurou ter visto Lindsay erguer a arma antes de Dennis desferir o tiro. Para ela, ele era um herói.

A lembrança de Sam daquele anoitecer era vaga, mas tinha certeza de que Lindsay não levantou a arma. Quando ela segurou Dennis, depois de ele ter puxado o gatilho, encostou a cabeça no peito dele e escutou seu coração bater tão devagar e regularmente como se estivesse dormindo. Isso a deixou gelada. E ainda mais gelada quando notou o dente perdido na poça de sangue em que ele descansava.

— Eles não têm nada — Dennis afirmou.

— O quê? — Sam percebeu que não estava prestando atenção ao que ele dizia.

— Meu advogado garantiu que não há nada que me ligue aos corpos no quintal dos Harries. A acusação não tem nada.

Sam se sentiu mal. Ao pensar sobre ele ser libertado, moveu a mão instintivamente para o abdome, para o bebê em gestação dentro dela. *E se for uma menina?*, ela se perguntava. Não. Se ela precisasse, sempre teria as fotos. Não podiam fazê-la testemunhar contra Dennis, não enquanto fossem casados, mas ela poderia dizer que encontrou as fotos ao arrumar as coisas dele.

Sam notou que Dennis olhava para sua crescente saliência e sorriu. Ele corou e desviou o olhar. Não era algo sobre o qual eles falassem. Dennis ficava muito mais à vontade com os mortos do que com os vivos.

Sam desejava que ele fizesse o que fosse melhor para si, o que fosse melhor para eles.

— Aceite o acordo judicial, Dennis. — Ela tomou a mão dele do outro lado da mesa.

Dennis apertou os dedos de Sam com mais força e se inclinou para ela.

— Mas quando eu sair, poderemos ficar juntos. Onde você quiser. Nova York... Em qualquer lugar. — Ele procurava na expressão de Sam algum sinal de que ela acreditava nele. — Por favor, Samantha.

Sam olhou nos olhos dele, tão azuis que ainda lhe tiravam o fôlego.

— Eu sempre virei te visitar — ela garantiu.

E Sam realmente pensava nisso. Era assim o jeito como eles funcionavam, ela concluiu, entrelaçando os dedos nos dele. Sempre foi melhor assim.

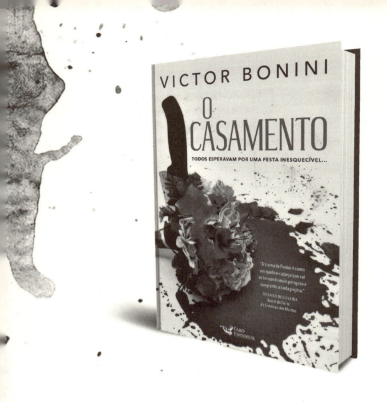

PARA OS NOIVOS É O DIA MAIS IMPORTANTE DE SUAS VIDAS

Meses atrás, os amigos diriam que o namoro de Plínio e Diana tinha prazo de validade. Eles se conheceram de um jeito bizarro, pensam completamente diferente e nenhuma das famílias aprova o relacionamento. Mas eles resistiram a tudo. E agora vão se casar.

PARA O DETETIVE É A MELHOR CHANCE DE PEGAR UM CRIMINOSO

O mais *íntegro* dos convidados esconde um segredo devastador. Mas alguém sabe e está disposto a espremê-lo com chantagens. É então que o detetive Conrado Bardelli se hospeda no hotel-fazenda onde ocorrerá o casamento. Ele precisa descobrir o lobo entre as ovelhas. E rápido. Pois, a cada nova ameaça, o chantagista eleva o tom e falta pouco para a bomba explodir.

O CASAL ESTÁ PRONTO PARA O SIM. OS PADRINHOS ESTÃO POSICIONADOS. A NOIVA SE PREPARA PARA CAMINHAR PELO TAPETE VERMELHO. ATÉ QUE ALGUÉM DIZ: NÃO SAIA DO CARRO!

Enquanto a plateia espera ansiosa em frente ao altar, algo brutal acontece na antessala. Só quando veem as paredes lavadas com sangue é que os convidados se rendem ao desespero. Começa uma confusão para interromper a marcha nupcial e chamar a polícia. Ninguém sabe o que fazer. E Bardelli, que lidava com um caso de extorsão, descobre que se meteu em algo muito pior. Agora, ele é o único capaz de encontrar respostas. O problema é que as mortes não param de acontecer...

CONHEÇA TAMBÉM:

Marcos DeBrito:

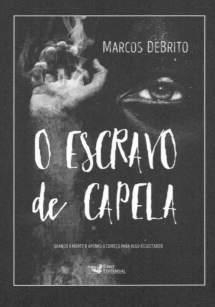

O Escravo de Capela

Durante a cruel época escravocrata do Brasil Colônia, histórias aterrorizantes baseadas em crenças africanas e portuguesas deram origem a algumas das lendas mais populares de nosso folclore.

Com o passar dos séculos, o horror de mitos assustadores foi sendo substituído por versões mais brandas. Em *O Escravo de Capela*, uma de nossas fábulas foi recriada desde a origem. Partindo de registros históricos para reconstruir sua mitologia de forma adulta, o autor criou uma narrativa tenebrosa de vingança com elementos mais reais e perversos.

Aqui, o capuz avermelhado, sua marca mais conhecida, é deixado de lado para que o rosto de um escravo-cadáver seja encoberto pelo sudário ensanguentado de sua morte.

Uma obra para reencontrar o medo perdido da lenda original e ver ressurgir um mito nacional de forma mais assustadora, em uma trama mórbida repleta de surpresas e reviravoltas.

"Cada página é como um golpe cruel de chicote. E sai muito sangue!"

RAPHAEL MONTES — Autor de *Dias Perfeitos* e *Jantar Secreto*

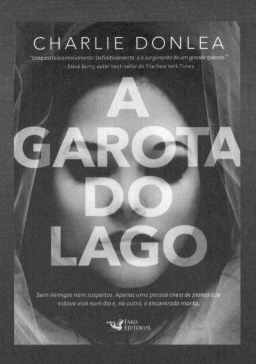

ALGUNS LUGARES PARECEM BELOS DEMAIS PARA SEREM TOCADOS PELO HORROR...

Summit Lake, uma pequena cidade entre montanhas, é esse tipo de lugar, bucólico e com encantadoras casas dispostas à beira de um longo trecho de água intocada.

Duas semanas atrás, a estudante de direito Becca Eckersley foi brutalmente assassinada em uma dessas casas. Filha de um poderoso advogado, Becca estava no auge de sua vida. Era trabalhadora, realizada na vida pessoal e tinha um futuro promissor. Para grande parte dos colegas, era a pessoa mais gentil que conheciam.

Agora, enquanto os habitantes, chocados, reúnem-se para compartilhar suas suspeitas, a polícia não possui nenhuma pista relevante.

Atraída instintivamente pela notícia, a repórter Kelsey Castle vai até a cidade para investigar o caso.

... E LOGO SE ESTABELECE UMA CONEXÃO ÍNTIMA QUANDO UM VIVO CAMINHA NAS MESMAS PEGADAS DOS MORTOS...

A selvageria do crime e os esforços para manter o caso em silêncio sugerem mais que um ataque aleatório cometido por um estranho. Quanto mais se aprofunda nos detalhes e pistas, apesar dos avisos de perigo, mais Kelsey se sente ligada à garota morta.

E enquanto descobre sobre as amizades de Becca, sua vida amorosa e os segredos que ela guardava, a repórter fica cada vez mais convencida de que a verdade sobre o que aconteceu com Becca pode ser a chave para superar as marcas sombrias de seu próprio passado...

UMA DAS NOVAS E MAIS ORIGINAIS VOZES DO SUSPENSE, CHARLIE DONLEA ESTÁ DE VOLTA COM UM LIVRO INQUIETANTE, CHEIO DE REVIRAVOLTAS E TENSÃO. UMA HISTÓRIA SOBRE DUAS GAROTAS SEQUESTRADAS – UMA QUE ESCAPA, MAS OUTRA NÃO – E UMA ESPECIALISTA EM MEDICINA LEGAL.

"O autor tem uma habilidade ímpar de maximizar o suspense com diversos narradores, criando um malabarismo a partir de cada nova informação, repleto de reviravoltas impressionantes até o fim."
Publishers Weekly

"A trama de Charlie Donlea oferece o pacote completo: tensão, ganchos, pistas falsas e um desfecho imprevisível!"
Zero Hora

ASSINE NOSSA NEWSLETTER E RECEBA
INFORMAÇÕES DE TODOS OS LANÇAMENTOS

www.faroeditorial.com.br

ESTA OBRA FOI IMPRESSA PELA
SERMOGRAF EM MARÇO DE 2018